新潮文庫

そこに日本人がいた！

—海を渡ったご先祖様たち—

熊田忠雄著

新潮社版

8963

はじめに

日本人の国民性を象徴するものとして、よく島国根性という言葉が使われる。いや、使われたと言うべきかも知れない。島国根性とは、島国に住む国民特有の視野の狭い性格とでも言おうか。四方を海に囲まれ、四つの小さな島からなる日本は島国そのものであり、そこに生まれ育った国民は内弁慶で、自己主張が弱く、周囲と容易に同化したがらないなど、その性格が指摘されてきた。

しかしその一方で、周囲の国々から孤立し、狭隘《きょうあい》な国土に生まれ育ったがゆえに広い世界に憧《あこが》れ、新天地を求めて飛び出して行った者も、その数は知れない。今改めて日本人の海外渡航史をひもとくと、旺盛《おうせい》活発に海外へ雄飛して行った先人の足跡が鮮やかによみがえってくる。

今日のように交通や通信手段の発達した時代ならいざ知らず、言語、気候風土、生活慣習も異なり、頼るべき同胞もいない時代に波濤《はとう》万里を越え、未知なる地をめざした日本人が厳然と存在したことに驚かされる。

彼らは何を思い、何に駆られて祖国を離れたのだろうか。

遣隋使《けんずいし》、遣唐使の時代から公務を帯びて海を渡った者たちには、当然のことながら時の権力による庇護《ひご》があり、彼らの渡航記録は歴史の正史として刻まれ、後世に伝えられている。しかし海難事故による漂流、拉致《らち》監禁、人身売買など自らの意思に反して異国にたどり着いた者たちは別として、明確に自らの意思により邦人未踏の国や地域へ飛び出して行った名もなき人たちの足跡は必ずしも十分に捕捉《ほそく》されているとは言いがたい。

それゆえ現代のわれわれには想像もつかぬ遠い時代に、とてつもなく遠い国や地域へ敢然と足を踏み入れ、生活していた日本人がいたとしても不思議はない。中南米やハワイ移民のように国内での生活苦から逃れようと集団で海を渡った者も多かった。しかし日本人を海外へと駆り立てた動機はそれだけではなかったはずである。

未知なる地への好奇心抑えがたく、冒険心や功名心に駆られ、同胞の渡っていない未踏地へ一番乗りをめざした者、日本人ここにありと、その存在感を世界に誇示しようと思った者、あるいは自らの力だけに頼り、一財産を築いてみせると意気込んだ者もいた。

これまで世界各地に渡った日本人の足跡や在住の記録については、多くの研究者、ジャーナリスト、作家などの手により明らかにされているが、本書ではそのうち「最初の渡航者」「最初の居住者」に絞って、渡航動機、経路、あるいは、その裏に秘められた人間ドラマに照準をあてた。あの時代、あのような地へ、あんな目的を抱いて渡っていた日本人が、確かに存在したのだということを知っていただければ、幸いである。

筆者が海外に雄飛した最初の日本人に興味を抱いたのは、勤務先の取材や個人旅行で世界各地へ出かけるようになってからである。ポルトガルのロカ岬に立ち、眼下に広がる大西洋の大海原を眺めた時、中国タクラマカン砂漠のオアシス、トルファンで葡萄棚《ぶどうだな》越しに満天の星を見上げた時、あるいはオーストラリア大陸西岸の浜辺でインド洋に沈みゆく夕陽を見た時、いつも自分の立っている地に日本人として最初に足跡を刻んだのは一体いつ頃、どんな人物だったのだろうかと思いを巡らせたものだ。

いつしか旅先から帰ったあとは、訪れた国や地域と日本との交流史を調べる興味が芽生え、関連する文献を求めて古書店や図書館を巡るようになった。もとより筆者は海外交渉史や海外発展史といわれる分野の専門家でも研究の徒でもない。自らの意思で海外へ飛び出して行った日本人たちの旺盛な好奇心と大胆な行動力に対し、ある種の憧憬《しょうけい》と畏敬《いけい》の念をもち、その生きざまに関心を抱いているに過ぎない。

本書では一部を除き、漂流民および組織的な海外移民を対象から省いた。あくまでも単独ないし、少人数で新天地をめざした者たちを中心に取り上げた。また中国や朝鮮半島などは、あまりに古代から日本人渡航者が多く、特定するのが困難なために除いた。

近年、交通手段の進歩によって世界は近くなったとは言え、まだまだ日本から二日や三日、あるいはそれ以上の日数を費やさなくては、たどり着けない国や地域もある。日本人が地球規模で活発に移動を繰り返している今日だからこそ、かの地に足を踏み入れた最初の日本人の思考、行動様式を明らかにすることは単にその時代の社会背景のみならず、日本人のアイデンティティーやメンタリティーを探ることにもつながるものと考える。

現在、世界のどこへ旅しても中華料理店に象徴されるように中国人が進出していることに驚かされるが、どっこい、その人数の差はあっても、わが日本人とても決してひけをとるものではない。筆を進めながら日本人、とりわけ明治人の豪胆な行動力には脱帽せざるを得なかった。日本人もなかなかやるものだというのが率直かつ偽らざる感想である。

本書の執筆にあたって国立国会図書館をはじめ、各地の図書館、史料館、大学に所蔵の稀少《きしょう》文献を活用したほか、多年この分野を研究されている先達の方々から種々有益なアドバイスをいただいた。改めて御礼を申し述べたい。

また本文の中で、参考引用・要約させていただいた書物の著訳者に対しても深甚《しんじん》なる謝意を表したい。重複などの煩雑《はんざつ》さを避けるため、著訳者や登場人物の敬称は省略させていただいたことも併せてお許し願いたい。資料を引用したり、要約した際には、なるべく新漢字と現代仮名づかいに直したほか、現代の数字表記や言い回しなどを（　）で加えるなど、一部を読みやすくしてあることもお断わりしておく。

目次

そこに日本人がいた！

―海を渡ったご先祖様たち―

第一話　南アフリカ／ケープタウン

礼装と日章旗で日本船を迎えた男

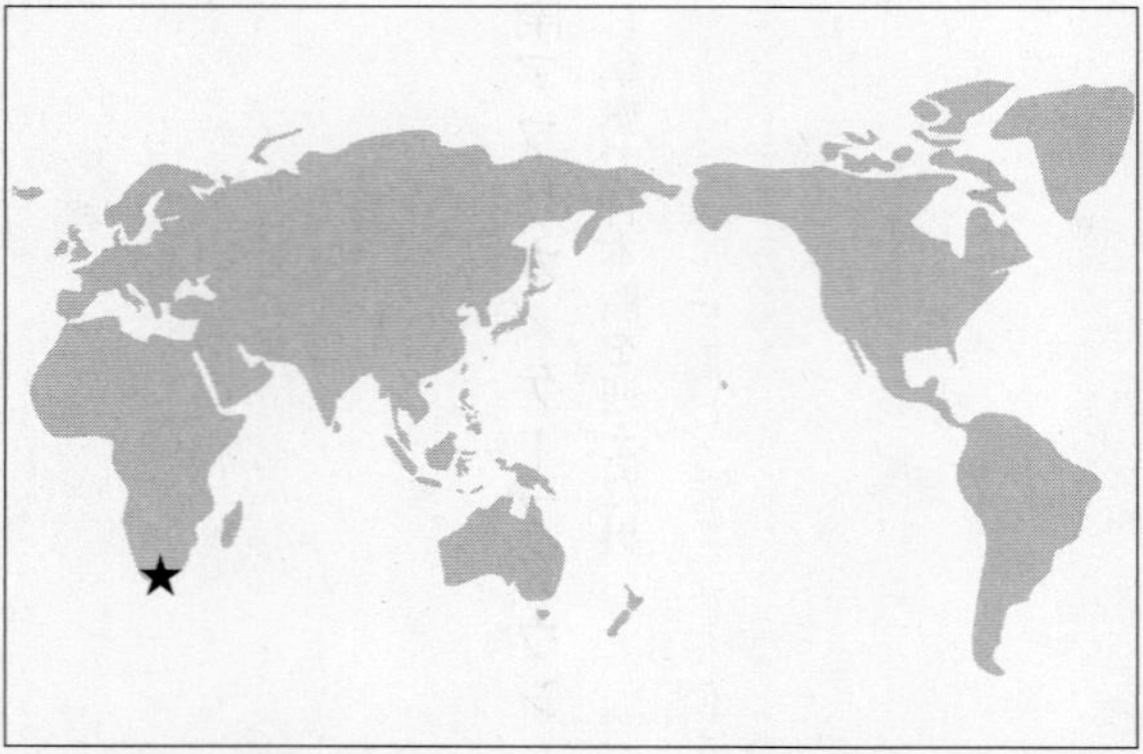

現在：日本からの空路直行便はない。香港経由の場合、成田→香港が空路約４時間半、香港→ヨハネスブルクが空路約13時間半、ヨハネスブルク→ケープタウンが空路約１時間半。

近くのスーパーで陳列棚に山積みとなったグレープフルーツを見ると、原産地は南アフリカと表示があった。隣のワインコーナーへ行くと、フランスやイタリア産とともに南アフリカ産のラベルを張ったボトルが並んでいた。あのアフリカ最南端の国で生産されたものが何の違和感もなく、日本の消費者の前に並んでいる。地理的に、はるか遠いと思っていた国が、にわかに近く見えてきた。

だがこの国へ行こうと思えば、やはり遠い。今でも飛行機を乗り継いでほぼ一日かかる。かつて南アフリカ航空が日本との間に念願の直行便を就航させたが、安定的な乗客確保が厳しかったのだろう。運航を停止してから久しい。現在この国をめざすには香港《ホンコン》からヨハネスブルクへのノンストップ便を利用するのが最短ルートのようである。最近はこの国と周辺国を組み合わせたツアーが多数企画され、訪れる日本人も急増していると聞く。二〇一〇年にはサッカーワールドカップも開催されるため、日本人には今後より身近に感じる国になるだろう。

南アフリカへ日本人として最初に足跡を印したのは、徳川幕府がオランダに続いてロシアへ派遣した山内作左衛門ら六人の留学生である。一行は慶応元（一八六五）年九月、ロシア船ポカテール号で箱館を発《た》ち、香港、シンガポール、バタビア（現ジャカルタ）を経て翌年一月初めにケープタウンに到着した。

甲板から眺めた町は背後に机のような形をした山（テーブルマウンテン）のほか、険しい山々が屛風《びょうぶ》のように連なっていた。あちこちで麦を粉に挽《ひ》く風車が回り、汽車が煙を吐きながら走って行くのも見えた。

船は乗組員の休養と食料、水、石炭などの補給のため五日間停泊し、留学生たちも上陸した。彼らは決して清潔とは言えない町を散策し、植物園や博物館にも足を運んだが、博物館の中に日本の鏡や矢立て、弓矢などが展示されているのには驚いた。また市内のホテルで酒を飲んだり、銭湯に入るなどしてのんびりと過ごした。

それから約三〇年後の明治半ば過ぎ、この港町にはるばる日本から一組の若い夫婦が渡って来る。同胞のいない地で、一旗揚げようと目論《もくろ》む茨城県出身の古谷駒平《こまへい》（二八歳）と妻の喜代子（二四歳）であった。彼らこそ、この地に根を下ろした最初の日本人である。

当時、日本で南アフリカなどと言っても、どれだけの人が理解できたろう。明治二年、福沢諭吉が世界の事情を分かりやすく紹介した『世界國盡《せかいくにづくし》』の中で、アフリカについて次のように記している。

「土地は広くも人少なく、少なき人も愚かにて文字を知らず技芸なく、北と東の数箇国を除きし外は一様に無智《むち》渾沌《こんとん》の一世界……」

愚かだ、無知だと、今のアフリカ人が聞いたら激怒するような侮蔑《ぶべつ》的な言葉を連ねている。もっとも諭吉は『世界國盡』について、英米で出版された地理、歴史の書を集め、その中から肝心な箇所だけ通俗的に翻訳したもので、自分の考えは一切含まれていないと冒頭に断っている。

この地は一七世紀半ばにオランダ人が入植し、先住民を排除しつつ、その支配地域を拡大していった。入植者たちは圧倒的に農民が多かったため、オランダ語で農民を意味するボーア人と呼ばれ、やがて本国とは異なる独特の言語と文化をもつグループを形成するようになる。一八世紀末になると、今度はイギリス人がケープタウンに上陸、武力でボーア人を排除しにかかる。このため彼らはさらに奥地への移動を余儀なくされ、トランスバール共和国やオレンジ自由国を建設する。

ところが一九世紀末にボーア人居住地域で金やダイヤモンドが発見されると、再びイギリスはそれら鉱物資源の支配を狙《ねら》ってボーア人と対立、二度にわたる戦争（ボーア戦争）へと発展する。

古谷駒平が上陸したのは、まさに第二次ボーア戦争前夜の明治三一（一八九八）年で、ケープタウン社会は騒然とした空気に包まれていた。

当時は日本から約一万五〇〇〇キロ離れたこの町へ直行する船便はなく、インドのボンベイ（現ムンバイ）までは日本郵船が明治二六（一八九三）年に定期航路を開設していた。

駒平がケープタウンへ向かったルートについては二つの説がある。それは大正から昭和初期にかけ、雑誌に掲載された彼の紹介記事の違いからきており、一つは横浜～上海《シャンハイ》～香港～シンガポール～ボンベイ～ケープタウンで、所要日数は六カ月。もう一つは、横浜～コロンボ～カルカッタ（現コルカタ）～ケープタウンで、所要日数は約三カ月というものである。

どちらにせよ、向かった先々で、ケープタウン行きの便船を探すのに苦労したようで、結果的に当時の英領インドを中継し、現地をめざしている。

ちなみに日本とアフリカ東岸との間に定期航路が開設されるのは、大正一五（一九二六）年のことである。

なぜ駒平は日本からこの地へはるばるとやって来たのか、それを知るには彼の前半生をたどらなければならない。

駒平は明治三（一八七〇）年、茨城県筑波《つくば》郡小田村（現つくば市）の豊かな農家の三男として生まれた。少年時代は相当な腕白小僧だったという。成長するにつれ、彼は海外雄飛を夢みるようになり、二〇になるかならぬかの年に日本を飛び出し、サンフランシスコへ渡る。当時日本人青年の間でアメリカ、とりわけ西海岸のサンフランシスコへ渡るのが一種のブームになっていた。

駒平は上陸すると、白人の経営する会社にボーイとして勤めながら、夜間の商業学校へ通った。二年間、彼はよく働き、よく学んだ。

その後、日本移民の急増しているハワイへと移る。ハワイではアメリカ人経営の酒店で働き、商売のコツを身につける。この時、駒平は農民出身者の多い日本人移民の男たちが好む日本酒の輸入を思いつき、店に大きな利益をもたらしている。

やがて資金を貯《た》めて独立、ホノルル市内のキングストリートに雑貨店を開く。商売は順調だったが、日本人と日本商品排斥の嵐《あらし》が吹き荒れるにおよんで、やむなく日本へ帰国した。その時、駒平にはハワイ時代に結婚した四歳下の妻喜代子がいた。喜代子は当時ハワイに多い熊本県出身の日系移民の子だった。

日本へ帰ったものの、しばらくすると駒平の胸にまたぞろ海外で商売をしたいとの夢が膨らんだ。外国で暮らすことには、もとより夫婦に異存はない。だが移住先については駒平なりの考えがあった。「大体私のモットーは前人未踏の地を開拓するということにある」と、本人も語っているように、日本人が全く進出していない地で、誰の力も借りず、一旗揚げてやろうと思ったのである。

もう一つは英語の通じる国ということである。彼を知る友人の一人は駒平の話す英語について「すこぶる巧妙であった」と証言している。また妻の喜代子もハワイで英語に馴染《なじ》んでいた。

帰国してからというもの、彼は世界地図を眺めて暮らし、国内での情報収集はもとより、欧米からも書物を取り寄せるなどして次なる渡航地探しに没頭した。

南米は多くが銀本位で相場の変動が激しい。朝鮮や満州は関西商人が多く進出しているが、民力が低いし、これまでの経験を活《い》かせる土地ではない。オーストラリアは金本位のうえ英語圏で、たしかに魅力はあるものの、既に兼松房治郎（兼松江商の創始者）なる者が進出し、手広く事業を展開しているというから面白くない。インドも英語圏だが、いかんせん文化程度が低い。

こうして絞り込んでいき、最後に目をつけたのがアフリカ最南端に位置するイギリスのケープ植民地、その中心都市ケープタウンであった。

そこは一年中、単衣《ひとえ》のもので過ごせるほど気候が温暖で、現地で必要とされる商品は、ほとんどハワイと変わらない。そして何より当時この国は金やダイヤモンド景気に沸いており、これぞ商売発展の有望地に思えた。もちろん日本人は進出していない。

駒平はケープタウンの町に日本からの大量の荷物とともに上陸した。彼が持ち込んだのは美術品を中心に玩具《がんぐ》や雑貨など八〇箱、仕入れに要した金額は当時の金で三万円にものぼった。ハワイ時代に蓄えた財産をほとんど注ぎ込んだと言ってもよい。駒平はただちに店舗探しに奔走し、三日後には早々と市内最大の繁華街アダレー通りの一角に店をオープンする。

日本で言えば、東京の銀座通りにあたるアダレー通りはケープタウン駅からカンパニーガーデンズという公園まで東西に伸びる大通りで、現在は国会議事堂、博物館、オフィスビル、ショッピングセンターなどが並ぶ。この国では行政の中心は首都のプレトリアだが、立法府はケープタウンに置かれている。

駒平は店の屋号を「ミカド商会」と名付けた。いかにも明治の日本男児らしく、海外へ出てもミカドの国を片時も忘れまいとする大いなるプライドを感じさせる。

駒平は休む間もなく、持ち込んだ商品を妻と店頭に並べたが、わずか二カ月で売り尽くした。以後、日本へ直接発注することになるが、ミカド商会が扱ったのは薬品、肥料、缶詰、各種紙類、竹籠《たけかご》、綿メリヤス肌着、タオルなど日常雑貨から扇子、屏風、漆器、陶器など日本の伝統工芸品まで広範囲におよんだ。

折しもボーア戦争が始まり、大軍を派遣したイギリスは現地で大量の物資を買い付け、また戦場から戻った兵隊たちも珍しい東洋の工芸品に惜しみなく金を落とした。なにやら朝鮮戦争やヴェトナム戦争の特需に沸いた日本を思わせる。その意味でボーア戦争は駒平の商売にとって絶好の追い風となった。

幸い駒平には英語という武器があり、外人相手の商売の経験が力になった。信用を重んじた駒平の誠実な対応も現地の人から好感をもって受けとめられた。明治の末年、この店を訪れた地理学者志賀重昂《しげたか》は、ある西洋人が傍らの妻を指さし「古谷の店には欲しいものばかりがあると言って、たびたびミカドショップへ行きたがるのには困ります」と、笑いながら話したエピソードを紹介している。

こうしてジャパニーズショップ・ミカドの名はケープタウンの町に知れ渡り、店で働きたいという若者が日本からも相次いで現れた。彼らは早稲田大学、長崎高等商業（現長崎大学）、東京高等商業（現一橋大学）など、いずれも当時としては高学歴を有する若者たちであった。ここにも進取の精神にあふれる明治の青年像がみてとれる。彼らはケープタウン郊外に家を借りて共同生活し、毎日店まで汽車通勤した。

大正五（一九一六）年当時、ミカド商会には日本人五人のほか、ヨーロッパ人八人、現地のアフリカ人五人のあわせて一八人の従業員がおり、駒平を支えた。有能な日本人青年の力を得た駒平の事業は本人の卓越した商才もあって拡大の一途をたどった。西洋人に好まれる商品を開発しようと、駒平自らが日本へ足を運び、シャツ、靴下、ズボン、陶器、缶詰などを各地のメーカーに製造させ、時には貨物船をほぼ一隻《せき》まるごとチャーターして現地へ運んだ。これらはミカド商会のオリジナル商品として店頭に並べられ、飛ぶように売れた。

また日本商品の場合、発注から荷が到着するまで半年もかかるため、欧米の品物も扱うこととし、駒平は毎年のように仕入れのためロンドンやニューヨークへ向かった。さらに現地産の羊毛、駝鳥《だちょう》の毛、薬草などの日本への輸出を手掛けるなど多角的に事業を展開し、ミスター・コマヘイ・フルヤの名は当地では誰もが認める有力な実業家として鳴り響いた。

いつの世も海外へ出て行くのは「官」より「民」が早い。商人など在留邦人の数がある程度の規模に達し、日本との間で継続的に人的、経済的交流が生まれた時、初めて領事館など在外公館が設置される。ケープタウンに日本領事館が開設されるのは、駒平が上陸してから二〇年後の大正七（一九一八）年のことである。

ちょうどその頃、わが国の農商務省が発行した南アフリカに関する報告書がある。第一次世界大戦（一九一四〜一八）以前の日本と南アフリカの関係について記したもので、そこにはミカド商会の名も登場する。役所用語を平易な言葉に翻訳すると次の通りである。

「わが国と南アフリカとの関係をみてみると、歴史的にも何ら記すべきものはなく、海上約一万海浬《かいり》を隔てた遠隔の地にあるため交通不便で、明治四三（一九一〇）年に帝国海軍戦艦生駒《いこま》が南米アルゼンチンとイギリス訪問の途中、喜望峰を経由しケープタウンに寄港したほかは、わが国の船舶が寄港したということはほとんど聞かない。南アフリカに在住するわが日本人は一〇名内外で、ケープタウンに古谷駒平の営むミカド商会があるに過ぎない」（『南阿弗利加《アフリカ》貿易事情』農商務省商工局編）

ケープタウンを訪れる者は誰もが駒平の活躍ぶりに目を見張った。駒平がケープタウンに来て最初に出会った同胞は自称元船乗りだった。ふらりと店を訪ねて来た男に話を聞けば、乗り組んでいた英国船に乗り遅れ、ここに置き去りにされたのだと話した。男はまもなく市内に洗濯屋を開くが、しばらくすると店を閉め、どこかへ去って行った。

また同じ頃、駒平は日本女性二人がこの町に進出していることを耳にする。彼女らの商売は海外娼婦《しょうふ》、いわゆる「からゆきさん」であった。彼女たちがいつ現れたのかは判然としないが、マダガスカル島を経て、はるばるこの地まで進出して来たものとみられる。

身元のはっきりしている訪問者は、在シンガポール領事の久水三郎で、明治三五（一九〇二）年、政府からわが国初のアフリカ調査を命じられての公務出張である。さらにその翌年、飄然《ひょうぜん》と現れたのは愛知県豊橋出身の中村直吉と名乗る、いかにも風変わりな自称探検家で、世界一周無銭旅行の途中とのことだった。雑多な人間が入れ替わり立ち替わり、ケープタウンの駒平のもとに立ち寄ったというのは、いかにもこの時代を映している。

明治四一（一九〇八）年に、日本初のブラジルへの移民船笠戸丸《かさどまる》が寄港する。当時はパナマ運河の開通前で、ブラジル移民船は喜望峰回りであった。笠戸丸には約八〇〇人の移民が乗船していたが、上陸を許可されたのは地位の高い船員と移民斡旋《あっせん》会社の関係者だけだった。移民たちは甲板から美しいケープタウンの街並みを眺めるほかなかった。

同四三年には、アルゼンチン独立一〇〇年祭へ向かう海軍の戦艦生駒が、さらに翌四四（一九一一）年、東京商船学校の練習船大成丸が世界一周の訓練航海の途中に立ち寄るなど、日本船舶のケープタウン寄港が相次ぎ、急速に国力を高めつつある新興日本のパワーを現地の人々に印象づけた。

戦艦生駒には明治を代表する言論人の一人、大庭柯公《おおばかこう》（本名景秋《かげあき》）が乗船しており、遠隔の異国で活躍する駒平を称賛している。

「ケープタウンに唯《ただ》一人の我が商人あり、茨城の人古谷駒平なり、氏は南アに来《きた》りて已《すで》に十有一年を送り、今日はケープタウンの一等地に二商店を開きて専《もっぱ》ら日本品を商ひ、邦人の代表者としてケープタウン八万の市民中、その盛名と信用を博す」（『南北四萬哩《まんマイル》』）

その駒平は日本からの船が入るたび礼装に身を包み、日章旗を掲げて丁重に遠来の同胞を出迎えた。異郷で堂々と正業を営んでいる日本人としての矜持《きょうじ》を身をもって示したかったのである。歓迎の晩餐会《ばんさんかい》を催し、テーブルマウンテンや喜望峰など市内や周辺の見どころへ案内し、買い物の手助けをするなど、訪ねて来る者があれば官民を問わず手厚くもてなした。感激して帰国した者たちは大庭らのように口々にケープタウンの成功者を喧伝《けんでん》したから、国内でも古谷駒平の名声は一気に高まった。

明治四四年の夏、一時帰国していた駒平のもとを井手諦一郎という若者が訪れる。井手はのちに面談の内容を「アフリカ発展の先覚者古谷駒平氏の面影」と題し、雑誌「海外」（昭和七年六月号）に発表している。井手は駒平に会った時の印象について「背は高くはないが、肥《ふと》った、骨太な、目玉の大きい人で、とても元気な調子で話をする人だった。兎《と》に角《かく》活動的な事業家という印象を相手方に刻み込む人柄だった」と述べている。

この時、駒平は井手青年を前に、邦人未踏のケープタウンで自分がいかにして現在の立場を築いたのか、自信たっぷり熱っぽく語ったという。

振り返れば、この頃が駒平の人生の絶頂期であった。その一方で糟糠《そうこう》の妻喜代子の胸中は複雑だった。次第に望郷の念が膨らんでいたからである。夫婦は子供に恵まれず、喜代子もその淋《さび》しさを紛らわすかのように若い頃から夫を支え、二人三脚で懸命に店を盛り立ててきた。時には夫に代わり、たった一人ではるばる日本まで商品の仕入れに向かうほど気丈な女性でもあった。白人社会、しかも人種差別の激しい異国で、多数の従業員を抱えながら生き抜く苦労は並大抵のものでなかったはずだ。夫の事業はそれなりの成功を収めたものの、喜代子の胸の中に一旦《いったん》生じた寂寥感《せきりょうかん》は埋めるべくもなかった。

大正四（一九一五）年、駒平は考え抜いた末、ついに住み慣れたケープタウンの地から去る決意をする。軌道に乗った店の経営は従業員たちに託し、妻と帰国の途に就く。二人は甲板に佇《たたず》み、遠ざかっていく美しい街並みをいつまでも眺めていた。

帰国した駒平はじっとする間もなく再び動き始めた。時の大財閥森村市左衛門《いちざえもん》と共同出資で神戸に「ミカド合資株式会社」、またケープタウンに「ザ・ミカド・サウスアフリカ・リミテッド」を立ち上げる。両社とも社名にミカドの三文字が入っていたが、実際は森村が経営するグループ傘下《さんか》の企業で、駒平は森村商事横浜支店の責任者として南アフリカをはじめ海外貿易の陣頭指揮を執った。

だが大正一二（一九二三）年九月一日、駒平は横浜の事務所で執務中、関東大震災に遭遇し、倒壊したビルの瓦礫《がれき》の中から十数人の部下とともに圧死体で発見される。まだ五三歳という若さであった。終《つい》の棲家《すみか》と決め、新築してまもない小田原の自宅には妻喜代子が一人残された。

駒平亡《な》きあともミカド・サウスアフリカは引き続き、日本人従業員が中心となって維持され、昭和一〇（一九三五）年の年間売上高は二三五万円にのぼり、従業員も四〇人を数えた（『在外本邦実業者調』外務省通商局編）。しかしこの頃、現地法人の責任者はかつて駒平を支えた者たちではなく、日本の森村本社から送り込まれた高井清吉という者が務めていた。

やがて第二次大戦の勃発《ぼっぱつ》、戦況が激しくなった昭和一七（一九四二）年、日本人従業員たちは経営を現地の白人店員らに任せ、連合軍との戦時交換船で帰国した。現地の店舗など財産は戦後、現地政府に没収されたという。

古谷駒平がケープタウンに在住したのは一七年と、それほど長くはないが、アメリカ本土とハワイ時代を加えると、海外生活は通算三〇年近くにおよんだ。

文字通り洋の東西を股《また》にかけ、エネルギッシュに太く短く駆け抜けた明治人であった。

第二話　ニューカレドニア／チオ

「天国にいちばん近い島」へ渡った男たち

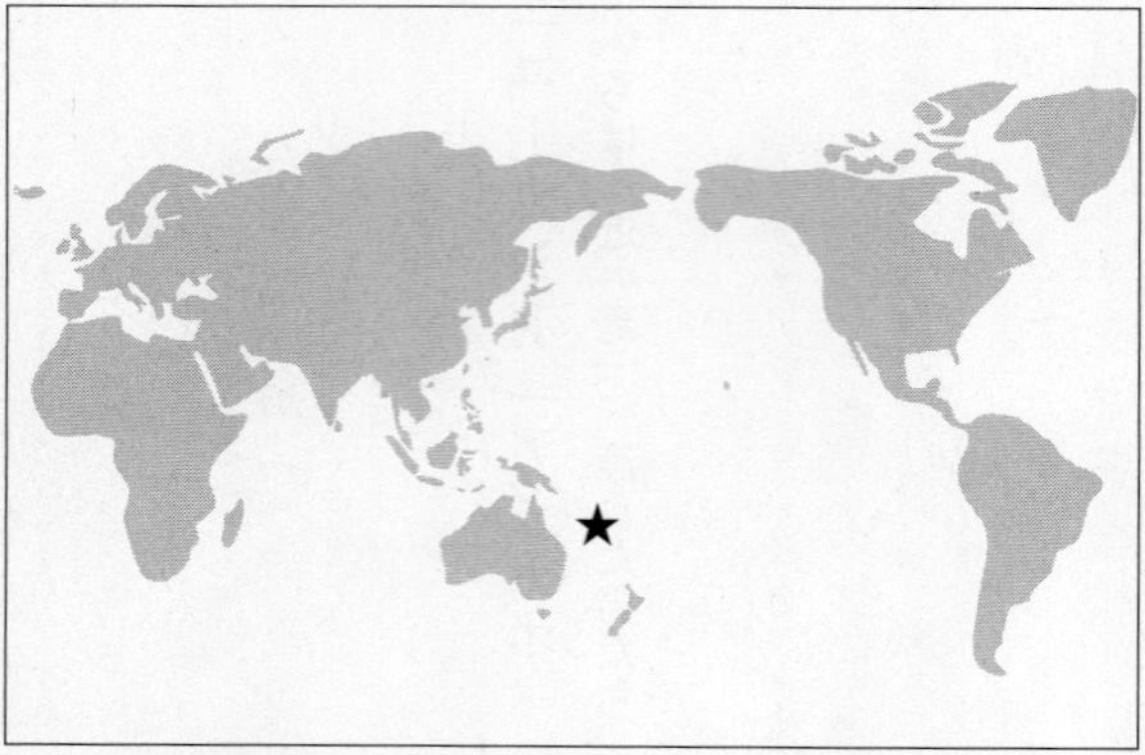

現在：空路直行便で成田→ヌーメア・トントゥータ(ニューカレドニア)が約8時間半。首都ヌーメア→チオは車で約2時間。

南太平洋にフランスパンともキュウリとも見える形の島が浮かぶ。オーストラリア大陸のはるか東に位置するニューカレドニア島である。この島が『天国にいちばん近い島』という小説で一躍注目を浴びたのは今からもう四〇年以上も前の昭和四一（一九六六）年のことである。ベストセラーとなったこの本の著者、森村桂《かつら》は平成一六（二〇〇四）年九月、六四歳で不帰の人となった。

桂は子供の頃から、作家である父親の豊田三郎に「ずっとずっと南の地球の先っぽに天国にいちばん近い島があるんだよ」という話を繰り返し聞かされて育った。そして夢見る少女は大きくなったら絶対にその島へ行くのだと堅く心に決めていた。その父親は彼女が大学生の時、突然世を去ってしまう。天国にいちばん近い島がどこにあり、何という名前なのかも聞き出せないままに……。

学校を出て「暮しの手帖《てちょう》社」という出版社に職を得た彼女はある日、編集長が東京鉱業という会社の鉱石運搬船が通っているニューカレドニアという南の島の話をしているのを偶然耳にする。時の編集長とは、おかっぱ頭に女装、ユニークな言動で知られた、あの花森安治である。

聞けば、フランス領のその島は気候温暖、一年を通じて花が咲き乱れ、マンゴー、パパイヤなどの果物がたわわに実り、人々は週に二日働くだけで、残りの五日は遊んで暮らすという。また伝染病もなく、泥棒もいない平和な島と聞いて、その島こそ父親が話していた天国にいちばん近い島にちがいないと、桂はひとり思い込む。

すぐさま東京鉱業の社長へ手紙を書き、船に乗せてほしいと直訴する。やっとのことで願いが受け入れられると、彼女はさっさと会社を辞め、あこがれの島へ渡る。この南の島での体験を綴《つづ》ったのが表題の本である。

彼女が島へ渡ったのは昭和三九（一九六四）年一〇月、世は東京オリンピックに沸いていた。この年の四月、一人年間に一度だけ、持ち出し外貨枠が五〇〇ドル以内という条件付きで観光目的の海外渡航が自由化されたが、多くの日本人にとって海外旅行などは夢の話だった。ましてやニューカレドニアと聞いても、その島がどこにあるのか知る者もほとんどいなかったろう。しかし彼女の大胆で好奇心あふれる行動は読者の喝采《かっさい》を浴び、「天国にいちばん近い島」への憧《あこが》れを誘った。

桂が鉱石運搬船サザンクロス号で、東京港から島へ向かった当時、現地まで二週間を要したが、今なら日本からエアカラン航空の直行便が八時間半あまりで、首都のヌーメアまで運んでくれる。島を訪れる日本人観光客も年々増え続け、現在ではハネムーナーを中心に年間三万人以上を数える。

旅行パンフレットはこの島を「フレンチテイスト漂う優雅な楽園」「古き良きフランスの香り漂う白砂の島」などと紹介しており、中には「天国にいちばん近い島」をもじって「日常から、地球でいちばん遠い島」という宣伝文句さえある。だが島は一八五三年にフランス領となって以来、長い間、国内の政治犯や凶悪犯の流刑地《るけいち》であった。

そして現在、ニューカレドニアは同国の海外領土の一つとなっており、使われている言葉はフランス語、通貨もフレンチ・パシフィック・フラン（CFP）である。フランス人と原住民メラネシア人との混血が進み、女性たちの中にはあのゴーギャンの絵画に登場するようなフレンチ・メラネシアン美女も少なくない。

「たしかに町を歩いていると物凄《ものすご》い美人に出会いましたが、それ以上に不思議だったのは明らかに観光客でない日本人、いや日本人の血が混じっていると思われる人たちをよく見かけたことです。ヌーメアの町の土産物屋に入ったら、カタカナやひらがなのプリントされた日本語のTシャツが並び、店員も日本語を話すんです。ハワイなら分かりますが、なぜこの島にこれほど日本が溢《あふ》れているのか不思議でしたよ」

こう話すのは以前新婚旅行でこの島を訪れた筆者の後輩Ｉ君である。彼の疑問も無理はない。今の日本人ならこの島を訪れるのは、彼のようにほとんどが海と太陽を求め、のんびり南国のリゾート気分を満喫したいという観光目的である。そこで観光客でもない日本人を多数見かけるのだから不思議に思って当然である。

実はこの島へは、今から一世紀以上も前に日本人が大挙して渡っていたのである。最初に渡った日本人は明治二五（一八九二）年、わが国初の移民斡旋《あっせん》会社である日本吉佐移民会社が募集した熊本県からの契約移民、つまり期限付きの出稼ぎに応じた六〇〇人の男たちである。

それから一世紀を経た平成四（一九九二）年六月、首都ヌーメアの郊外にある市民墓地で、日本人移民一〇〇年祭が行われた。当日は小雨模様の中、日本からの慰霊団と地元の日系人ら合わせて一〇〇人あまりが参加して式典が催され、この地で亡《な》くなった日本人の墓に線香と花を手向け、苦労を重ねた祖先を偲《しの》んだ。

この周辺国では同じく日本吉佐移民会社が明治二七（一八九四）年、三〇五人の日本人移民をイギリス領フィジー諸島に送り出し、砂糖のプランテーションでの作業に従事させている。つまり明治の中頃から南太平洋の島々へ日本からの移民が活発に行われていたのである。

またこれらの島々の西に位置するオーストラリアへの正式移民はニューカレドニアより早く、明治一六（一八八三）年、ヨーク岬半島沖の木曜島での真珠貝採取から始まり、続いてクイーンズランドでの甘蔗《かんしょ》労働へと拡大していった。

ニューカレドニアへなぜ日本人が渡ったのか。それはこの島で一八七三（明治六）年に世界最大級の埋蔵量を誇るニッケル鉱山が発見され、その採掘労働者が必要だったからである。

つまり最初の移民六〇〇人は現地でニッケル鉱山を経営するフランスのル・ニッケル社の求めに応じた五年契約の坑夫だった。彼らは全員が熊本県人で、その大半が天草出身者であった。天草と言えば、あの海外娼婦《しょうふ》「からゆきさん」を多数送り出したことで知られる島だが、女性に限らず男性もまた貧しさゆえ、積極的に海外の出稼ぎに活路を求めたのである。

彼らを島に送り込んだ日本吉佐移民会社は、熊本県内にある二つの移民斡旋会社を下請機関として坑夫募集にあたらせた。この吉佐という耳慣れぬ会社は当時、外務省の肝入りで設立され、発起人となった実業家の吉川泰二郎と佐久間貞一という二人の頭文字をとって社名としたものである。

移民会社は移民を送り出すにあたり、受け入れ先のル・ニッケル社との間に一九条からなる契約書を交わした。主な内容は次の通りである。

・契約期間は五年。
・月額の賃金は四〇フラン（当時の邦貨換算で約一〇円）。
・労働時間は日の出より日没までの間の一〇時間とし、日曜日と特別に定めた日を休日とする。
・一日三食を支給することとし、食事の内容は日本の白米九〇〇グラム、乾魚一一〇グラム、鮮魚あるいは牛肉二〇〇グラム、ほかに醬油《しょうゆ》、味噌《みそ》および漬物など通常、日本人農民が口にする程度のものを提供する。
・医者と必要な薬は用意する。
・日本人労働者に対し、いかなる場合にも懲役囚徒の扱いはしない。

明治二五年一月六日、正月気分を吹き飛ばすかのように出発の銅鑼《どら》が打ち鳴らされ、男たちを乗せた日本郵船の廣島丸《ひろしままる》（三三〇〇トン）は、はるか七〇〇〇キロ離れた南の島をめざして長崎港の岸壁を離れた。最初の移民団は既婚者と言えども妻の同伴は許されず、総員六〇〇人はすべて二五から三〇歳までの男性、しかも農夫というのが条件であった。

一行を乗せた船はグァム島の東海上を進み、東カロリン群島を見ながら一月一六日に赤道を越えた。さらに大海原を南南東へと針路を採り、目的地のニューカレドニア島のチオ港に到着したのは、長崎を出て一九日目の一月二五日朝である。

海上から眺める島は海岸近くに濃緑の林が繁茂しているものの、山々の中腹以上は土砂崩れのあとのように赤い岩肌をむきだしにしていた。この赤い岩こそがニッケルを含んだ鉱石である。船に同乗していた移民会社の職員が近づいてくる島の山を指さし、あれが採掘場だと説明した。男たちは緑したたる常夏《とこなつ》の島という移民会社のふれこみとは、どこか違うものを感じていた。

この出稼ぎ船から約七〇年後に訪れた森村桂の第一印象もこの乾いた赤土の島に対する驚きだった。

「私は呆然《ぼうぜん》とたたずんでいた。この島がニューカレドニア。世界一美しい、天国のような島が……。ヌーメアの港に入った。いくつもの半島がつき出ている。どれも土が赤く、木は緑の色がうすく、幹はその赤土をかぶっていた。どこもかしこも乾ききっていた」（『天国にいちばん近い島』）

出稼ぎ船の着いたチオは島の東岸、そして桂を乗せた鉱石運搬船が入ったヌーメアは西岸、上陸地点こそ異なるが、ニッケル島の風景としては大差なかったはずだ。男たちは甲板で鉱山会社の医師から簡単な体格検査を受けたあと、艀《はしけ》のような小船に分乗して浜辺に上陸した。

ここで一行は島内三カ所のニッケル鉱山に振り分けられ、出迎えの職員に引率されてそれぞれの宿舎へと向かった。

地元民がフランボワイヤンと呼ぶ火炎樹が真っ赤な花を咲かせる南半球の一月は、一年のうちで最も暑熱の厳しい時期である。陽が高くなるにつれ気温が上がり、柳行《やなぎごう》李《り》や信玄袋を担《かつ》いだ男たちの体からたちまち汗が噴き出した。ニッケルの採掘場は低地になく、ほとんどが山の中腹以上にあったから、宿舎への道も次第に勾配《こうばい》がきつくなっていった。

川沿いに建てられた木造平屋のバラック宿舎は中央の通路をはさんで両側にベッドが並んでいる。荷物を置くと、休む間もなく職員が、さまざまな規則の説明と翌日からの作業について細かな指示を彼らに与えた。

上陸二日目から男たちは働き始めた。朝飯を食べ終わると、露天掘りの採掘現場へと急な山道を上り、日暮れまでツルハシを岩肌に打ち込み、モッコを担いだ。くる日もくる日も汗まみれになって働いた。そんな彼らにとって、せめてもの楽しみは仲間と語らいながら、焼酎《しょうちゅう》でも酌《く》み交わすことだったろう。

「休日又は雨天休業の日、及び夜間は何等耳目を喜ばしむる事物なきを以《もっ》て、勢ひ賭《と》博《ばく》に耽《ふけ》るの弊害あり」（『仏領「ニュー、カレドニヤ」島視察報告』外務省通商局編）

中には博打《ばくち》に溺《おぼ》れ、折角の稼ぎをふいにし、仲間から借金を重ねる者も現れた。

時が経過するにつれ、鉱山会社側の労働者に対する過酷で高圧的な態度が表面化し、病気で倒れる者が続出するにおよんで、彼らの間に不満が一気に高まった。病気を理由に仕事を休むと、会社は仮病によるサボタージュと決めつけた。

病気とは体にだるさを覚える脚気《かっけ》だった。天草で口にする食事と言えば、アワやヒエなどの雑穀に蕪《かぶ》や大根を混ぜたカテ飯か、カラ芋（サツマイモ）がほとんどだった。その男たちが、この島へ来てようやく白い米の飯にありつけるようになった結果、脚気に罹《かか》る者が続出したというのも皮肉な話である。

だが鉱山側は容赦なく懲罰労働を命じた。実は移民会社がル・ニッケル社と結んだ本契約とは別に、労働者が命令に従わなかったり、労働を拒否した場合の懲罰についての裏契約が存在していたのである。

「話が違う、約束はどうなっているんだ、これなら天草へ帰る」

働き始めて半月も経《た》たぬ二月八日のことである。この日、男たちは作業の過酷さと作業場へ向かう坂道の急なことなどを理由に一斉休業し、ニッケル会社と移民斡旋会社の現地責任者に改善を迫った。しかし会社側は警察力を導入して、彼らの要求を封じるとともに、扇動者、賭博常習者、仮病を装《よそお》う者たちを容赦なくヌーメアにある懲戒工場へ送り込んだ。北野典夫は『天草海外発展史』に、男たちの反抗を南の島の「天草一揆《いっき》」と書いた。

桂の本にもニッケル坑夫として苦労した老人が登場する。島田という名の老人も熊本県から大正の初めに島へやって来た契約移民で、肥後訛《なま》りの交った奇妙なフランス語を話した。島田老によると、ニッケル掘りの坑夫として出稼ぎに来たが、労働がきつく、半年経った頃、赤土の山、つまりニッケル鉱山から命がけで逃げ出し、島の中を転々とした末、やっとのことヌーメアの町で仕事にありついたという。

当時フランス本国から流刑された懲役囚の賃金が一日五フランであったのに対し、日本人移民は一カ月わずか四〇フランという契約だった。囚人の八日分の賃金が日本人の一カ月分というわけである。

島にはル・ニッケル社のような大手企業ばかりでなく、中小の鉱山もあり、好条件をちらつかせながら勤勉な日本人を引き抜こうとする誘いが絶えず、会社側のやり方に嫌気がさしていた者たちの中には、渡りに舟とばかり契約先の鉱山から逃げ出す者が相次いだ。

明治四四（一九一一）年、移民調査のため来島したシドニー駐在の領事三穂五郎によると、この時までに日本から渡って来た出稼ぎ坑夫約三六〇〇人のうち、鉱山から逃亡した者は六〇〇人を超えたという。ほぼ六人に一人である。

体をこわして命を落とす者も現れた。やがてその数は五年間で二一人に達した。仲間が病に倒れて死んで行く姿を見て、契約途中で帰国する者が続出した。結局第一次移民六〇〇人のうち、契約期間を全《まっと》うした者はわずか九七人に過ぎなかった。

その後、わが国外務省は鉱山会社の労働者酷使や虐待《ぎゃくたい》を重くみて、明治三二（一八九九）年、ニューカレドニアへの契約移民の派遣停止を決める。しかし有能で勤勉な日本の労働者の激減に困り果てたフランス政府は第一次移民団を苦しめた懲罰条項を今後日本人には適用しないなど労働条件の見直しを約束したうえで、再度の派遣を求めてきた。

このため翌明治三三（一九〇〇）年に再開するが、当時の日本社会の貧しさが移民派遣の要請に応《こた》えざるを得なかったのである。以後大正八（一九一九）年まで九回にわたり、総勢五五〇〇人を越える契約移民がニューカレドニアへ渡った。

契約期間を終えると、大半の者は帰国したが、自由移民となって島に残る者も少なからずいた。引き続き鉱山側に再雇用される者を除いて、大半はこつこつと蓄えた金を元手にヌーメアの町へ出て理髪店や雑貨店など小商いを始めたり、農地を手に入れて野菜や果物を生産する者、あるいは大工や左官など職人に転じた。また現地のフランス人や原住民の女性と家庭をもつ者も現れ、島への永住を決める者が増え始めた。

ようやく生活が軌道に乗り始めた頃、第二次大戦が勃発《ぼっぱつ》する。敵国人とされた島の日本人約一二〇〇人は、フランス本国からの指示により財産を没収されたうえ、オーストラリアの強制収容所へ送られ、やがて終戦によって日本へ送還される。

戦後、世相が落ち着いた頃、旧島民の中からニューカレドニアへUターンしたいと希望する者が現れたが、現地政庁はなかなかこれを認めようとせず、許されたのは、ほんの一握りだった。島田老もそんな一人である。彼は戦前フランス人女性と結婚し、子供をもうけたが、戦争で家族と切り離され、周辺の島々にいた日本人とともにオーストラリアのキャンプへ送り込まれ、戦後、日本へ送還された。桂と出会った時、島田老は一〇年前にこの島へ舞い戻って来たと話した。とすれば、彼の帰島は昭和二九

（一九五四）年頃ということになる。しかし島へ戻ってみたものの、妻は同じフランス人と再婚し、別れた時に幼かった娘も嫁いでしまい、頼るべき肉親はいなかった。何ともむごい人生が待ち受けていたことになる。

岡山県出身の樋口猛夫も明治四三（一九一〇）年、一八歳の時、移民会社の契約坑夫募集に応じ、島へ渡って来た。チオの鉱山に雇われた樋口は山頂近くの宿舎に暮らし、仲間からの酒や博打の誘惑をはねつけ、ひたすら真面目《まじめ》に働いた。契約期間が過ぎても、彼は引き続き鉱山に留まり、独立資金を蓄えてから島の西北端のパグメンという町に店を開いた（『ニュー・カレドニア島の日本人』小林忠雄）。「日本館」と名付けた樋口の店では雑貨や食料品を販売し、昭和一四（一九三九）年には、現地貨で五二万フランの売り上げがあったというから、商売は順調だったのだろう。しかし穏やかな日々はそう長く続かず、戦争によって島田老と同様の運命をたどった。

終戦で郷里に帰ってみたものの、樋口は島に残したフランス人の妻と三人の子供たちのことが、気が気でならず、帰心が騒いだ。幸い家族による現地政庁への働きかけが功を奏し、昭和二四（一九四九）年、早々と帰島が認められる。当時日本から島へ直行する船はなく、彼は神戸から船で、当時フランス植民地だったヴェトナムのサイゴン（現ホーチミン）まで行き、そこから飛行機で渡った。

かつて暮らしていた自宅へたどり着いてみると、家は解体され、何一つ財産らしきものは残っておらず、ゼロからの出発だった。しかし島田老とは違い、彼には待っていてくれる家族がいただけ幸せだった。

桂がヌーメア滞在中、寄宿させてもらった林という貿易商の一家のルーツも最初は日系移民だった。当時四二歳の主人の父親興三郎が大正三（一九一四）年、ニッケル坑夫として島へ渡り、フランス人女性と結婚、林が生まれた。つまり林は日仏混血の二世ということになる。

後輩のI君が島で見かけた日本人の顔をした人々とは、こうした明治から大正にかけてニッケル坑夫として海を渡った出稼ぎ移民の二世、三世、四世たちだったのである。現在、島の電話帳を開くと、タナカとかワタナベなど日系の姓が散見されるが、日本語をきちんと話せる世代は激減している。

ニューカレドニアは今、フィジーやタヒチなど他の南太平洋の島々と日本人観光客の誘致合戦を展開している。ホテルには日本人スタッフが常駐し、町には日本料理店、日系の土産物屋、ブランドショップ、旅行会社が軒を連ね、日本語フリーペーパーも発行されるなど、島には「日本」が溢《あふ》れている。

かつて日本人が裸一貫で出稼ぎに行った島は一一〇年後、日本人の若者が金を落とす島へと変わった。

「天国にいちばん近い島」のことも、出稼ぎニッケル坑夫の苦難の歴史を知る者も、今ではめっきり少なくなった。

第三話　エジプト／スエズ運河

最初の運河通過者は官費留学生

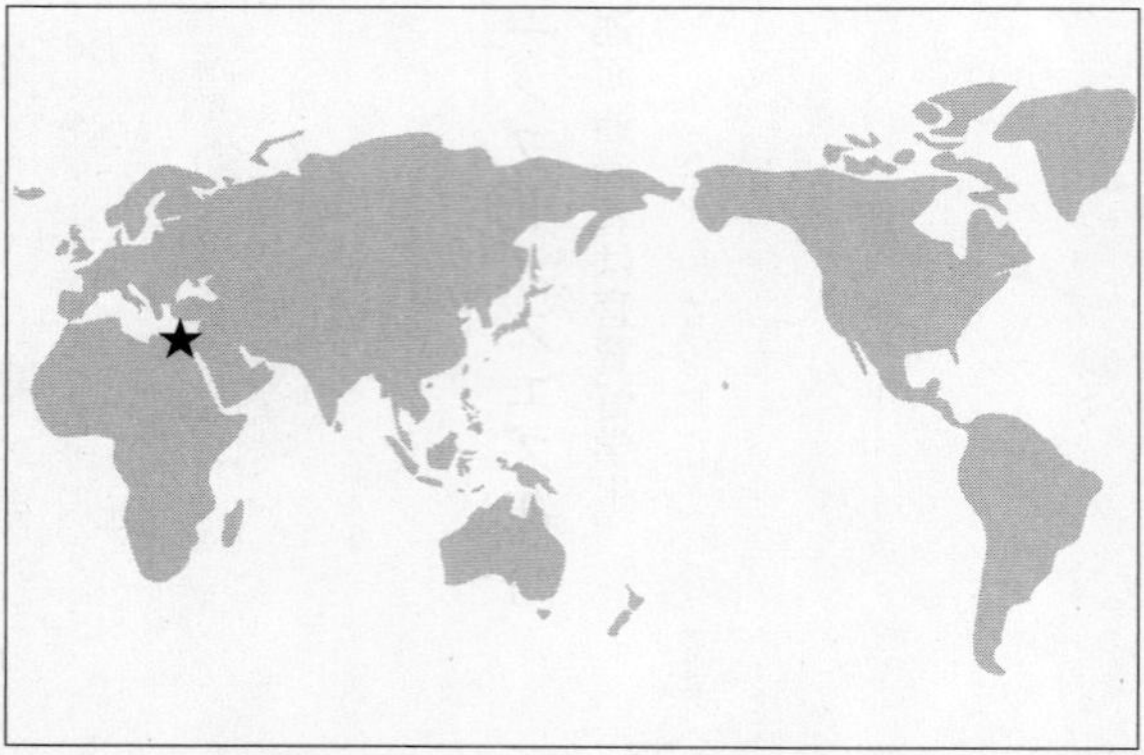

現在：地中海側ポートサイド(エジプト北東部)と、ティムサ湖やビター湖などを経由して紅海側のスエズ(エジプト東部)を結び、平均約15時間をかけて船舶で通過する(ほとんどの区間が一方通航のため、船舶の混雑具合によって通過時間は変化する)。多くの地中海〜紅海クルーズ・ツアーに組み込まれている。

「あなたが運ぶものは、単なる土ではない。それはあなたがたの家庭と、この国に繁栄を運ぶものだ」

これはスエズ運河の設計者であるフェルディナンド・レセップスが一八五九（安政六）年四月、ポートサイド（エジプト）での起工式で行った演説の一節である。地中海と紅海を水路で結び、船を航行させることはヨーロッパ人にとって長年の夢であった。

それまでヨーロッパからアジアへ向かうには地中海を東へ進み、スエズ地峡を陸路で紅海へ出るか、アフリカ大陸最南端の喜望峰を大きく迂回《うかい》するしかなかった。何とかヨーロッパとアジアを最短距離で結びたい、この悲願実現に向けて立ち上がったのが、フランス人外交官レセップスであった。

その頃の日本と言えば、黒船の来航を機に長い太平の眠りから覚め、ようやく世界へ目を向け始めたばかりである。スエズ地峡の掘削工事が間もなく四年目を迎えようとする一八六二（文久二）年三月、極東の島国から初めて地中海経由でヨーロッパへ向かうチョンマゲ・着物姿の一団が、この地に現れた。幕府勘定奉行兼外国奉行の竹内下野守保徳《しもつけのかみやすのり》を正使（団長・特命全権公使）とする遣欧使節団の三六人である。

一行はイギリス艦オーディン号で長崎を発《た》ち、香港《ホンコン》、シンガポール、ツリンコマリ（スリランカ）、アデン（イエメン）を経て陽暦の三月二〇日早朝、スエズに到着した。日本を出てから五五日目のことである。ここからイギリスが四年前に完成させた鉄道でカイロを経て地中海側の港町アレキサンドリアへ向かうのだが、彼らのうち二年前の遣米使節団に加わった五人を除き、大半の者が蒸気機関車に乗るのは初めての経験であった。随行員の一人で医師の高島祐啓は次のように記している。

「車行駿速《しゅんそく》飛鳥より疾《はや》し。凡《およ》そ一時間にして英里三〇里（約五〇キロ）を行くべし。行程二〇里にして必ず一舎を置き、車輪の損否を点検し、並びに乗人の飲食の便に備う」（『欧西紀行』）

ところが、進行中の運河開削工事については誰も記録を残していない。使節団の中には福沢諭吉や福地源一郎（桜痴《おうち》）など筆まめの者が何人もおり、好奇心の塊である彼らが何か書き残していても不思議はないのだが、彼らもこの時点で運河工事については全く知らなかったのである。事実福沢もパリに到着後、半月ほどしてからこのことを知り、日記に書き留めていることからもうかがえる。

工事中の運河を日本人で最初に見学したのは薩摩《さつま》藩の密航イギリス留学生で、竹内使節団がこの地を通過してから三年後の元治二（一八六五）年のことである。ロンドンへ向かうこの留学生の一行一九人は、この年の三月二二日、日本を発ち、五月一五日スエズに到着した。ここから汽車でアレキサンドリアへ向かうのだが、発車時間が深夜一一時になるため、その間を利用して五代友厚ら六、七人が運河の開削現場まで足を伸ばしたのである。

工事開始から七年目を迎えた現地では炎天下、肌の浅黒い男たちが黙々と熱砂を掘り起こし、運ぶ作業を繰り返していた。この時点で工事は深さ約五メートル、幅一五〜六メートルまで掘り進んでいた。

イギリスで築城学を学ぼうとしていた畠山《はたけやま》丈之助にとって、この土木工事は規模の大きさもさりながら、蒸気掘削機など最新技術を駆使した工法に圧倒され、しばし言葉もなかった。またある者はフランスが多額の工事資金を捻出《ねんしゅつ》するため、各国に広く投資を募って事業に着手したと聞かされ、ヨーロッパの国々はそこまで進んだ発想をしているのかと思い知らされた。

運河開通二年前の慶応三（一八六七）年、パリ万国博覧会へ向かう徳川昭武の使節団も工事現場を遠望している。渋沢篤太夫《とくだゆう》（のちの栄一）は旅の模様を『航西日記』

にまとめているが、この中で彼は「フランスの会社がスエズから地中海まで掘削しようと計画し、現在工事中である。汽車の進行方向の左手はるかに多数のテントが見え、モッコを担《かつ》ぐ労働者たちが行き交っている」とし、「西洋人がこういう事業を起こすのは私利私欲のためではなく、広く万民の便益のためである」と、世紀の土木工事の意義についても言及している。

生涯五〇〇もの会社設立に関わり、企業は国家や公共のための実業でなくてはならないと説いた渋沢を思うと、この時の見聞が彼のその後の人生に大きな影響を与えたことは間違いない。

その後、時代は江戸から明治へ移る。工事の進捗《しんちょく》状況は日本の新聞も外国新聞の翻訳として伝えている。

「シュエス（スエズ）地峡掘割の土工（土木工事）追々成功し、三月七日ビットル・レーキと名づくる地まで地中海の水を引き入れたり」（「中外新聞」明治二年五月五日付）

レーキとは英語のレーク（lake）、湖のことである。地峡には大小四つの湖があり、工事はこれらを繋《つな》ぎ水路に変えていった。

完成直前の地峡を通った日本人の一人に前田正名《まさな》というフランス留学生がいる。その時期は運河完成三、四カ月前の明治二（一八六九）年夏である。「沙漠《さばく》を掘割りて地中海に通ぜんとする仕掛けの洪大なること、正名をして驚嘆を起こさしめぬ」（『前田正名』祖田修）と記す。日本では多くの河川が水害に悩まされ、未《いま》だに水との戦いを克服出来ないというのに、この技術力の差はいったい何なのだろうかと前田は考え込まざるを得なかった。

こうしてスエズ運河は一八六九年一一月に開通する。工事着工から一〇年半、この間に風土病や過労などで一二万人もの犠牲者を出し、費用も当時の金額で八〇〇〇万ドルに達した。

運河は現在でこそ大型タンカーの通航も可能となったが、開通当時は深さ八メートル、底幅二二メートル、最大許容吃水《きっすい》七・五メートルときわめて狭く浅い水路だった。また通過するのにまる二日以上、約五〇時間を要した。これは開通当時、運河の通過は日の出から日の入りまでと決められていたからである。

さて開通後の運河を最初に通った日本人は誰だったのか。

この年、日本からヨーロッパへ渡った者はおおむね三〇人前後とみられ、ほとんどが官費による渡航者であった。目的は造船学、鉱山学、化学、医学、法律学など各分野の留学、軍事研修、海外事情の視察で、学生、軍人、政治家、官吏らいずれも近代国家建設を担《にな》うエリートたちだった。

当時日本からスエズまで寄港地の数にもよるが、おおむね五〇日前後を要した。例えば、開通から四年後の一八七三（明治六）年、ヨーロッパから帰国する岩倉使節団の場合、スエズを出発してから横浜到着まで四七日かかっている。またその翌年の明治七年に横浜からイギリスへ向かった、のちの衆議院議長、星亨《ほしとおる》の場合、一〇月三日に横浜を出発し、スエズを経由してイタリアのナポリに到着したのは一一月二五日だから、スエズ通過は一一月二〇日過ぎとみられ、やはり五〇日ほど要している。

これらを参考にすると、運河開通日の一一月一七日以降、日本からの船便で通過するには九月末か、遅くとも一〇月初めに日本を出発しなければならない。

運河開通年にヨーロッパへ向かった者の出発日がすべて判明しているわけではないが、一〇月に日本を発ったとされる者が少なくとも二人いる。袋久平《ふくろきゅうへい》と鶴田雄《つるたたけし》という旧佐賀藩派遣の留学生で、ともに一〇月、ドイツとイギリスへ向かっている。おそらく同じ船で向かったのだろう。かりに二人の出発日が一〇月初めだとすれば、間違いなく開通直後の運河を抜けたことになるが、果たして彼らを一番乗りと断定してよいものか微妙なところである。

早い時期に運河を通過した正式記録として残っているのは、岩倉使節団の随員久米《くめ》邦武の『特命全権大使米欧回覧実記』である。明治新政府が初めて海外へ派遣した岩倉使節団一行は、一八七三年七月末、各国歴訪からの帰途、地中海側のポートサイドから運河に入った。久米は運河について第九五巻の「紅海航程ノ記」の中でふれており、その歴史的背景から始まり、関係国の利害思惑、地形、気候、工事の実態、費用にまで詳しく言及している。

久米はまず工事を指揮したレセップスに対し、最大級の賛辞を贈ったうえで、工事がいかに困難の連続であったかを記している。要約すると次の通りである。

「地峡の開削にあたっては二万人ものエジプト人労働者を投入し、地面を掘り、泥砂を運搬させるのだが、エジプトは未開（ママ）の国で土木器械も乏しいため、すべて徒手で作業せざるを得ず、はなはだ効率が悪い。そのうち作業員たちの間から疲労と厳しい暑さもあって不満や作業拒否の声が高まり、レセップスへ非難が集中する。悩んだレセップスはヨーロッパの先進国に器械を発注し、陸では蒸気機関を利用した掘削シャベルや泥砂運搬列車を使い、水上では浚渫船《しゅんせつせん》を浮かべて川底を掘るなど器械化を進めることにした。その結果、作業効率は格段にアップしたものの、工費が大きく膨らんだ」

一行を乗せたフランスの東洋郵船会社のアウア号は、マルセイユからナポリを経てポートサイドに着き、翌日運河に入った。三本マストの蒸気船は水路をゆっくり南へ進む。船がスピードを出さないのは、波が両岸の砂礫《されき》の土手を突き崩す恐れがあるからだ。明治四四（一九一一）年、運河を通航した陸軍大将乃木希典《のぎまれすけ》の『乃木大将渡欧日誌』には「一時間最大六海里（約一一キロ）の速力に制限せらる」とある。船足は遅く風もない、季節は真夏。世界一といわれる炎熱地帯の日中の暑さは一行にとって耐えがたいものだったろう。久米らより五年前、この地を通過した徳川昭武は日記に「ひどい暑さ」「むせかえるような暑さ」と繰り返し書き、運河開通から三年後、ヨーロッパへ向かった宗教家の島地黙雷《しまじもくらい》は「流汗潮湧《ちょうゆう》、襟袖《きんしゅう》洗ふが如《ごと》し」（『航西日策』）と記した。

冷房装置などない時代である。船客は皆、涼をとろうと甲板に出る。久米も噴き出る汗を拭《ぬぐ》いながら両岸の荒漠たる風景を眺め、こんな苛酷《かこく》な環境の中、一〇年余も作業員たちの尻《しり》を叩《たた》いて完成にこぎつけたレセップスの労苦に改めて思いを馳《は》せるのであった。

船が紅海にさしかかった頃、久米は珍しい光景を目にする。ラクダに乗って進む隊商の一団である。

「一隊の土人あり、駱駝《ラクダ》に跨《また》がり、遥《はる》かに此野の黄埃《こうじん》中を行く、一幅の画図をみるが如し、亦《また》奇眺なり」

当時の日本人の目には砂漠を行くラクダの姿など、おとぎ話の世界のように映ったことであろう。

岩倉使節団以後もひきも切らずスエズを越えてヨーロッパへ向かう者が続いた。明治一一（一八七八）年、万国博覧会の通訳募集に応じてフランスへ渡り、のちに美術商として活躍する林忠正のスエズ運河通過記録がある。林はこの年の一月末に横浜を出発し、三月初めに運河を抜けた。

「カナール（運河）中は、船行至って遅緩なり。且《か》つ、夜行せず故《ゆえ》を以《もっ》て、堀中に一泊す。杳渺《ようびょう》たる平野、人家極めて遠し。今夕偶々《たまたま》犬声を聞く。夜半に至って一点の微風もなく、寂々寞《せきせきばく》として響もなし」（『林忠正とその時代』木々康子）

林を乗せた船は午後三時に運河に入り、翌々日の朝七時にポートサイドに到着したとあるから、通過に四〇時間を要している。

当時日本の船会社は、まだヨーロッパ航路を開設しておらず、渡航者はイギリスやフランスの便船に頼らざるを得なかった。日本人が自国の船でスエズ運河を通り、ヨーロッパへ行けるようになったのは日本郵船が欧州航路を開設する明治二九（一八九六）年以降のことである。

ちなみに欧州航路の第一便にはイギリスから購入した土佐丸（五四〇二トン）が配船されたが、この船の原名は「イスラム」だったというから面白い。それが欧州航路に投入されるにあたり、日本海運業の生みの親である岩崎弥太郎の出身地にちなんで土佐丸と改名された。

初航海の操舵《そうだ》を託されたのはマクミランというイギリス人船長で、三月一五日、盛大な見送りを受けて横浜を出航した。しかしこの時の乗客はわずか五人、そのうちスエズを抜けてロンドンまで行く者はたった二人だけだった。それでも最初に寄港した神戸では「貿易繁昌《はんじょう》愉快ぶし」なる新作手踊りの歌が発表されるなど、欧州航路開設に寄せる実業界の期待は大きかった。

実に日の本の誉れなり　郵船会社の汽船にて
四本マストの巨大船　其《そ》の名も高き土佐丸の
欧州航路を開始する　其の出帆の勇々しさを
眼に見る事の嬉《うれ》しさよ　貿易ますます繁昌する

ゆくわい　ゆくわい

船は下関、香港、シンガポール、ボンベイ（現ムンバイ）を経てスエズ運河に入り、ポートサイドに寄港。さらに地中海を西に進み、ジブラルタル海峡を抜けてロンドンに到着したのは五月二二日、横浜を出てから六九日目のことだった。

作家の永井荷風は日本郵船の讃岐丸《さぬきまる》（六一一七トン）で、明治四一（一九〇八）年、フランス遊学からの帰途、地中海側から運河を抜けている。帰国後著した『ふらんす物語』にはポートサイド（荷風はポートセットと表記）や運河についての描写がある。

「夕方六時、わが乗る汽船は、スエズの運河に向って、徐々として港を離れた。エジプト形を模した税関や政庁の円《まる》屋根、水のほとりに危うく立っている木造の人家、碇《てい》泊《はく》の外国汽船、エジプト形の帆掛船、見返るポートセットの哀れな小さい全景は、黄《きいろ》い砂の間に通ずる運河の、積上げた砂の堤のかげに、直様《すぐさま》隠れてしまった」

さすが小説家を感じさせる精細な筆致である。

「船は両岸の砂を打崩すかと思うほど激しく、淀《よど》み静まった運河の水を押分けて進む。日は暮れて行く。何という速さだろう。砂漠の海には、夕陽は殆《ほとん》どその余光を止《とど》める暇なく、夜は唐突に、非常な勢いで下りて来る」

運河に照明設備が完成し、夜間通行が可能になったのは開通から二〇年後の明治二二（一八八九）年のことで、これにより運河通過に要する時間は従来の半分以下に短縮された。

今上天皇の皇太子時代、養育係を務めた慶応義塾の元塾長小泉信三の運河通過体験を紹介する。信三は二四歳の時、ヨーロッパ留学を命じられ、大正元（一九一二）年の秋、日本郵船の熱田丸（八五二三トン）で、紅海から運河に入った。

信三はこの時の見聞を母親へ手紙で書き送っている。

「運河の長さは八八哩《マイル》、幅は平均五五間、右も左も一望涯《かぎ》りなき漠々たる砂原には時々駱駝の群をなして行くを見申候《そうろう》。運河通航に要する時間は平均一五時間の由《よし》なれども熱田丸は好都合にも一三時間をもって通過致候」（『日本人の手紙』）

船が予定より早く通過できた理由について、信三は途中ですれ違う船が少なかったためとしているが、それにしても運河開通時には約五〇時間も要したことを考えると、一三時間とは大幅な時間短縮である。また運河の中央ですれ違う場合には、どちらか片方の船が岸に寄り、通路を開けるとか、夜間は船首に設置したサーチライトを点灯させ、衝突を避けるために警戒しながら進むことなど、母親に細かく報告している。興味深いのは船の通航料である。「船の噸《とん》数と船客の頭数とに応じて支払うものとし、熱田丸は一回通航のため約二万円を支払う由……」とあり、信三ら乗客は一人あたり四円ほど徴収された。

作家林芙美子《ふみこ》の通過体験。芙美子は昭和七（一九三二）年五月、フランスから帰国の途中、運河の船上で日記にこう記した。

「沿岸は眉《まゆ》ほど狭まっていて、いよいよスエズの運河に這入《はい》る。砂地の長い防波堤に似ていて、これより船足ゆるし。夜更《よふ》け、スエズ運河の夜景まことによろしく、月大きく空気生ぬるし」（『春の日記』）

運河の開通によって日本とヨーロッパの距離はそれまでの喜望峰回りに比べ、約二五パーセントも短縮された。

それでも当時の日本人からすると、アジア側から運河を越えれば、ようやくヨーロッパが近いと実感し、逆にヨーロッパ側からポートサイドに着けば、これから長く暑い船旅が始まると思ったことであろう。船客にとって運河通過はまさに航海中の分水《ぶんすい》嶺《れい》であった。

荷風や信三たちが眺めた運河は、時を経て今どのように変わったのか。

最新データによると、現在の運河は全長一六三キロメートル、幅三〇〇メートル、深さ二〇メートル、許容喫水一七・六三メートルで、一日当たりの往復可能船舶は約八〇隻《せき》である。運河の通航には優先順位が決まっており、軍艦、客船、貨物船、コンテナ船の順で、最後がタンカーとなっている。軍艦がトップというのも興味深い。

運河開通から約一三〇年後の平成八（一九九六）年、日本の豪華クルーズ船初代「飛鳥《あすか》」（二万八七〇〇トン）が世界一周初航海で通過する。船客にとって大きな楽しみの一つであるスエズ通過は日本を出て二九日目のことであった。船に乗っていたジャーナリストの東康生が運河に入ってまず目を疑ったのは海の色だった。

「赤茶色に濁っているのが当然、という頭があったから、その水が、紅海の濃紺の海のように澄んでいたのには、まず驚いた」（『夢航海』東康生）

また両岸の風景について、東は「（アフリカ側は）緑豊かな農村地帯で、運河の近くは畑。その向こうにユーカリ、次いで、椰子《やし》の林。そして椰子の林の向こうは、突然、もうまったく緑がない」のに対し、右手のシナイ半島に目を転じると「緑などひとかけらもない。ただ乾き切った砂原が、なまじの感傷などは拒否するように広がっている」と記す。

船にはポートマンと呼ばれる現地人が乗り込んでいる。船が運河を安全に航行できるよう監視する男たちだが、彼らは一朝、事が起こらない限り、特別な仕事はない。そのかわり早速、持ち込んだラクダの置物、敷物、絵葉書、パピルスなど地元の土産物を甲板に広げ、副業を始める。

おそらく「飛鳥」の場合も、日本人客相手に「ヤスイヨ、オミヤゲ、センエン」などと、カタコトの日本語を交えながら売りつけたのであろう。

そう言えば、小泉信三もポートサイドに短時間上陸した際、執拗《しつよう》に群がる物売りに辟易《へきえき》し、次のように記している。

「極言すればポートサイド市全体は哀願脅迫誘惑詐欺《さぎ》等あらゆる不正の手段をもって旅客の懐《ふところ》を捲《ま》き上げんとする人間より成るものに御座候」

そして信三は思わず日本語で「うるせえやい」と、怒鳴りつけて撃退したというから、現代のポートマンたちも、さぞや熱心なセールスマンだったに違いない。

当時最新鋭の「飛鳥」は通過に一一時間を要した。小泉信三の「熱田丸」が一三時間だったから、所要時間はそれほど短縮されたわけでもない。

ただし通航料金は「熱田丸」の約二万円から一〇〇〇倍の約二〇〇〇万円（約一八

万二〇〇〇ドル）へと跳ね上がり、それに伴い乗客一人当たりの負担額も「熱田丸」の四円が、「飛鳥」では約四万五〇〇〇円になった。

第四話　イタリア／パレルモ

シチリアで絵筆を握り続けた江戸娘

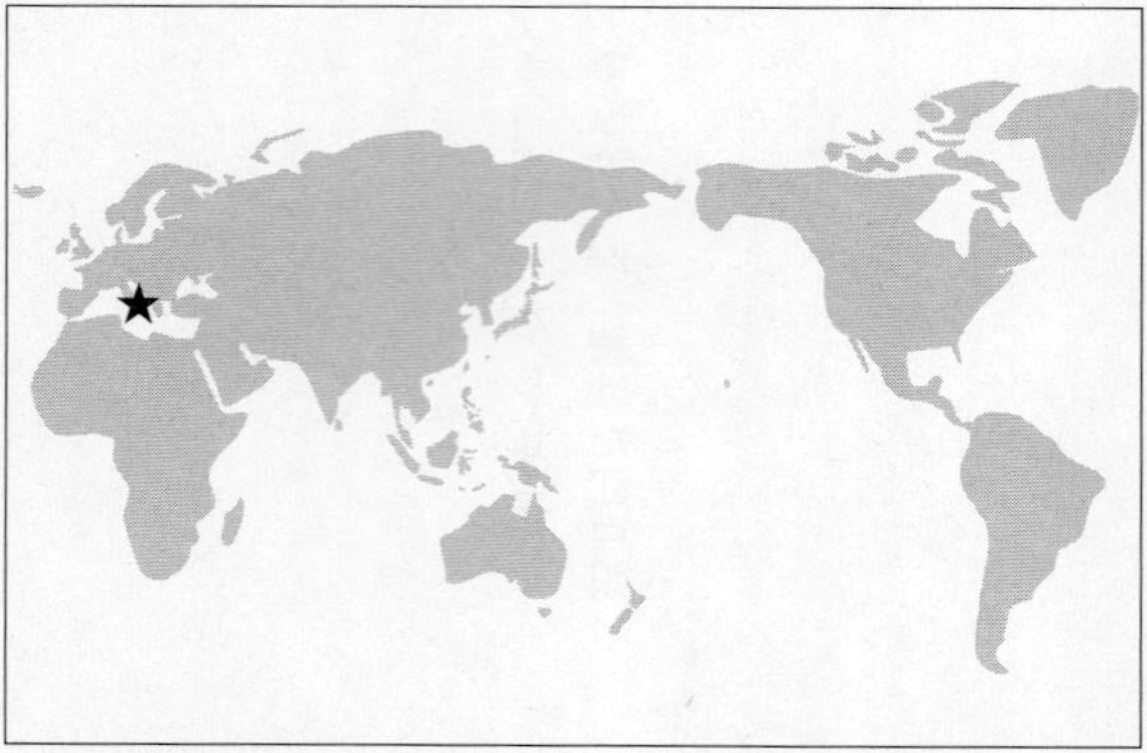

現在：パレルモ（シチリア島）へは、ヨーロッパ主要都市から空路直行便あり。ローマからだと約１時間（成田→ローマは空路直行便で約12時間）。
ナポリ～シチリア間の夜行フェリーだと、夜10時頃に出港して明け方に着く。

イタリア半島は長靴の形にたとえられる。その長靴のつま先に浮かぶ三角形の小石のような形をした島、それがシチリア島である。近年日本人のイタリア旅行熱は目を見張るものがあるが、その訪問先はミラノ、ベネチア、フィレンツェ、ローマなど半島の北半分を巡るコースがほとんどで、南はせいぜいナポリやポンペイどまりである。ローマから飛行機で一時間ほどのシチリア島まで足を伸ばす者はまだそれほど多くない。

シチリアはギリシャ・ローマ時代からさまざまな民族が入れ替わり立ち替わり支配を繰り返してきた島で、それだけに多様な様式をもつ建造物がそこかしこに残り、見どころに事欠かない。

気候温暖でシチリアンブルーと呼ばれる澄みきった空と紺碧《こんぺき》の海、太陽をたっぷり浴びたオリーブ、オレンジ、アーモンド、レモンの木が一年を通して、たわわに実をつける。原色図鑑から抜け出したような色鮮やかな野菜や果物、周囲の海から獲《と》れる新鮮な魚介類が町のメルカート（市場）に並ぶ。豊富な種類のシチリアワインも旅人には嬉《うれ》しい。

記録の上で、日本人として初めてこの島に上陸したのは鹿児島出身のキリシタン青年とされ、天文二三（一五五四）年、スペインのバルセロナからナポリ経由でローマへ向かう途中に立ち寄っている。彼が島にどのくらい滞在し、何を見たのかは定かでない。

またそれから三〇〇年余を経た江戸末期、幕府の二度目の遣欧使節団を乗せたフランス郵船の蒸気船が炭水補給のため、島の北東部のメッシーナに短時間寄港しているが、一行は上陸していない。

シチリアに暮らした最初の日本人であり、長期居住者と言えば、江戸娘の清原玉、のちのラグーザ玉である。彼女の生まれは幕末の文久元（一八六一）年で、実家は江戸の芝新堀、東京タワーに近い現在の芝園橋から芝公園あたり（東京都港区芝二丁目）にあった。

物心のついた頃、自宅の周囲には薩摩《さつま》藩邸など武家屋敷が建ち並んでおり、大小を腰にさした侍たちが通りを行き交っていた。芝園橋の下を流れる新堀川はもともと敷地内を流れていたというから、広大な邸宅だったのだろう。父親は近くの芝増上寺境内の差配をしており、明治になってからはこの広い敷地を利用して花園を営んでいた。裕福な家庭に育ったお玉は子供の頃から絵を描くのが好きで、師匠について日本画を学んだ。明治一一（一八七八）年の初秋、お玉の家の庭園に一人の異人が見物に現れる。のちに夫となるイタリア人のヴィンツェンツォ・ラグーザである。一八四一年、シチリア島に生まれたラグーザは明治政府が東京に新設する工部美術学校（現東京芸術大学）の教授として招聘《しょうへい》された彫刻の専門家、いわゆる「お雇い外国人」の一人である。

当時工部美術学校は、お玉の家からほど近い三田四国町にあった。ラグーザは園内を一巡したあと、母屋《おもや》の縁側で扇面に花鳥を描いていた少女お玉に近づいた。しかしお玉は見も知らぬ外国人から声を掛けられても、それほどびっくりした風もない。当時お玉の住む家から、さほど遠くない築地《つきじ》（現中央区）には外国人居留地があり、日頃から町を散歩する異人の姿を見慣れていたからであった。ラグーザはお玉の絵を見るなり、その出来栄《できば》えを誉《ほ》め、自らも絵筆を執って自画像を巧みに描くのであった。それはお玉にとってこれまで習った画法とは全く異なるもので、新鮮な驚きだった。これを機にラグーザは、しばしばお玉の家を訪ね、その度にお玉の絵を批評し、指導するようになった。お玉の画才はラグーザという異人の師を得て大きく開花しようとしていた。

ラグーザの日本滞在が当初の契約期間である三年を過ぎ、さらに延長した三年も過ぎようとした頃、彼の身に大きな転機が訪れる。尊敬してやまない祖国の独立戦争の英雄ガリバルディ将軍死去の報が届き、大きな衝撃を受ける。ラグーザも若い頃、将軍率いる義勇軍に加わったことがあるからだ。将軍が亡《な》くなったからには栄誉を称《たた》えるため、いずれ記念の銅像が制作されることだろう。その記念の銅像は何としてでも自分の手で制作したい、いや制作しなければならないという芸術家としての熱き思いが燃えたぎった。

加えてもう一つラグーザの帰心を誘ったのは、かねてからの夢であった日本美術を教える工芸学校がシチリア島のパレルモに創立が決まったことである。銅像制作と工芸学校の設立にラグーザは帰国の決意を固める。

ところが日本の伝統技芸を教えるためには日本人の教師が必要ということになり、お玉に水絵と蒔絵《まきえ》の教授をしてほしいと白羽の矢が立つ。

ラグーザはまだ二〇歳を過ぎたばかりの娘を遠い異国へ送り出す両親の心情を考え、お玉の姉夫婦にも同行を求めた。もともと二つ違いの姉千代には刺繍《ししゅう》、義兄の英之助には漆器という日本の伝統工芸の心得があることをラグーザも知ってのことだった。

三人の気持ちは早々とイタリア行きに固まっており、あとは両親の説得だけだった。ところが意外にも両親は三人のイタリア行きをすんなりと認める。むしろ両親の方が乗り気だったと、お玉は後年語っている。

両親からすれば、三人一緒ということの安心感もあったろう。娘たちの才能を異国が求めているのなら、それに応《こた》えさせてあげたいと思ったのかも知れない。あるいは何よりラグーザという人物を絶対的に信頼していたからであろうか。当時としては開明的な考えをもつ両親だった。

ラグーザに連れられたお玉ら三人は明治一五（一八八二）年八月一一日、新橋から陸《おか》蒸気で横浜へ向かい、フランス船サガレン号に乗り込んだ。お玉二一歳の時である。当時はまだヨーロッパへ直行する日本船はなく、イギリスやフランスの便船によらざるを得なかった。

波止場で船影が見えなくなるまで手を振る両親らに比べ、本人は案外さばさばしていた。姉夫婦も一緒という気強さに加え、好きな絵画の勉強を本場で存分にしてみたいという夢があったからだ。

とは言え、お玉は外国行きに全く不安がなかったわけではないと、晩年に述懐している。

「私が日本を出る時は、『毛唐の国へ行って、見世物にされた上で生胆《なまぎも》を取られるのだ』とか、または『丸裸にされて、女郎に売られるのだ』とか、いろんな悪口や中傷をいった人があるのも耳に入り、それが多少気に掛からないでもありませんでした」（『ラグーザお玉自叙伝』木村毅編）

船は神戸に立ち寄ったあと、日本を離れる。最初の寄港地は上海《シャンハイ》。横浜や神戸では感じなかったが、すれ違う日の丸を掲げた洋帆船を見て、この時ばかりはお玉の目から涙がとめどなく流れた。日本と縁のあるものとはいよいよ見納めという気持ちになったらしい。次に停泊した香港《ホンコン》では洋服をもたぬ姉妹が、着物姿で上陸したものだから、現地人に珍しがられ、大勢の人波にもみくちゃにされた。

シンガポールでは、あの「からゆきさん」を目撃。彼女らのはしたない姿を見て、同じ日本人女性として恥ずかしい思いをする。さらにセイロン島（現スリランカ）を経てアラビア半島の南端のアデン（イエメン）に寄港した。お玉は初めて目にする荒涼とした砂漠の風景に強い衝撃を受ける。

「焼けただれた日の下に岩山がつづいて、木おろか草一本も、青いものといっても見当たりません。人家も山の麓《ふもと》に十四、五軒散在しているだけです。もの凄《すご》い景色の思い出のため、急いで描いたのがこの絵です」（自叙伝）

お玉は船中でも絵筆を握り続けていたことがわかる。

紅海からスエズ運河を抜けて船は地中海に出る。スエズ運河は一三年前の一八六九（明治二）年に完成していた。ポートサイドを出発してから二日、ようやく緑のイタリア半島が目に飛び込んできた。

「紺碧の地中海と、瑠璃《るり》を張った青空と、イタリヤの山々が見え初めたときには、やれやれ、やっとまた人間の住む世界に出て来たと思いました」（自叙伝）

半島の西端を回り、狭い水路のメッシーナ海峡に入る。右手はイタリア半島のつま先、左手はラグーザの生まれ故郷、めざすパレルモのあるシチリア島だ。フランス籍の船はシチリア島には寄らず、最終目的地のマルセイユへ向かう。だが当時ヨーロッパではコレラが大流行しており、フランスでも入国者は長期間隔離されるという話を耳にしたため、一行は急きょイタリア領内のナポリ沖のニシダ島で下船する。

島からナポリへ渡り、さらに蒸気船でパレルモに入ったのは日本を出てから五二日目だった。今なら日本からローマやミラノを経由してその日のうちにシチリア島へ到達できる。

「岩山に抱かれたパレルモの港、色さまざまの屋根や壁が、ちょうどトランプを撒《ま》いたように鮮やかにパッと波の上に現れたので、私は、何も彼《か》も忘れて嬉しくなりました」（自叙伝）

筆者も平成一七（二〇〇五）年夏、パレルモを訪れたが、町の背後に連なる岩山、棕櫚《しゅろ》の並木、薄茶褐色の家々の屋根、カラフルな商店の看板など、お玉が見た時と変わらぬ風景がそこかしこに残っていた。ただし町の人口は、お玉が暮らした時代よりずっと増え、現在六八万人を数える。島内最大の都市で、政治・経済・交通・文化の中心である。

パレルモでの生活が落ち着くと、お玉は地元のパレルモ大学美術専攻科に通い、指導教授のもとで裸体画を研究し、夜はイタリア語とデッサンを学ぶなど精力的に活動を始めた。

日本女性の海外留学は明治四（一八七一）年、岩倉使節団に同行してアメリカへ渡った津田梅子（八歳）や山川捨松（一二歳）ら五人の少女が最初であるが、ヨーロッパの大学で学ぶのはお玉が初めてということになる。お玉は梅子たちが自分よりはるか年少で海を渡ったことを思うにつけ、改めてしっかり学ばなくてはと、肝に銘じるのであった。

一方のラグーザは美術工芸学校の設立準備に追われる多忙な日々が続いた。二人の間には二〇もの年齢差があったが、お玉はイタリアへ来るまで美術の師と仰いだラグーザのモデルをつとめたり、関西方面への写生旅行に同行したりするうちに、いつしか敬慕の気持ちが、ほのかな愛情へと変わりつつあった。

やがてラグーザ念願の美術工芸学校がパレルモの町に開校する。学校は当初私立という形でスタートし、お玉と姉夫婦は教師として生徒の指導にあたった。学校経営は順調に展開し、ほどなくイタリア政府の認可する公立学校になり、さらに高等工芸美術学校へ昇格した。お玉には教授という肩書がつき、副校長にも任命された。その一方でお玉の描く絵は評判を呼び、羽がはえたように絵が売れるので、急速にお玉の名声は高まっていった。

明治二二（一八八九）年、お玉ら三人がイタリアへ来て七年が経過した。姉婿《あねむこ》英之助の担当する漆器学科の存廃をめぐって学内でトラブルが発生し、義兄とラグーザとの関係が危うくなった。ちょうどその頃、姉千代がしきりに日本へ帰りたいと言い出すようになったことも重なり、姉夫婦は帰国する。

だがお玉は一人居残ることにした。勉強が中途であり、一度志を立てて来た以上は、そう簡単に帰るわけにはいかない。これが現地にとどまることにした理由だが、その裏には微妙な女心が見え隠れする。この頃になると、お玉はラグーザを深く愛するようになり、離れたくないのが本心だったと正直に告白している。ラグーザとて同じだった。まもなくお玉はラグーザの求婚を受け入れて結婚、名前をイタリア流にエレオノラ・ラグーザと改名する。

結婚を機にお玉は絵画に一層没頭し、精力的にイタリア各地の展覧会へ出品する。南欧の明るさ、大胆さに日本の繊細さ、典雅さが融合した独特な画風は話題を集め、相次いで第一等賞を獲得する。さらに一九一〇年のニューヨーク国際美術展にイタリア女流画家として出品を求められ、女性部門最高の賞に輝いた。

世間はお玉をイタリア画壇の名花と讃《たた》え、画家として確固たる地位を築く。四〇歳になった時、お玉は生涯一の大作「天楽礼讃《らいさん》」という作品に取り組む。これはパレルモの大富豪カルーソー家が建設した大舞踊場の天井画で、依頼を受けてから完成まで二年もの時間を費やした。

ラグーザもお玉もそれぞれ持ち込まれる仕事をこなしながら、しばらく幸せで穏やかな日々を送った。とは言え、夫婦間に年齢差がある以上、老いは確実にラグーザの方からやって来る。昭和二（一九二七）年三月、ラグーザはお玉に「もう一度日本へ行きたかった」との言葉を残して逝《い》く。

もはやパレルモに身寄りの者は残っておらず、天涯孤独の身になったお玉はシチリアを離れようと決意する。彼女は帰国の便宜を図ってもらおうと、はるばるローマの日本公使館まで出向く。しかし応対に出た館員はイタリア人と結婚した者は日本人でないので世話は出来かねると、にべもなく突き放す。そこまで言われるのなら日本へは帰らぬ、シチリアの土になろうと、お玉は悲痛な覚悟を決めるのであった。

結局、お玉の帰国を助けたのは昭和六（一九三一）年、東京日日新聞（現毎日新聞）に連載された実話小説「ラグーザお玉」であった。祖国へ帰りたいのに帰れない老女性画家に対し、日本全国から関心と同情が集まった。日本に戻った姉夫婦の息子、清原繁次郎は異郷に暮らす叔母を無事に帰国させるため、各方面へ働きかけるとともに、当時まだ一六歳の一人娘、初枝をはるばるイタリアまで迎えに行かせることにした。

こうして一度は諦《あきら》めたお玉の帰国が実現に向けて動き出す。

初枝を乗せた日本郵船の白山丸（一万三八〇トン）が、横浜から約四〇日の航海を経て着いたナポリの波止場には、お玉がパレルモから駆けつけ待っていた。お玉にとって初めて会う初枝は、姉千代と別れて以来、四二年ぶりに出会う肉親である。「よく来たね」と、お玉が開口一番に発した言葉はイタリア語だった。

姉の孫娘は自分にとっても孫娘のようなものであった。

お玉は初枝の来訪をひどく喜び、早く連れ戻したいとする家族の気持ちをよそに、そのまま初枝とイタリア暮らしを続けるのであった。お玉もお玉なら、初枝もまたミイラ取りがミイラになってしまった。

二年が経過し、お玉もさすがにこれ以上、若い娘を異国に留め置くのはまずいと思い、帰国する決意を固める。ナポリから日本郵船の諏訪丸《すわまる》（一万一七五八トン）に乗り、二カ月あまりの船旅を経て横浜港に着いたのは、昭和八（一九三三）年一〇月二六日、半世紀ぶりに踏む祖国日本の土だった。

翌二七日の中外商業新報は、お玉の帰国を次のように伝えている。

「銀髪の『ラグーザお玉さん』、其《そ》の半世紀の夢を乗せた日本郵船の諏訪丸は二六日午前九時欧州から横浜へ入港した。（中略）故国日本を離れた当時の若き日本娘清原玉さんが、今ここに銀髪のラグーザお玉夫人として、五十三《（ママ）》年間の幾多のローマンスのヒロインとしてクローズアップされたのだ。思い出の国、思い出の港、この横浜から……」

記者は思い入れたっぷりに書き出している。

「肌寒い甲板で流行離れの黒一色の服装、同じ色の帽子、靴―ただ手にしたハンカチが白く鮮やかなだけだ。強い意思と健康を現した深紅の唇、豊頬《ほうきょう》に深い皺《しわ》が刻まれて七三の老齢を偲《しの》ばせている」

お玉の帰国第一声は「とうとう帰って来ました。故国で見たいものはどこもかしこです」というものだった。

話題の女性だけに波止場には多くの人たちが出迎え、歓迎式典までもが用意されていた。お玉は改めて祖国の温かさにふれ、胸を詰まらせるのであった。

振り返ってみると、人々が欧米人を「毛唐」と呼び、蔑《さげす》んだ時代にもお玉は拒否感を抱かず、イタリア人ラグーザを絵画の師として仰ぎ、進んで指導を受けた。二〇を過ぎたばかりの年齢で、いくら肉親と一緒とは言え、はるかヨーロッパまで行こうと決意し、肉親の帰国後は一人現地に踏みとどまった。

それは夫ラグーザをはじめ、周囲の人たちの温かさに接していくにつれ、彼らが「毛唐」だなんてとんでもない、人間に日本人も外国人もない、服装や生活習慣とを除いたら、みんな同じなのだと悟ったからである。

長いシチリア生活の中で、お玉は食べ物にもさほど抵抗感はなかった。

「イタリアへ渡りましても、そう不自由で困ったことはありません。食べ物なども、欲しいものがあれば、女ですから姉と二人で勝手にこさえました」（自叙伝）

こさえましたという言い方がいかにも江戸育ちのお玉らしい。今でこそ日本にもイタリアン・レストランが林立し、ピッツアだ、パスタだと、その味に親しむ機会も増えたが、一〇〇年以上も前にお玉は今の若者言葉で言う「イタメシ」（イタリア料理）を毎日口にしていたのである。そして帰国後もお玉はナイフとフォークを使い、同居する親族とは別メニューの和製「洋食」を口にしていたという。

お玉は生まれながら才能に恵まれ、利発な子供であった。適応力に優れ、努力も惜しまなかった。彼女の芯《しん》の強さは東京芸術大学に収蔵されているブロンズの「清原玉像」からも、うかがえる。加えていつも傍らに師であり、伴侶《はんりょ》のラグーザがおり、芸術や文化を育《はぐく》むイタリアの地であったからこそ、お玉は旺盛《おうせい》な創作活動を展開できたのだろう。

その一方で、彼女は常に祖国日本を忘れぬ明治の女性でもあった。一日たりとも日本へ帰ることを夢みない日はなかったし、日清《にっしん》戦争が始まると、毎日早起きして必勝祈願をした。日露戦争では日本海軍がイタリアから購入した二隻《せき》の軍艦の活躍を伝える新聞記事に小躍りし、明治天皇崩御や乃木大将殉死の報に心を痛めた。お玉は帰国後ただちに皇居へ足を運んでいる。

晩年のお玉はアトリエで絵筆を握る一方、好きな外国映画を観《み》たり、下町歩きを楽しみ、そして日本とイタリアとの友好を祈りながら穏やかな日々を送った。しかし帰国してから六年後の昭和一四（一九三九）年四月五日朝、お玉は突如自宅で脳溢血《のういっけつ》に襲われ、翌日未明、甥《おい》の清原繁次郎ら親族の者たちに見守られながら息を引き取る。享年《きょうねん》七九であった。

お玉の眠る東京港区元麻布の長玄寺を訪ねた。坂道の途中から山門を抜けると、本堂左手前に彼女の肖像画の彫り込まれた高さ二メートルほどの石碑が建っている。そこにはお玉の経歴とともに「時に枕頭《ちんとう》の水彩顔料未《いま》だ水を含みて残る。嗚呼《ああ》女史は絵画の化身なりき」との碑文が刻まれている。彼女は倒れる直前まで絵筆を執っていたようである。

墓域の中央付近に、思わず見過ごしてしまいそうな小ぶりの清原家の墓標があった。長年の雨露で黒ずんだ碑面から「玉光院釈清澄大姉」（俗名たま）、昭和一四年四月六日という文字がかすかに読み取れた。戒名にある「光」とは燦々《さんさん》と降り注ぐ南欧の陽光、「清澄」とは地中海の海や空を表わしているようにも思えた。

シチリアの空、海、花など原色をこよなく愛したお玉、彼女が倒れた朝、東京の町には季節はずれの純白の雪が舞っていた。

第五話　メキシコ／アカプルコ

ガレオン船で新大陸をめざした日本人

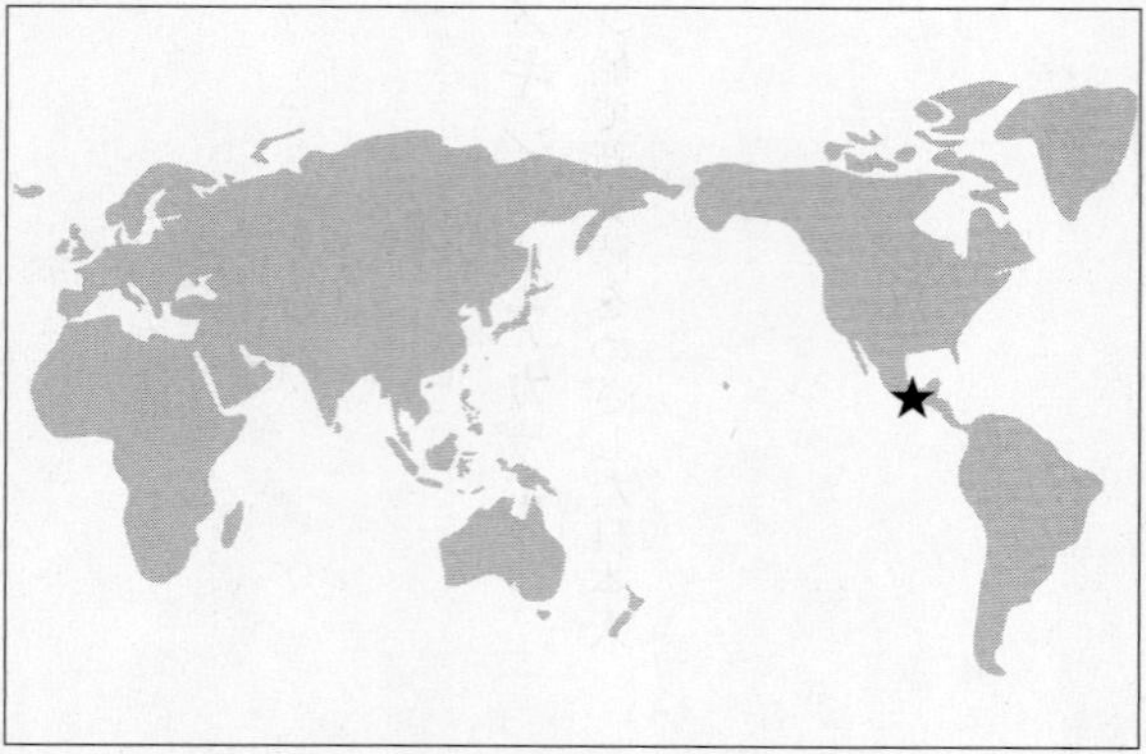

現在：成田→メキシコシティの空路便は直行便で約13時間。メキシコシティからアカプルコへは空路約１時間。車だと約５時間。

今から三〇年近く前、メキシコを訪れ、三日ほど首都のメキシコシティに滞在したことがある。町は標高二二〇〇メートルを超す高地の盆地にあり、車の排気ガスが滞留するため、ガソリン臭い町というのが第一印象であった。もっともそれは地形的要因よりも当時のメキシコの石油精製技術の未熟さという指摘もあったが……。

夜タコスをつまみ、竜舌蘭《りゅうぜつらん》で造ったテキーラを飲み、陽気なマリアッチの演奏を聞いていると、空気の薄い分だけ、酔いは早くやってきた。翌日はサボテンの咲く砂礫《されき》の中の道を走り、神秘的な古代遺跡テオティワカンを訪ねた。紺碧《こんぺき》の天空に向かってそびえ立つ石積みのピラミッドに登り、この地で紀元前から五〇〇年以上も繁栄を誇った巨大な宗教都市を偲《しの》んだ。

最後の晩、市内中心部のソカロ広場に面したバルで、当地に長く暮らす日系人の長老から「日本とメキシコとの交流は古く、フィリピンから太平洋を渡って来た日本人の血を受け継いだ子孫たちが多く暮らしています。またこの国にはサムライにまつわる噂《うわさ》が多くあり、日本の風習や日本語に近い言葉も残っているんですよ」という話を興味深く聞いた。

北米大陸の南部に位置するメキシコは、今でこそアメリカやカナダに隠れ、中進国の地位に甘んじているが、一六世紀スペイン人に征服されるまで、この大陸で最も光り輝く大国であった。オルメカ、トルテカ、マヤ、アステカなど高度に発達した文明が次々と生まれ栄えたが、一五二一年、スペイン人に征圧され、以後三〇〇年にわたって異民族の支配を受ける。ヨーロッパの侵略者は新大陸に確保したこの地をヌエバ・エスパーニャ（新しいスペイン）と名付けた。

勢いづく彼らは、さらにここを拠点として太平洋へと進出し、一五六五年にフィリピンのルソン（呂宋）を手に入れる。彼らはここにマニラの町を建設、アジア交易の拠点とし、太平洋を隔てたメキシコとの間に大型交易船を就航させる。これにより太平洋を挟んでアジアとアメリカ大陸が結ばれ、さらにヨーロッパへ達する通商ルートが確立した。

日本では文禄《ぶんろく》元（一五九二）年に豊臣秀吉が創設した朱印船制度により商人たちが積極的に東南アジアへ飛び出し、各地に日本人町を形成した。マニラもその一つで、マニラ商人ばかりでなく戦乱続きで仕官先を失った武士やキリスト教徒たちも続々と渡り、文禄四（一五九五）年には在留邦人が一〇〇〇人、最盛時の元和《げんな》六（一六二〇）年には三〇〇〇人にも達した。当時マニラは東南アジア最大の日本人の拠点だった。ルソン貿易で巨万の財をなし、呂宋助左衛門《ルソンすけざえもん》と呼ばれた堺《さかい》の豪商が活躍するのも、まさにこの時代のことである。

日本人が最初にメキシコへ渡ったルートもマニラを経由し、ガレオン船と呼ばれる船で太平洋を横断するというものであった。ガレオン船とは大砲や火器を備えた五〇〇トンから六〇〇トンの木造帆船で、のちに一〇〇〇トンを超える大型船も建造された。マニラとメキシコ西岸のアカプルコとの間を年に一度、数隻《せき》の船団を組んで往復し、マニラからは片道四カ月あまりを要した。

ルソンから積み出されたのは現地の香辛料をはじめ、中国産の絹織物や陶磁器、インド産の綿織物などで、中には日本の武具、屛風《びょうぶ》、蒔絵《まきえ》を施した工芸品も混じっていた。一方、アカプルコからの帰り船ではメキシコやペルーで採掘された大量の銀のほか、スペイン本国からの公文書、役人や兵隊の交替・補充要員などが輸送された。太平洋をはさんだガレオン貿易はメキシコが独立するまで約二五〇年間続く。

太平洋を無寄港で横断した最初のガレオン船は一五六五（永禄八）年のサン・パブ

ロ号とされるから、少なくとも漂流民を除き、日本人がこの船でメキシコへ渡ったのは、それ以降ということになる。アカプルコへ最初に上陸した日本人の名前や年月を特定する記録は残っていないが、彼らはおそらくマニラで耳にした新大陸情報をもとに、一儲《ひともう》けを狙《ねら》う商人や敬虔《けいけん》なキリシタンたちであったとみてよい。中にはスペイン人の使用人となったり、ガレオン船の下級水夫として海を越える者も少なくなかった。現に一五八七（天正一五）年、カリフォルニア半島沖でイギリス船に拿捕《だほ》されたガレオン船サンタ・アナ号には、クリストバルとコスメと名乗る日本人青年二人が乗っていたという（『近代メキシコ日本関係史』エンリーケ・コルテス）。

ここで注目すべきはガレオン船に乗って南米ペルーまで渡った日本人がいるということだ。江戸幕府が誕生してまもない一六一三（慶長一八）年、ペルー・リマ市の人口調査に日本人男女二〇人の居住記録が残っている。彼らはいずれも一六一〇（慶長一五）年前後に、日本を出てアカプルコを経由し、ペルーに入ったもので、当時日本人を奴隷《どれい》として盛んに世界各地へ送り込んでいたポルトガル人によって売買された者たちではないかとみられる。

早い時期にメキシコへ渡った日本人の中で、その名が明らかなのは京都の商人田中勝介である。田中は慶長一四（一六〇九）年九月、房総半島の岩和田海岸に漂着した前フィリピン総督のドン・ロドリゴ・デ・ビベロたちをメキシコへ送り届ける際に徳川家康の命を受け、二二人の使節団を率いて同行したのであった。

家康はビベロらの送還と田中らの派遣のため、ウィリアム・アダムズ（三浦按針《あんじん》）に命じて伊豆の伊東（静岡県）でサン・ブエナ・ベントゥーラ号という一二〇トンの船を建造させる。小型のガレオン船である。

スペイン人の指導を受けながらとは言え、当時日本人の手によって太平洋横断にも耐え得る洋船建造が可能だったのである。ただし沿岸・近距離航海が主だった日本では、遠距離航海の操船術をもつ者はおらず、スペイン人航海士に頼らなければならなかった。

家康は天下を取る前からメキシコとの交易に並々ならぬ関心を抱いており、田中らの渡航は新大陸メキシコとの通商開始と鉱山開発技術の導入に向けた調査という使命を帯びていた。使節団のメンバーはいずれも京都や大坂の商人たちで、今で言えば、民間人で構成された経済ミッションである。

一行は慶長一五年八月一日、浦賀《うらが》（神奈川県）を出発した。スペイン人が開拓したアカプルコへの航路とは、黒潮に乗って日本近海を北上し、北緯四〇度あたりを吹く偏西風をとらえて東へ針路を採るというものである。アカプルコ到着は日本を出帆してから三カ月後の一一月一三日であった。

古代語で「葦《あし》の地」を意味するアカプルコは当時、マニラからのガレオン船が来航する時だけは賑《にぎ》わうものの、ふだんは静かな寒村であった。

ここから当時のヌエバ・エスパーニャの首都メキシコシティまで陸路で約四一〇キロ、田中ら一行は馬車で乾き切った赤い砂礫の大地を横切り、いくつもの岩山を越えた。

メキシコシティ入りした着物姿の日本人らを町の人々は一斉に好奇の目で出迎えた。彼らの動向を日記に残したチマルパインというアステカ貴族の青年は次のように観察している。

「彼らの頭は頭頂の真ん中を刃物で剃《そ》ってきれいにしている。彼らの頭髪は後頭部の方で結っている。彼らには口ひげはなく、顔は色白で女性のように美しくしている。日本人の体格はそれほど大きくない」（「アステカ貴族の青年が見た支倉《はせくら》使節」林屋永吉）

一行は滞在中、当地の副王に拝謁《はいえつ》し、家康からの親書を手渡し、持参した刀剣などの土産を献上した。親書にはメキシコと通商協定を締結したい、水銀を使って金銀を精錬する技術をもつ専門家を派遣してほしいとの希望がしたためられていたが、結局相手方はその必要性を認めなかった。田中らはメキシコシティに四カ月ほど留まったあと、目的を果たせぬまま翌年三月帰国の途に就き、六月に日本へ戻った。

だがこの時、帰国せず、現地に残った日本人が少なくとも二人いたとされる。日墨交流史の研究者大泉光一によると、この二人は任期を終え、スペイン本国に帰る当地の副王の召使いとなって大西洋を渡った者たちである。彼らはメキシコに来てから洗礼を受け、一人はルイス・デ・ベラスコ、もう一人は副王の衣装係のファン・アントニオといった。副王が二人の日本人の若者を同行したのは特別に可愛《かわい》がっていたからか、珍しい東洋人を本国の人たちに見せたいと思ったのか、それとも二人の方が強く望んだからなのか、その理由は不明である。彼らはその後、再びメキシコへ戻ったが、日本へ帰ることなく、そのまま現地で生涯を終えたとみられる（『メキシコの大地に消えた侍たち』）

メキシコ残留日本人を大量に出したのは田中使節団に続いてこの地を訪れた支倉常《つね》長《なが》率いる使節団、いわゆる「慶長遣欧使節」である。総勢一八〇人からなる使節団は仙台藩主伊達《だて》政宗《まさむね》の命を受けた藩士のほか、大半は田中使節団と同様、各地の商人やキリスト教徒たちで構成され、これに南蛮人四〇人が加わった。使節団の目的は通商協定の締結と宣教師の派遣を求めることにあった。

支倉らは慶長一八年一〇月二八日、仙台藩領内の月の浦港から伊達政宗の命により建造された和製ガレオン船、サン・ファン・バウティスタ号（約五〇〇トン）で出帆し、アカプルコをめざした。

スペイン人が操舵《そうだ》する船は北太平洋海流に乗り、一気にカリフォルニア沖へ出て、アカプルコに到着した。慶長一九（一六一四）年一月二五日、日本から三カ月を費やした。

一行のうち支倉ら使節団幹部には馬車が用意されていたが、それ以外の者たちは徒歩でメキシコシティへ向かった。日本では真冬というのに気温は高く、石ころだらけの道は草履ばきには歩きづらかった。沿道には極彩色の花が咲き、見たこともないトゲのある肉厚の葉の植物（サボテン）が群生している。空に舞う大きな鳥が不気味だった。肌の浅黒い現地人の住む家は粗末だった。道中、彼らに割り当てられた宿舎は、ほとんどが礼拝堂や僧院で、油っこい食事も彼らの口には合わなかった。

一行はメキシコシティに到着後、しばらく当地に滞在したが、この間約七〇人がキリスト教の洗礼を受けている。支倉はここで二六人を選んでヨーロッパへ同行させ、残りの一〇〇人以上をメキシコで待機させることにした。残留組は再びアカプルコへ戻り、いつとも知れぬ本隊の帰りを待つこととなった。スペイン側も彼らの勝手な帰国を禁じた。

支倉使節はメキシコを横断し、メキシコ湾に面したベラクルスからスペイン艦隊のガレオン船サン・ホセ号に乗り、ハバナ（現キューバの首都）を経てスペイン南部の港サンルーカル・デ・バラメダをめざした。

ハバナから大西洋を横切ってサンルーカルに到着したのは一〇月五日、ベラクルスを発《た》ってからほぼ三カ月後のことである。一行はスペイン国王フェリペ三世に拝謁したあと、ローマに入り、法王パウロ五世へ伊達政宗からの親書を奏呈する。そして再びスペインに戻り、往路と同じようにベラクルス、アカプルコ、マニラを経て元和六（一六二〇）年に帰国するが、支倉とともに日本へ帰国した者は最終的に二〇人あまりとも、わずか数人であったともいわれる。

支倉は一六一八（元和四）年七月、帰国の途中に立ち寄ったマニラから息子勘三郎へ出した手紙に「清八、一助、大助、三人にげ（逃げ）申候《そうろう》……」と書いており、使節団から離れ、現地に残留した者がいたことを認めている。だがメキシコ残留者は三人にとどまらなかった。

残留日本人の数とその後の足取りについては、残存する史料の乏しさにより、ごく一部の者を除いて明らかになっていない。残留者の一人に福地蔵人なる者がいる。彼については前出の大泉光一がメキシコ・グアダラハラ市内のカテドラルに保管されていた古文書の中から、その名を発見し、支倉使節団の一人であることを突き止めている。大泉は福地なる人物を次のように推測する。

・福地は仙台藩から派遣された武士でヌエバ・エスパーニャへ渡った時、一八、九歳であった。

・彼は使節団から離れ、グアダラハラという町に移り住み、現地の女性と結婚、手広く小売業などを営んだ。

・彼の洗礼後の名はルイス・デ・エンシオで、古文書の中に彼が「るいす福地蔵人」と書いた日本語の署名が残っている。

・彼と妻の間にマルガリータという一人娘がおり、この娘も大坂出身のファン・デ・パエス（日本名は不明）という者と結婚している。

・彼は一六六九（寛文九）年に七一歳で病没した（『支倉常長慶長遣欧使節の真相』）。

福地が暮らしたグアダラハラ市はメキシコシティの北西に位置し、現在メキシコ第二の都会である。海抜一五〇〇メートルの高地にあり、古い歴史が息づく町で、メキシコの代表的音楽マリアッチ誕生の地としても知られる。

当時グアダラハラ市とその周辺には福地以外にも複数の日本人が住んでおり、彼らは支倉本隊の帰りを待ちきれずに相次いでアカプルコの町を離れた。福地がグアダラハラ市に移り住んだのはメキシコに渡ってから六、七年後のこととみられる。

作家の城山三郎は、福地のようなメキシコに残留した日本人サムライをテーマに『望郷のとき』という作品を残している。キリシタンとなった仙台藩士作右衛門《さくえもん》がアカプルコで、イエルマという現地女性と結婚して子供が生まれ、日本への帰国を断念するという話である。

作右衛門は支倉本隊がスペインへ向かったあと、日本でキリスト教が全面的に禁制となったことを知り、もはや帰国するのは不可能と判断、イエルマと懇《ねんご》ろになったこともあって早い時期にメキシコ永住を決意したのだった。

筆者がメキシコ在住の邦人長老から耳にした、日本人の血を受けた者がいるという話は、ガレオン船で太平洋を渡り、この地で生涯を閉じた名もなき者たち、田中、支倉両使節団の残留者、漂着民らが各地に散って現地女性との間にもうけた子孫たちのことだったのである。

ところが使節団から離脱し、現地に残留した者はメキシコだけにとどまらず、ヨーロッパへ渡った本隊の中にもいたのである。その一人が支倉の護衛隊長を務めたドン・トーマス・フェリーペ（日本名は不明）なる者である。

「一度は日本人修道者としてキリストに仕える決意をしたが、武士はおそらく、あの時は精神的に錯乱していたと後悔し、その後は土地の有力者の使用人になった。ところが雇い主はフェリーペを冷遇し、賃金の支払いを拒否したり、奴隷でもないのに体に焼き印を押すなどした。彼は支倉使節団のイスパニア滞在の哀れな名残りである」（『イダルゴとサムライ』ファン・ヒル／平山篤子訳）

支倉はスペイン国王から通商協定と宣教師派遣について何とか色よい返事をもらおうと、滞在を延ばして粘った。だがスペイン側は日本でキリスト教が禁制となり、信徒への厳しい弾圧が始まったことを知っており、返書など出せる状況になかった。スペイン側としては一刻も早い彼らの退去を望んでいた。ずるずると時間だけが過ぎていく中で、フェリーペのように一行から離れる者が現れたのである。

スペインには使節団に関連して興味深い話がある。この国の南西端にコリア・デル・リオという人口二万四〇〇〇人ほどの小さな町がある。近年日本人観光客も多く訪れるセビリヤの郊外で、支倉一行がメキシコから到着した地中海岸のサンルーカルとグアダルキビル川を通じて結ばれている。つまり河口のサンルーカルから約一〇〇キロ上流にコリア・デル・リオがあり、さらに約三〇キロ遡《さかのぼ》ると、セビリヤの町に到達する。

この町にはなぜかスペイン語でハポン、つまり「日本」という珍しい姓をもつ住民が多く暮らしており、長い間、研究者たちの関心を集めてきた。作家の中丸明もその一人で、ハポン姓の由来を調べるため平成二（一九九〇）年、コリア・デル・リオの町役場を訪れたところ、応対に現れた職員もまたマヌエル・ルイス・ハポンと名乗った。このハポン氏が言うには、一九八九年の国勢調査時点で、町には八三〇人のハポン姓の住人がいるとのことだった（『支倉常長異聞』）。

また平成一五（二〇〇三）年一二月三日付の読売新聞は、同月一日、コリア・デル・リオの市民ホールにハポン姓を持つ約四〇人が集まってスペイン日本・支倉常長友好協会を結成し、この席上、マヌエル・カルバハル・ハポン会長がスペインには六四五人のハポン姓を名乗る者が確認されていると報告したことを伝えている。

ハポン姓のルーツは、支倉使節団から離脱してコリア・デル・リオ周辺に住み着いた日本人がキリスト教の受洗の際、姓をハポンにしたのが始まりといわれ、古くは一六二二年の農業関係の文書に、その姓が記されているという。一六二二年とは支倉らがスペインを去って五年後のことである。

日本・南欧交流史の研究者太田尚樹によれば、支倉のもとを離れ、スペインに住み着いた日本人の正確な数は断定できないが、現地の研究者の間では少なくとも八人とする見方が有力だという。残留日本人の中にはこの国の風土に惹《ひ》かれ、長引く滞在に見切りをつけた者や、現地女性とわりない仲になった者もいただろう。あるいは既に日本やメキシコで洗礼を受け、初めから帰国の意思のなかった者もいたかも知れない。

彼らはなぜコリア・デル・リオ周辺に住み着いたのか。前出の太田は、当時世界各地の情報の集まるセビリヤに近く、のどかな自然と彼らの口に合う食物があったからという。

「夏には稲の穂波が風にそよぎ、夜には蛍が飛びかっている。米と魚が獲《と》れ、日本の田園風景を想《おも》わせるこの町は、日本から来た彼らには住みやすかったのである」（『ヨーロッパに消えたサムライたち』太田尚樹）

ハポン姓を名乗る住民たちもその多くは、自分らが日本から来た使節団と何らかの関係があると信じており、先の新聞にも祖父がハポン姓という女子大生が「（日本人が）居残る決意をしたのは、（当地の）女性が魅力的だったからと祖父たちに聞かされた」と語った話や、別のハポンさんが「自分は日本人の子孫と信じる。末えいであることを誇りたい」と述べたことが紹介されている。

このほかハポン姓の幼児のお尻《しり》には蒙古《もうこ》斑《はん》が現れるとか、この一帯で行われている稲作では、日本と同じように苗床を作る風習があるなど残留日本人との関係を思わせる事実も指摘されている。その一方で、ハポン姓を名乗るのは日本人の末裔《まつえい》ばかりでなく、当時使節団の世話に当たった現地の者の中にもいたとされる。

しかし残留日本人とハポン姓の関連について、その可能性はきわめて高いと推察されるものの、これまでのところ決定的な証拠が発見されていないのも、また事実である。

第六話　ロシア／ウラジオストック

北の開港場に群がった日本人たち

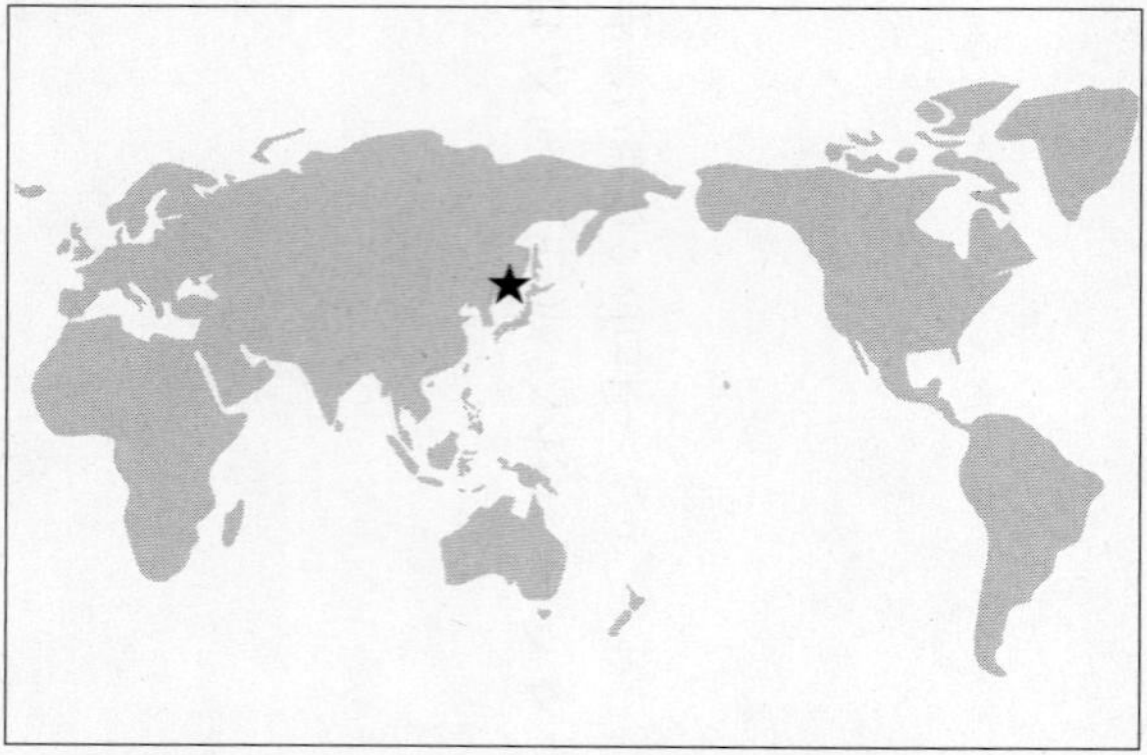

現在：新潟→ウラジオストックは空路約１時間半。富山からだと約２時間半。そのほか関西空港から定期便がある。富山県伏木港と鳥取県境港から、それぞれ定期船が運航している。

「浦塩に留まること三日にして、僕は三年の寿命を縮めたり。見るも聞くも恐ろしきことばかり、進むも退くもいやらしきところばかり、やれやれ心細し。船埠頭《ふとう》に着するや、来《きた》り集まる者猪《いのしし》の如《ごと》し。中には満人の薄汚さあり、韓人の汚穢《けがらわし》きあり、韃靼《だったん》人《じん》のむつけくなるあり」

これは明治四〇（一九〇七）年、ジャーナリスト杉村楚《そ》人冠《じんかん》が記したウラジオストックの印象である。ウラジオストックは漢字で浦塩斯徳、略して浦塩、浦潮、浦汐などという字をあてる。

ウラジオストックは日本海を挟み、対岸のロシア沿海州の港町である。イタリアのローマとほぼ同じ北緯四三度に位置し、日本からは最も近い欧州の町だが、ソ連時代は海軍基地があるため、長い間外国人の立ち入りが許されなかった。外国人に開放されたのは平成四（一九九二）年一月、ソ連が崩壊し、新生ロシアになってからである。

現在、関西空港はじめ、新潟、富山の各空港との間に定期航空路が開設されており、新潟からは一時間半ほどで到達出来る。また富山県伏木港からは定期船が通っており、三六時間の船旅を経て身近なヨーロッパ体験を楽しむ日本人も増えている。さらに二〇〇九年六月から鳥取県の境港と韓国経由でウラジオストックを結ぶフェリーが運航を開始した。港の背後には丘陵地帯が広がり、神戸や長崎のように坂の多い町で、東洋のサンフランシスコとの異名もある。

この港が開かれたのは意外と新しく、幕末の万延元（一八六〇）年のことである。もともと町は当時の清《しん》（現中国）領の一寒村に過ぎず、海鼠《なまこ》の捕獲や昆布の採取に従事する中国人（満州人）ら六〇〇人ほどが住んでいた。ところが太平洋への出口を求めていたロシア帝国が四〇人ほどの軍隊をこの地へ派遣して占領、駐屯地の建設に着手する一方、清国との交渉の末、自国領へ編入する。地名のウラジオストックはロシア語で「東方を征服せよ」を意味するというのもうなずける。

開港してまもないウラジオストックへ渡った最初の日本人は文久二（一八六二）年、ロシア船マンジュリア号に潜り込んで密航した長崎稲佐の若者たちであると、明治のジャーナリスト大庭柯公《おおばかこう》は『露国及び露人研究』に記している。その時、渡航した若者の名前や人数などは明らかでないが、彼らはその後一旦《いったん》帰国したのち、明治になってから再びこの地をめざしたという。

ロシアと長崎の結びつきは幕末の万延元年から始まり、毎年ウラジオストック港が結氷すると、極東艦隊が長崎へ来航し、氷の解けるまで待つなどしたから、自然とロシア人と地元民の交流が進んだ。長崎の稲佐にはマタロス休息所と呼ばれるロシア人将兵の宿泊慰安施設やヴォルガ亭というロシア料亭、ロシア商店もできた。

外国人への偏見の少ない長崎の人たちからすれば、ロシアへ渡ることは清や朝鮮と同じように隣町へ出掛けるような気安さがあり、発展の見込める開拓期の町で一儲《ひともう》けを狙《ねら》ったのである。

慶応二（一八六六）年、幕府は「海外渡航差許布告」を発し、海外渡航を解禁したことにより、一般庶民が堰《せき》を切ったように外国へ飛び出して行った。外務省の外交史料館には「渡海人明細鑑」と題し、明治初年の渡航者名、住所、身分、職業、渡航先とその目的などがマイクロフィルムに収められている。

それによると、初期の渡航先の大半が中国と朝鮮で、これに少数ながらロシアが加わる。ロシアの場合、ほとんどがウラジオストックである。

渡航目的は洗濯業、縫針業、子守業、髪結業、日雇業、乳母、大工職、表具師、傭《よう》夫《ふ》、僧侶《そうりょ》、芸娼妓《げいしょうぎ》、下婢《かひ》、雇水夫などさまざまであり、これに僅《わず》かながら学術修業、語学修業、営業修業、商用、見物、病気見舞いなどが混じる。当時は庶民に苗字《みょうじ》が許されていなかったから、申請人も「○○縣亀次郎」「××府鶴吉」など名前のみとなっており、士族とか、平民などの身分も併せて記されている。

明治の早い時期にこの地へ入った日本人の一人に嵯峨寿安《さがじゅあん》がいる。渡航目的は学術修業である。旧金沢藩士の寿安は医学、蘭学《らんがく》を学んだのち、ロシアに関心を抱いてロシア語の習得に努め、現地留学の機会を探っていたが、ようやく旧藩の許可が下り、明治四（一八七一）年五月、箱館から単身、ロシア船エルマーカ号でウラジオストックへ渡る。廃藩置県が実施される前で、彼は藩派遣による留学生のため、当時藩知事と呼ばれた旧藩主の決裁が必要だった。

寿安が上陸した頃、住民の大半は駐留するロシア軍人とその家族、それに中国人と朝鮮人たちで、ごく僅かながら日本人（長崎出身者）もいたとされる。玉ネギの形をしたロシア正教会、丸木小屋と土煉瓦《つちれんが》の家がまばらに建つ殺風景な町には野犬がうろつき、夜にはアムール虎《とら》の咆哮《ほうこう》が聞こえる、うら淋《さび》しい北辺の港町だった。

寿安は藩から支給された旅費が乏しかったため、初めは徒歩で出発し、途中からは持ち金をはたいて購入した旅馬車に寝泊まりしながら西へ向かい、そして最後は汽車に乗り換え、半年かけて当時の首都ペテルブルク（現サンクトペテルブルク）にたどり着いた。

それより以前にシベリアを横断した日本人がいなかったわけではない。漂流民のうちデンベイ（伝兵衛）や大黒屋光太夫《こうだゆう》らのようにロシア側から「役に立つ日本人」と見込まれた者たちで、モスクワやペテルブルクへ移送されるため、シベリアの原野を越えたのである。そういう意味で日本人による単独横断は寿安が最初である。

逆にシベリアを西から東へと横断した最初の日本人は初代駐露公使を務めた榎本武揚《えのもとたけあき》で、明治一〇（一八七七）年夏、本国への帰任に際し、ペテルブルクから約二カ月かけてウラジオストックに到着している。

明治政府は明治八（一八七五）年、この地に早々と現在の領事館に相当する貿易事務館を設置し、初代事務官として瀬脇寿人《せわきひさと》という外交官を任命する。瀬脇は前年にウラジオストックを訪れ、二カ月におよぶ実地調査をしており、その報告を受けて、時の政府はただちに在外公館の開設を決定したのである。

表向きは通商の拡大と今後増えるであろう邦人保護をその目的としていたが、本音は対ロシア情報を収集するための前線基地の確保だった。

当初政府は外交権を有する領事館の設置を求めたが、ロシア側が難色を示したため、やむを得ず貿易事務館という民間事務所の形をとったのである。

明治一九（一八八六）年、一六歳の若さでシベリアへ渡り、のちに海産物商として成功する島原出身の島田元太郎は後年、ウラジオストックに本格的に日本人が姿を見せ始めたのは明治七、八年頃ではないかと語っており、現に明治八年、長崎県から八五人が渡航したとの記録もある。

それはこの町で本格的な都市建設が始まった時期と重なる。ロシア国内からの移住者に加え、中国や朝鮮から労働者がどっと流れ込み、少し遅れて日本人が続いた。瀬脇が貿易事務官として赴任した時には、既に長崎出身者が煉瓦工場を開き、売春宿まで営んでいたという。

明治一〇年、この町に住む日本人は約一〇〇人、これに対し朝鮮人は六、七〇〇人、中国人は五、六〇〇〇人にのぼった。町にはロシア人をはじめ、少数の欧米人、中国人、朝鮮人、それに日本人が混住し、複数の言語と風俗が入り混じる独特な雰囲気が醸成されていく。

しかし何と言っても、この町は多数の建設労働者とロシア極東艦隊の軍関係者が居住する圧倒的な男社会であった。特に朝鮮人や中国人は大半が単身者であったから、いわゆる「女ひでり」に着目した日本人の手配師が女性集めに乗り出し、それに応じたのが長崎や熊本出身の女性たちである。彼女らは急増する「需要」で一稼ぎしようとする出稼ぎ娼婦であった。

明治一七（一八八四）年三月の在留邦人数は子供を含め四一二人、このうち成人男子が一一九人に対して、女性は倍以上の二七六人にのぼっている。もちろん正業を営む者もいたが、この女性の多さは明らかに売春婦が含まれていることを意味する。日本人がこの町へ本格的に姿を現したのが明治七、八年とすれば、わずか一〇年ほどの間に、この種の女性たちがもの凄《すご》い勢いで日本海を渡ったことになる。

明治一四（一八八一）年、日本郵船の前身である三菱《みつびし》汽船会社は神戸とウラジオストックを結ぶ定期航路を開設する。船は門司《もじ》、長崎、釜山《プサン》（韓国）、元山《ウォンサン》（北朝鮮）に寄港してウラジオストックへ向かった。これにより西日本各地からの渡航者がさらに増えた。

しばらく遅れて明治三五（一九〇二）年、東日本からの貨客の増加に応《こた》え、大家汽船が福井県敦賀《つるが》港からウラジオストックへの定期航路を開く。大家汽船の航路はその後、大阪商船、北日本汽船などに引き継がれるが、大阪商船時代、現地までの所要時間は平均三九時間、船賃は一等（洋食付）が三〇ルーブル、三等（和食付）が七ルーブルであった。

その二年後の明治三七（一九〇四）年には、シベリア鉄道が全通し、この地を経由してシベリア内陸部やモスクワ、ヨーロッパ各地をめざす日本人が増えた。敦賀発着の船便は別名「欧亜航路」とか「日満欧亜連絡航路」などと呼ばれ、ウラジオストックは日本にとって西欧への陸の玄関口となったのである。歌人与謝野晶子《よさのあきこ》も明治四五（一九一二）年五月、パリに渡った夫鉄幹を追って、ここから国際連絡列車でパリへと旅立っている。

この町に住む日本人は最初の渡航者以来、圧倒的に九州出身者が多かった。明治四三（一九一〇）年の調査によると、ウラジオストックと、その周辺部には三一〇〇人余の在留邦人がおり、出身地別に見ると、長崎県が全体のほぼ三割の九五〇人でトップ、次いで熊本、佐賀、福岡と続き、九州四県だけでも全体の六割を超えている。町にはバッテン言葉や肥後訛《なま》りが飛び交った。彼らは落ち着くと、血縁の者や知人を呼び寄せ、親戚《しんせき》縁者もまた頼ったから、九州出身者がますます増殖していった。

明治三〇（一八九七）年に出版された松浦充美の『東露要港浦塩斯徳』によると、当時ウラジオストック在住の日本人の職業で多かったのは娼婦や芸妓を除けば、洗濯業、理髪業、大工、石工、鍛冶《かじ》職、ペンキ屋、左官のほか割烹店《かっぽうてん》、僕婢などである。日本人は手先が器用で誠実、そのうえ料金も安かったこともあって、広く客をつかんでいた。

中でも洗濯業は日本人の独壇場で、外国人でこれに従事する者は極めて稀《まれ》であった。市内に住むロシア人と港内に停泊する船舶、軍関係者が、彼らにとって上得意であった。小資本で開店できる洗濯業は理髪業とともに明治以降、海外へ飛び出した日本人が最も多く手掛けた商売である。

耳慣れぬ僕婢というのはボーイ、門番、子守、女中など単純労働に従事する下働きの男女のことで、日本人は中国人や朝鮮人に比べ、清潔好きで、きつい労働にもよく耐え、性格も素直だから、ひっぱりだこであったという。

ウラジオストックはもともと軍港という性格上、この地で生産する物はほとんどなく、完全な消費都市で、米、小麦粉、味噌《みそ》醤油《しょうゆ》、酒、雑貨など生活物資はすべて、よその地から運び込まれた。いきおい商人や職人が多く、やがてその中から数は少ないものの、成功する日本人も現れた。その代表格が杉浦商店の経営者杉浦久太である。

「本港に日本商店七戸あり、其内《そのうち》杉浦商店は一等商の鑑札を有し、略《ほ》ぼ露独商（ロシアやドイツの商人）と対峙《たいじ》するを得べけれども、其他は悉《ことごと》く二等商にして概して資本に乏しく大なる取引をなす能《あた》はず」と、五代目貿易事務官の川上俊彦は記している。

当時のロシアは商店を一等から三等までランクづけしており、一等商は名誉ある一流店、大店《おおだな》の代名詞だった。その分、納税額も一等商の年間約五〇〇ルーブルに対し、二等商は約六〇ルーブルと、等級の差は歴然としていた。

日本人商店が集中したのはアレウッスカヤ通りであったが、ウラジオストックのメインストリートは今も昔もスヴェトランスカヤ通りである。現在通りには路面電車やトロリーバスが走り、デパートやホテル、レストランなどが軒を連ね、終日人通りが絶えない。

一等商の杉浦商店はここに石造りの大店を構え、貿易、海運、小売、銀行など手広く事業を営んだ。中でも銀行部門は娘子軍《じょうしぐん》（娼婦たち）の郷里への送金業務を一手に引き受けていた。

『邦人海外発展史』（入江寅次《とらじ》）によると、明治三三（一九〇〇）年、ウラジオストックの在留邦人が本国へ送金した金額は約一〇〇万円、現在の金額に換算すると、約一四億円にものぼる。このうち長崎地方への送金額は全体の五分の一にあたる約二〇万円で、二位の大阪地方の七万円を大きく引き離している。長崎地方への送金額は大半は娘子軍が稼いだもので、入江も「女性の細腰の力また大なる哉《かな》」と記している。

杉村楚人冠はウラジオストック滞在中、現地の知人に案内され、一軒の娼館をのぞいている。

「八十島兄と日本の醜窟《しゅうくつ》を見る。怪しき洋装の日本婦人出没隠見す。いやらしきこと限りなし。とある家の中に入れば、露人四五（四、五人）酒を酌《く》み交しつゝ、濁声《だみ》高く、ざれ歌唄《うた》へるあり。其の傍に、人目も恥ぢず一露兵の軽々と一娼婦を膝《ひざ》の上に抱き上げて、何やらん語り合ふあり」（『大英游記』杉村楚人冠）

呆《あき》れ果てて通りに出ると、またまたこんな光景に出くわす。

「大道の真中にて制服をつけ長剣を帯びたる偉大の男が、二人の日本婦人を追ひ廻し、抱きつきて、きやつきやつといはせ居《お》るを、誰ぞと聞けば八十島兄の曰《い》ふ、あれ露西亜の巡査と。僕唖然《あぜん》たり」

当時、この町の日本人娼婦たちの間では「露助（ロシア人）は恐し、マンザ（満州人）は臭し、粋な日本人にゃ金がない」という戯《ざ》れ歌が流行《はや》った。

明治二二（一八八九）年、ウラジオストック市内の娼家一〇軒、そこで働く娼婦は一〇四人、明治三九（一九〇六）年五月末には娼家一七軒、娼婦約二〇〇人だったのが、それからまもなく娼家三五軒、娼婦四〇〇人と異常な増加を示している。

「おろしや女郎衆」とも呼ばれたこれら出稼ぎ娼婦たちの故郷は長崎市周辺と島原半

島、それに熊本県天草地方の、いずれも海沿いの貧しい漁村に集中していた。このうち天草出身の娘たちは「天草特産の人肉商品」などと陰口を叩《たた》かれたが、何と言われようと、したたかに生きた。

彼女たちの多くは手配師に引き連れられ、海を渡ったが、中にはわずか四間（八メートル弱）ほどの小舟で、朝鮮半島沿岸伝いにウラジオストックをめざす勇敢な密航婦もいた。上陸してからは月々の稼ぎをせっせと郷里の親元へ送り続ける者もいれば、二、三年働いて金を貯《た》め込むと、一度帰国し、親のために家を建てたり、田畑を買い入れる者もいた。そのためなら、どんな苦労も厭《いと》うことはなかった。そして多くは再びシベリアへとって返し、一部は競争相手の少ない奥地へと流れて行ったが、その活動範囲はバイカル湖畔のイルクーツクあたりまでだった。

ところが中にはウラル山脈をはるばる越えてヨーロッパにまで進出し、「欧州ゴロのおよね」などと呼ばれた気丈夫な娼婦もいた。倉橋正直の『北のからゆきさん』によれば、長崎県島原生まれの姓不詳のおよねは一六歳の時、自分から故郷を見限って出奔、シベリアを経由し、イギリスのロンドンへ向かっている。そこでおよねは現地の淫売窟《いんばいくつ》に潜り込み、「久しく赤ヒゲどもを綾《あや》なしていた」という。横断鉄道開通前のシベリア、およねは当然行く先々で「商売」をしつつ、馬車を乗り継いで西へ西へと流れて行ったのであろう。

周旋人の口車にうまく乗せられ、上陸後に辛酸をなめるのは女たちばかりでなかった。明治二四（一八九一）年に始まったシベリア鉄道の建設工事には日本から大量の出稼ぎ労働者が送り込まれた。工事は五月から一〇月までの半年間だったが、賃金や労働条件を十分、詰めぬままに渡航したため、現地到着後に雇い主との間でトラブルが絶えず、ロシアの軍隊や警察が出動する暴動へと発展するケースもあった。

解雇され、職を失った出稼ぎ労働者たちは、邦人の多く住むウラジオストックへ舞い戻り、仕事にありつけた者はまだしも、物乞《ものご》いをしたり、中にはマローズと呼ばれる冬将軍の吹き荒れる頃、ボサボサ頭に髭面《ひげづら》、垢《あか》のこびり付いた服をまとったまま、路上に行き倒れる者も珍しくなかった。

初期のウラジオストックは新開地特有の活気にあふれ、正業に従事する日本人も少なくなかったが、その一方で昼間から酒をあおり、花札賭博《とばく》に興じる売春宿や芸妓屋の主人たちが幅を利《き》かせていたのも事実である。また内地で食い詰めたり、罪を犯して追われる男、ならず者たちが流れ着き、市内のミリオンカ（中国人居住区）やコレイカ（朝鮮人居住区）と呼ばれた不衛生な無法地域に潜り込んだ。さらに僧侶や商人に身をやつし、対ロシア諜報《ちょうほう》活動に従事する軍人も紛れ込むなど多種雑多の日本人が集まっていた。

明治の中頃、視察に訪れた地理学者の矢津昌永はこう指摘した。

「ここは軍港ゆえにすべてが軍人本位になっており、市民が殺伐としている。しかもロシア政府が罪人を送り込んでくるから、その者たちが刑期を終えて自由になったのち、乱暴狼藉《ろうぜき》を働く。強盗が多く、人を脅迫するというより、むしろ初めから命を狙《ねら》って金品を奪うことを目的としている。また猥褻《わいせつ》な風潮もとどまるところを知らない」(『朝鮮西伯利紀行』)

警察官がいても、日本人娼婦《しょうふ》を追い回して喜んでいるくらいだから頼りにならず、物騒なこと、このうえない町だった。

矢津がウラジオストックを船で発《た》つ日、沖合の本船へ艀《はしけ》で客の見送りに向かう日本人娼婦の一団を目にする。髪を束ねて洋装する者や大柄な縞《しま》の和服に細帯を締めた女たちが、中国人船頭相手に丁々発止、馬鹿《ばか》話に興じているのを見て「醜態見るに堪えず」と嘆いている。

上陸時、矢津の目に「壮麗にして赤や緑、灰色の建物が並ぶ街並みは一層の美観なり」と映った町も、足を一歩踏み入れると、そこはまさに猥雑、混乱の北の魔都であった。

その後、日露戦争の勃発《ぼっぱつ》で一時的に、この町から日本人の姿が減ったものの、戦後元に戻り、ピーク時の大正八（一九一九）年には商工業者を中心に六〇〇〇人もが暮らした。しかし日本がシベリア出兵に失敗してからは共産軍ボルシェビキによる風当たりが強まり、住みづらくなった在留邦人たちは昭和七（一九三二）年頃までに、次々とこの地を去った。

結局日本人がこの港町に暮らしたのはわずか七〇年ほどに過ぎなかった。

第七話　ポルトガル／リスボン

ヨーロッパ上陸第一号はキリシタン青年

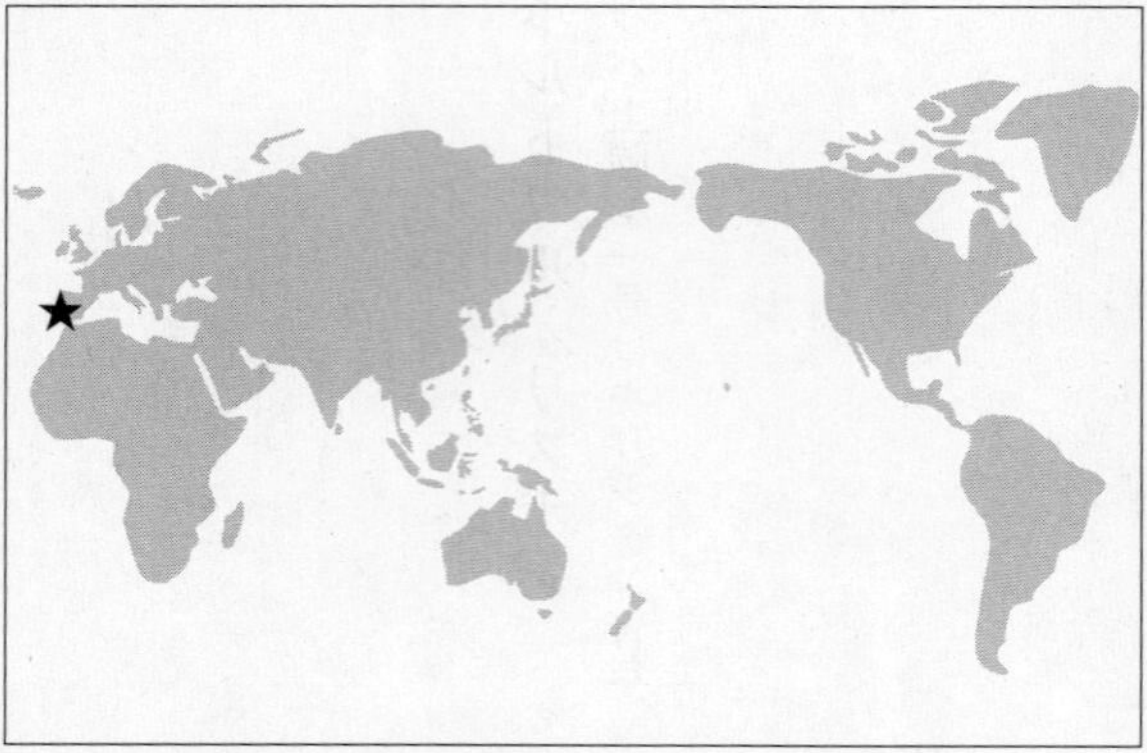

現在：日本からの空路直行便はない。ヨーロッパ各地からの乗り継ぎ便を利用すると、成田からおおむね16〜20時間。

平成一一（一九九九）年の八月半ば、暑い日だった。長年の夢だったユーラシア大陸最西端、ポルトガルのロカ岬の断崖《だんがい》に立った。あいにく目の前に広がる大西洋は靄《もや》って視界がきかず、耳をすますと、一四〇メートル下の岩場に打ち寄せる波の音が足元から湧《わ》いて来るように聞こえてきた。「この時期、朝は曇っていても必ず晴れますよ」と太鼓判を押したリスボンっ子の予告通り、しばらくすると薄日がさし始め、やがて海上を覆《おお》っていた灰色の塊をきれいに払い除《の》けてくれた。

岬の広場に石積みの記念碑が建っている。そこには北緯三八度四七分、西経九度三〇分という岬の位置と、この国の代表的詩人ルイス・デ・カモンイスの「ここに陸尽き、海始まる」という有名な詩文がプレートにはめ込まれている。断崖の岩に腰を下ろし、眼前に広がる大海原を眺めながら、一時期、最も旺盛《おうせい》に新世界へ飛び出した海洋の民を思った。

この海を真西に向かえば、アメリカ大陸、南へ行けばアフリカ大陸に達する。一六世紀半ばから頻繁に日本へ現れたポルトガル人たちもこの国の港から長い月日をかけ、はるか極東の島国をめざしたのだ。その時、逆に日本から長い航海の末、最初にこの海へたどり着いたのは、いつ頃、どんな人物だったのだろうという疑問が、ふと頭をよぎった。

わが国へ最も早い時期に現れたヨーロッパ人は、当時スペイン人とともに南蛮人と呼ばれたポルトガル人で、九州の種子島《たねがしま》への来航がその始まりとされる。とすればポルトガルへ最初に渡った日本人とは彼らとの接触、交流を通じて、渡航の機会を得たと考えてよい。

種子島へ鉄砲を伝えたポルトガル人も最初から日本をめざしたのではなく、彼らを乗せた支那《しな》ジャンクが暴風雨に巻き込まれ、たまたま漂着したのが島の南端、門倉崎であった。その時期はポルトガル側の史料によると、天文一一（一五四二）年、日本側の『鉄炮記《てっぽうき》』には天文一二（一五四三）年八月とあり、一年の差異がある。

これを機にポルトガル船は交易とキリスト教布教のため、九州各地の港へ姿を見せるようになる。当時スペインと世界の海上覇権を競っていたポルトガルは、ヴァスコ・ダ・ガマが一四九八年、リスボンから喜望峰経由でインド西岸のカリカットへ達する新航路を発見しており、カリカットの北のゴアにアジア交易とキリスト教伝道の一大拠点を築いていた。さらにゴアからマラッカ（マレーシア）、マカオ（現中国）にまで進出し、東アジア一帯に勢力圏を広げていた。

種子島漂着から約六年後の天文一八（一五四九）年夏、イエズス会宣教師フランシスコ・ザビエルが鹿児島に現れる。日本に新たな貿易と布教の拠点づくりを命じられたためである。ポルトガルにとって貿易と布教は表裏一体をなすものであった。この時、布教活動を開始してまもないザビエルの目にとまった一人の日本人青年がいる。のちにザビエルから洗礼を受ける「鹿児島のベルナルド」である。

彼の本名は不明だが、薩摩《さつま》出身で洗礼名がベルナルドということから、通称「鹿児島のベルナルド」（以下ベルナルド）と呼ばれる。身分は下級武士、商人の息子、仏僧などといわれるが定かでない。ザビエルはベルナルドの人間性、知識、キリスト教に対する情熱などを高く評価し、彼にカトリックの本場で本格的な修行を積ませ、進んだ西欧文明にもふれさせたいと思うようになった。今後の布教には日本人指導者の育成が不可欠と考えたからである。

天文二〇（一五五一）年一一月、ベルナルドは日本を離れるザビエルに伴われ、四人の日本人とともに、府内（現大分市）からインドのゴアへ向け出発する。船は九州東岸から東シナ海、南シナ海を進み、マラッカ、コーチンを経てゴアに到着した。ゴア到着は日本を出て三カ月後の翌年二月半ばである。

ベルナルドはこの地に一年余り滞在し、イエズス会の学校でポルトガル語やキリスト教義を学ぶ。しかしこの間、彼とともにヨーロッパへ向かう予定だった山口出身のマテオが体調を崩して病死したため、結局ベルナルド一人がヨーロッパをめざすことになった。

当時は帆船時代で、インド洋上に吹く季節風が頼りだった。毎年四月から十月にかけては強い風が南西から北東へ、つまりアフリカ方面からアラビアやインドに向かって吹き、そして一一月から三月にかけては逆に北東から南西へ向かって風が吹く。この季節風は古い時代からヒッパロスの風と呼ばれていた。ギリシャ人ヒッパロスという船乗りが、この風を利用してアラビアからインドへ直接航海を行ったことによる。

ベルナルドを乗せた船も一五五三（天文二二）年三月、この季節風をとらえてゴアを出発した。航路はインド洋を横切り、アフリカ東岸沿いに南下、喜望峰を回ってアフリカ西岸を北上し、リスボンへ向かうというものだった。

リスボン到着はゴアを出てから半年後の一五五三年九月、ベルナルドはポルトガルに上陸した最初の日本人であり、それはとりもなおさずヨーロッパに足跡を印した最初の日本人ということになる。

以後彼はこの国で勉学に励み、一度ローマ法王庁を訪ねたあと、再びポルトガルへ戻り、一五五七（弘治三）年に病没するまで、中部の古都コインブラの修道院で過ごした。彼が息を引き取った時、既に師であるザビエルもこの世になく、彼のベルナルドに託した夢も達成されることはなかった。

ベルナルドに続いて、この国へ渡るのも熱心な若いキリスト教徒たちであった。ベルナルドの死から約三〇年後の天正一〇（一五八二）年二月、伊東マンショ、千々石《ちぢわ》ミゲル、原マルチノ、それに中浦ジュリアンら、いわゆる天正遣欧少年使節と呼ばれる四人の少年たちが長崎からポルトガル船で出発し、ベルナルドと同じコースをたどる。

ただし少年たちはゴアではなく、コーチンに七カ月ほど留まり、ポルトガルの歴史や西洋音楽などを学んだ。このためゴアにはひと月ほど滞在しただけで、一五八三（天正一一）年二月、リスボンへと旅立った。彼らを乗せたポルトガル船サンティアゴ号はインド洋から喜望峰を回り、大西洋の孤島セント・ヘレナ島に立ち寄る。

常識的に考えると、この島まで来れば、船は一気に大西洋を北上してリスボンへ向かうはずである。ところが船はあたかもリスボンの町を無視するかのように、はるか沖合を通過していった。なぜだろうか。

松田毅一の『史《し》譚《たん》天正遣欧使節』によると、アジアから香辛料をたっぷり積み込んで来たポルトガル船はイギリス、フランス、オランダなどの海賊たちにとって格好の餌食《えじき》とされたからである。この時代、胡椒《こしょう》、丁子《ちょうじ》、生姜《しょうが》、肉桂《ニッキ》などアジア産の香辛料はヨーロッパへ持ち帰ると高値で取引され、莫大《ばくだい》な利益をもたらした。サンティアゴ号は海賊による襲撃を避けるためにリスボンの緯度を越え、いったん北緯四三度付近まで北上し、Uターンせねばならなかった。

つまりサンティアゴ号はアジアから来た船と思わせぬため、偽装行動をとったのである。リスボンやロカ岬は、ともに北緯三八度に位置する。

ということは使節を乗せた船はポルトガル領を越え、イベリア半島の北西端あたりの海域に達してから戻ったということになる。

この時、少年たちは進行方向左手に陸地を確認している。「一都会でもあるかのように見える漁夫の部落を眺めた時に、（少年使節たちは）感極《あこが》（ママ）まった」と、記録にある。

それはまさしく憧れのポルトガルの大地であり、彼らはロカ岬の沖合を通過したのである。リスボン到着は日本を出てからほぼ二年七カ月、ゴアから八カ月後の一五八四（天正一二）年八月、テージョ川に突き出したベレンの塔から祝砲が放たれ、遠来の若者たちを出迎えた。

ベルナルドも少年使節も日本からリスボンへ直行したわけではないが、それでも地球半周に匹敵する大航海は想像を絶する困難と危険が伴ったことであろう。前出の松田はこんなエピソードを紹介している。

「一五九二年に、日本からイエズス会の司祭チェルソ・コンファロニエリがローマに派遣されることが決まった時に、彼は『あの海上での苦しみをふたたび味わうくらいなら、十回死んだほうがましである』と言って、その使命を拒否したという」（『日本・ポルトガル交渉小史』）

帆船も大型化したとは言え、風頼みである以上、暴風雨に見舞われれば、激浪に翻《ほん》弄《ろう》され、幾日も漂流を余儀なくされる。その間に水や食料が尽き、病人や死人が出ることもあったろう。現に少年使節の乗った船でもリスボン到着までに病気などにより三〇人を超す死者が出た。

それまでしてベルナルドや天正少年使節を波濤《はとう》万里の彼方《かなた》へと向かわせたのは、キリシタンとして何としてでもローマの地を踏みたいという熱き思いと、踏まなければならないという強い使命感だった。ポルトガルにしても対日戦略上、有能な若きキリシタンを無事にローマやリスボンへ送り届けて修行を積ませ、そして帰国させねばならなかった。

少年使節のヨーロッパ滞在は一年八カ月におよんだが、その間に彼らが見聞したのは光り輝く豊かな西欧社会ばかりでなく、陰の部分も目撃していた。ポルトガル人による奴隷《どれい》売買もそのひとつで、日本人もまた対象にされていた。一五七一年、時のセバスティアン王は「布教上の妨げになるから日本人の奴隷売買は禁止せよ」という勅令を発したが、それにもかかわらず、ポルトガル人は日本人の買い付けを止《や》めようとしなかった。少年使節たちも日本人奴隷がポルトガル本国のみならず、通過するヨーロッパ各地で賤業《せんぎょう》に従事させられているのを見て憤慨したという（『大航海時代夜話』井沢実）

陸路でポルトガルに入った剛の日本人がいる。豊後《ぶんご》（大分県）国東《くにさき》半島生まれのペドロ・カスイ・岐部《きべ》という熱心なキリシタンである。岐部は慶長一九（一六一四）年、幕府のキリシタン追放令によってマカオへ送られたあと、聖職者をめざすため、ゴアからバグダッド（イラク）、エルサレム（イスラエル）を経てローマへ向かった。彼は中東の砂漠を横断した最初の日本人であるとともに、聖地エルサレムに巡礼した最初の日本人とされる。

岐部はローマで神父となるための修行を積んだのち、一六二二（元和《げんな》八）年、船で地中海を横切り、スペインのバルセロナに上陸、そこから馬でイベリア半島を横断し、リスボンに入った。リスボン入りは祖国での布教のため、アジアへ向かう便船を求めることにあった。

彼はしばらく当地に滞在したあと、ポルトガルのインド洋艦隊の船に乗り込み、ゴアへ、そこから船を乗り換えてマカオまで来たが、日本へ向かう船が見つからず、止むなく一旦《いったん》アユタヤ（現タイ）へ戻り、支那ジャンクでフィリピンのルバング島へ渡る。苦難の末、身を偽って鹿児島・坊津《ぼうのつ》に上陸したのは寛永七（一六三〇）年七月、日本を出てから一六年の歳月が流れていた。

帰国した岐部は長崎に潜伏後、仙台伊達《だて》藩領内に移り、秘《ひそ》かに布教活動を続けていたが、やがて捕らえられる。苛酷《かこく》な拷問《ごうもん》にも屈せず、棄教を拒否し続けた末、最後は江戸で斬殺《ざんさつ》されている。

これ以降、徳川幕府によるキリシタン弾圧は一段と強化され、やがて海外への渡航禁止、外国との交流はオランダと中国の二国に限られるにおよんで、わが国とポルトガルとの関係は完全に途絶する。ところが、その後上陸した者こそいないものの、この国の近海を通過する日本人が、わずかながらいたのである。彼らは密航留学生や漂流民たちであった。

鳩野《はとの》宗巴《そうは》（旧名中島長三郎）は密航オランダ留学生である。長州藩の足軽の家に生まれた鳩野は、元禄《げんろく》一三（一七〇〇）年に五七歳で病没したとされるから、逆算すると寛永二〇（一六四三）年の生まれとなり、渡航時は既に鎖国体制下である。

脱藩して長崎に移り、医術を学んだ鳩野は万治年間（一六五八～六一）、本国へ帰るオランダ人に伴われ、オランダ船に紛れ込んで密《ひそ》かに出国した。この当時日本からオランダへの航路はバタビア、喜望峰経由だったから、鳩野を乗せた船はポルトガル沖を通過している。

鳩野はオランダに三年とも五年とも言われるが、滞在して医学を修め、帰りもオランダ船で帰国した。その後しばらく長崎出島に身を隠し、ほとぼりが冷めた頃、名を変え、大坂に出て外科の医院を開業したという。

彼の名前は歴史の表舞台には登場しないが、それは国禁を破ったことが発覚することを恐れた鳩野家が一切口外しなかったためとされる。

一八〇三（享和《きょうわ》三）年の秋、ポルトガル沖をロシア船で南下したのは仙台の水夫《かこ》、津太夫《つだゆう》ら四人である。彼らは寛政五（一七九三）年一一月、現在の宮城県石巻《いしのまき》港から米や材木を積んだ「若宮丸」で江戸へ向かう途中、暴風雨に巻き込まれ、漂流の末アリューシャン列島の小島にたどり着く。島にいたロシア人に助けられ、シベリアを横断して首都のペテルブルク（現サンクトペテルブルク）へ向かう。ここで時の皇帝アレクサンドル一世から津太夫らに帰国の許可が下り、折しも日本との通商を求めて派遣されるレザノフ率いる使節団に同行することになった。

彼らを乗せた軍艦ナジェジダ号は一八〇三年七月二六日、ロシア・ペテルブルクの外港クロンシュタットを出港し、一〇月九日の夕方にはリスボン沖を通過したと航海記録にある。この日、天候さえよければ、彼らは左手はるかに夕暮れのロカ岬を眺めたはずである。

時は流れ、徳川幕府は欧米列強からの圧力に抗し切れず、鎖国を解いて国交を開く。そしてアメリカを皮切りに相次いで海外へ使節団を派遣するが、ポルトガルを訪れたのは、幕府がヨーロッパへ初めて派遣した竹内下野守《しもつけのかみ》を正使（団長・特命全権公使）とする使節団である。一行は各国歴訪の最後、リスボンへ立ち寄る。天正少年使節から数え、二八〇年ぶりの日本人の公式訪問であった。

竹内使節団は一八六二（文久二）年一〇月、フランス西岸ビスケー湾に面する軍港ロシュフォールから、フランス政府が用意した兵員輸送船ラン号（一八〇〇トン）で、イベリア半島西岸沿いに進んだ。しかし予想外の悪天候と逆風に見舞われ、通常ならリスボンまでわずか五日ほどの航程を倍の一〇日も要した。外洋の船旅に慣れているはずの福沢諭吉ですら「日本を辞して航海に苦しむは此度《このたび》を最とす」と言うほど、船は大西洋上で激浪にもまれ、船酔いする者が続出した。

ようやく天候も回復し、青空の広がった一〇月一六日、ラン号は左手にロカ岬を眺めながら南下し、昼過ぎテージョ川の河口に到着、ここからリスボン市街地をめざしてゆっくりと川を遡《さかのぼ》った。

使節団の副使（副団長・全権公使）松平石見守《いわみのかみ》の従者市川清流はリスボン到着を次のように伝えている。

「晴。東北の風。寒暖計七二度。今、午後四時すぎポルトガルの都府リスボンに着く。当地は真西の方向に海門を開いている」（『幕末欧州見聞録』市川清流／楠家重敏編訳）

船がリスボン港に錨《いかり》を下ろした時、気温は摂氏に換算して約二二度、空気は澄みわたり、爽《さわ》やかな秋の夕暮れであった。一行が船上から眺めた坂の町リスボンは人家が密集し、丘の上には風車による機械所が無数に並んでいた。港内にはマストが林立して船の数も百艘《そう》を下らなかった。

宿泊先となった四階建てのブラガンザホテルは坂の途中にあり、各部屋の窓からは市街地や港が一望のもとに見下ろせた。福沢諭吉も「市中高処より眺望すれば、遠近の景色甚《はなはだ》好し」と記している。筆者は二〇〇七（平成一九）年六月、リスボンを再訪した折、このホテルが所在したとみられる一帯を歩いてみたが、場所の特定に至らなかった。

一行はこのあと日本へ帰るだけという気安さもあって、リスボンでの一〇日間はリラックスした日々を過ごした。共同浴場に入ったり、馬による曲芸ショーを見たり、記念写真も撮った。特に嬉《うれ》しかったのは新鮮な魚料理にありつけたことである。海に面したポルトガルには、さまざまな魚料理があり、中でも日本人に嬉しいのが、サルディーニャス・アサーダスと呼ばれる鰯《いわし》の塩焼きである。塩をふった鰯を炭火で焼き、レモン汁をかけて食べる。使節団員たちも久しぶりにうまい肴《さかな》で、心ゆくまで名産のポートワインを酌《く》み交わしたことであろう。

ところでこの頃、かつての海洋王国ポルトガルもオランダやイギリス、フランスなどの台頭により、急速にその輝きを失い、ヨーロッパの一後進国になり下がっていた。幕府も修好通商条約を結びはしたものの、もはやこの国への関心はなく、立ち寄る日本人もめっきり減った。

竹内使節団以降で訪れたのは、わずかに異国回りの旅芸人くらいなものである。一八六八（明治元）年一一月、高野広八が後見人をつとめる「帝国日本芸人一座」はスペイン興行を終えたあと、船でイベリア半島の南端を回り、リスボンへ入った。一行はここで半月、北部のポルトへ移動して九日間、興行を打っている。極東の島国からやって来た彼らの軽業・曲芸は話題を呼び、地元民に驚嘆と喝采《かっさい》をもって受け入れられたと現地の新聞は報じている。広八はリスボンについて「大きく繁華な地」、ポルトについても「清潔で、大きく、よいところ」と、簡潔ながら町の印象を日記に綴《つづ》っている。

日本人にとってこの国をさらに遠い国へとさせたのは、一八六九（明治二）年に開通したスエズ運河と鉄道網の発達である。運河の開通により、アジア方面からの船舶のリスボン寄港が従来の喜望峰経由に比べて激減する。ヨーロッパをめざす日本人も、ほとんどがフランスのマルセイユやイタリアのジェノバなど地中海岸の港で船を降り、鉄道を使って大陸内を移動するようになったからである。

航空機時代の現在でも日本からこの国へは直行できず、ロンドンやパリなどヨーロッパ内の都市で一度乗り継がねばならない。それだけリスボンまでの飛行距離が長く、現地まで必要な燃料を機に積載出来ないからである。

それでも訪れる日本人が後を絶たないのは、南欧という陽性なイメージとはうらはらに、大陸さい果ての地とそこに住む人々に漂う哀愁に魅《ひ》かれてのことらしい。海なくして生きられなかったこの国の人々に「愁《うれ》い」を刻み込んだのは、栄光の裏で流れた多くの涙だった。

塩からい海よ　お前の塩のなんと多くがポルトガルの涙であることか
我らがお前を渡ったため　なんと多くの母親が涙を流し
なんと多くの子が空《むな》しく祈ったことか
お前を我らのものとするために　海よ
なんと多くの許嫁《いいなずけ》がついに花嫁衣装を着られなかったことか
（ポルトガルの海「フェルナンド・ペソア詩選」池上岑夫編訳）

夜、リスボンの酒場で哀調帯びた民族音楽のファドを聞く時、命を賭《と》してこの国との間を往復した日本人たちの姿もまた浮かんでくる。

第八話　マダガスカル／ディエゴ・スアレス

バルチック艦隊の動向を伝えたホテル経営者

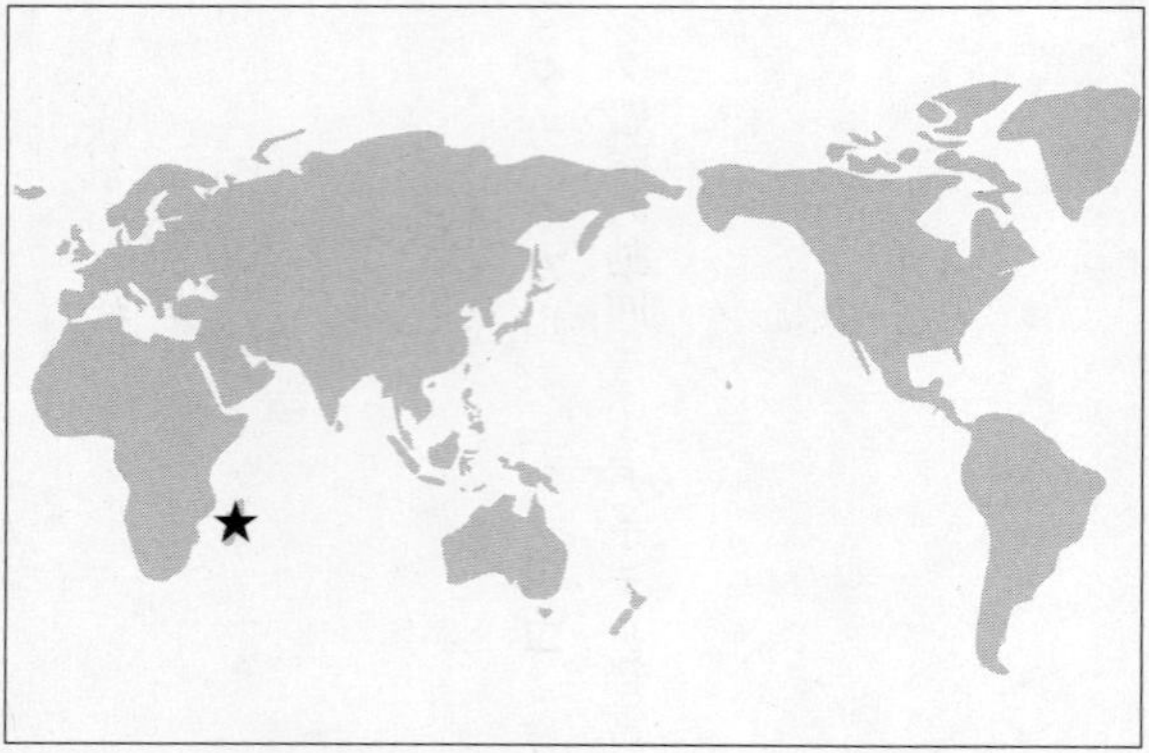

現在：日本からの空路直行便はなく、バンコク経由。成田→バンコクが約7時間。バンコクからマダガスカルの首都アンタナナリボまでが約8〜11時間(経由地によって変わる)。そこからディエゴ・スアレスまでは空路約1時間。

明治三七（一九〇四）年の一月初め、日本ではまだ正月松の内であった。アフリカ大陸東南端のインド洋に浮かぶマダガスカル島北端の港町に一組の日本人夫婦がひょっこりと姿を現わした。赤崎伝三郎（三四歳）と妻のチカ子（三一歳）である。

マダガスカルはアフリカ大陸東岸のモザンビーク沖合四〇〇キロに位置し、日本の約一・六倍ほどの広さをもつ世界第四の島である。旧フランス領で、アフリカの夜明けと言われた一九六〇年代、他の多くの国々とともに独立を果たした。

現在日本とは相互に大使を交換し、大使館を置く関係にあるが、在留邦人はＪＩＣＡ（国際協力機構）や漁業関係者を中心に一四〇人ほどである。日本からの直行便はなく、最短ルートはバンコクへ飛び、そこでマダガスカル航空へ乗り継いで首都のアンタナナリボをめざす。夕方日本を出て乗り継げば、時差の関係で現地時間の翌朝に到着する。

全島熱帯性の気候ながら温暖で、一年を通じておおむね過ごしやすい。最近では島に生息する珍種の動物、植物観察やダイビングを目的とした日本発のマダガスカル一国ツアーも催行されるようになった。

赤崎伝三郎は妻を伴い、なぜこの島へやって来たのか。一言で言えば、南アフリカへ渡った古谷駒平などと同じように、日本人未踏の地で一旗揚げたかったからである。伝三郎の故郷は昔から海外へ出稼ぎ者を多数送り出した熊本県天草島、彼は家業が破産して多額の借金を抱え込み、その返済のためにやむなく海を渡ったのである。

北野典夫の『天草海外発展史』によると、伝三郎は日本から直接南アフリカをめざした古谷駒平とは異なり、東南アジア各地を転々としたあと、インドのボンベイ（現ムンバイ）からアフリカへ向かっている。アフリカあたりまで行けば、日本人もいないだろうと思ったのか、それとも商売上手のインド人が盛んに進出しているほどだからビジネスチャンス大いにありと踏んだのか。この時点でまだ伝三郎の頭にアフリカのどこへ行こうという確たる目的地があったわけではない。

行く先々で情報を得ながら、商売の適地があれば、コックの腕を生かしてレストランでも開こうと思ったのである。ボンベイから紅海の出入り口にあるジブチへ渡り、アフリカ東岸沿いに南下して、まず当時イギリス領のザンジバル島（タンザニア）へたどり着いた。ザンジバルにはこの時、既に「からゆきさん」が一〇人ほどいた。

伝三郎はここに一カ月半ほど滞在し、商売に適する場所を物色していたところ、たまたま一〇年ほど前にフランスの植民地になったばかりというマダガスカル島のことを耳にする。

「土人《ママ》の女王国だったんだが、フランス領になって日が浅く、まだ軍政の段階で、商売も簡単に出来るところだ」「ようし、きた」（『天草海外発展史』）

伝三郎はフランス領と聞いて即座に決断した。その理由についてはあとでふれる。夫婦は荷物をまとめて船に乗り込み、一〇〇〇キロ南東のマダガスカル島北端の港町ディエゴ・スアレス（アンチラナナとも）をめざす。

二日二晩、船に揺られ、島に上陸した時の所持金はわずか一二〇円だった。当時人口一万四〇〇〇人ほどの町にもちろん日本人はいない。美しい海に面し、イスラム色とアジアの猥雑《わいざつ》さが入り交じる町であった。

伝三郎は食わんがため、ただちに行動を起こす。当時ディエゴ・スアレスにはフランス海軍が三年前の一九〇一年から基地を置き、駐留していた。伝三郎はその兵営の正面にバラック小屋を借り、兵隊相手の酒場を開いた。わずか六卓のテーブルと一二脚の椅子《いす》という小さな店ながら、立地の良さと気の利《き》いた料理、それに値段の安さにより、たちまち活況を呈する。

毎日面白いほどに現金収入があり、たちまち蓄財することができた。伝三郎はまず、この利益を日本に残してきた借金の一部返済に充《あ》てるため送金する。最初の送金額は一〇〇円、今の金額に換算すれば、一二〇万〜一三〇万円になろうか。息子からの銀行為替を手にした天草の父親は涙を流して喜んだという。

そんな折、伝三郎に、遠く離れた祖国のため大いに貢献する機会が到来する。日露戦争が勃発《ぼっぱつ》し、日本との海戦に参加するロシアのバルチック艦隊がディエゴ・スアレスの港に入って来た時である。戦艦、巡洋艦など合わせて三八隻《せき》からなる大艦隊であった。一九〇四年も暮れようとする一二月二九日のことである。

当時日本はイギリスとの間で日英同盟を結んでいたため、バルチック艦隊はイギリスの運営するスエズ運河を通航することができず、はるばるアフリカ大陸最南端の喜望峰を大回りせざるを得なかった。またイギリス植民地の港はもちろんのこと、スペインやポルトガルなど中立国からも寄港を拒否され、ロシア艦隊は同盟国のフランスに協力を仰ぐほかなかった。

バルチック艦隊の寄港先についてはディエゴ・スアレスではなく、本島の西北端に浮かぶノシベ島だったとする説もある。しかし当時のノシベは寒村で、大艦隊の補給地としては不向きであるとし、ディエゴ・スアレス説が有力である。かつてこの国の駐在大使を務めた山口洋一も在任中に調査した結果などからディエゴ・スアレス説を採っている。

敵の艦隊入港に、日本人伝三郎の血は騒いだ。ただちに石炭、水、食料を積み込む艦隊の隻数、戦艦の種類、兵員数を極秘に調べ上げ、はるかインドのボンベイにある日本領事館の駐在武官東乙彦宛《あ》てにローマ字綴《つづ》りの日本語で打電した。

第一報のあともロシア人乗組員相手に素知らぬ顔で商売を続け、さらなる情報を入手することに努めた。ロシア兵の中には長旅と炎暑のため体調を崩す者が相次ぎ、戦う前から士気も著しく低下しているのを伝三郎は見逃さなかった。酒や女に溺《おぼ》れ、厭《えん》戦《せん》気分の兵隊からの情報収集はさほど難しいことではなかったし、それは同時に金儲《かねもう》けにもつながった。

伝三郎の諜報《ちょうほう》活動はかなり大胆に行われたようで、ロシア側の中にもこの不審な日本人に、うすうす気づく者もいた。同艦隊の乗組員だったポリトウスキーは次のように記している。

「余が見たる日本人はゲリオグラフに依《よ》りて数通の電報を発したり。又この日本人は郵便夫と共に我が艦に入らんと試みたり」「昨日貿易商人に装《よそお》ひたる一人の日本人間諜、スワロフ（艦船名）に乗込みたり」（『露艦隊来航秘録』）

それでも伝三郎を捕縛するまでに至らなかったのは、ロシア軍の危機管理がいかに機能していなかったかという何よりの証拠であろう。

二〇〇七年一〇月二五日付の朝日新聞にバルチック艦隊を率いたロジェストウェンスキー中将に関する興味深い記事が掲載された。それはロ中将が決戦場となる日本海へ向かう途中、本国の妻宛てに送った手紙三一通が遺族のもとに保管されていたというもので、その中にはマダガスカル出発前日に書かれた手紙も含まれていた。そこには「我が艦隊は芳《かんば》しくない。以前の航海で蓄えた強力な気力は、二カ月半の滞在で使い果たされた」とあり、最高指揮官自身がすっかり弱気になっていたことがうかがえる。

こうしてバルチック艦隊は上から下まで意気の上がらぬまま、次の補給地である仏領インドシナ（現ヴェトナム）カムラン湾へ向かった。一方、日本軍は伝三郎などから送られてくる情報をもとに次なる作戦準備に取りかかることが出来た。

結果、翌年五月の日本海海戦で東郷平八郎率いる連合艦隊がロシア艦隊を完膚なきまで叩《たた》きのめすことができたのは、伝三郎の活躍も少なからず役立ったと言ってよい。

異郷にあっても、祖国への忠誠心を忘れなかった明治人赤崎伝三郎の心意気、面目躍如というところである。戦後、帝国海軍は伝三郎の愛国的行動に対し、丁重な感謝状を贈ったという。

作家の西木正明は、バルチック艦隊の動向を祖国へ伝えた日本人をテーマに『アイアイの眼』という小説を発表している。この中で著者は赤崎伝三郎を赤坂伝三郎と一文字変えて登場させている。ストーリーは島で手広く事業を営む赤坂が、当時この地に渡っていた天草出身の「からゆきさん」、田中イトを使ってバルチック艦隊の動向を探らせ、得た情報を伝えるためモンバサ経由で、はるばるシンガポールの日本領事館に駆け込むというものである。

アイアイとはマダガスカル原産の夜行性のサルの名で、イトが客として通って来るロシア人の若い海軍少尉《しょうい》セルゲイ・カメネフスキーと交わっている時、しきりにその鳴き声を耳にしたことから秘密電報のコードネームとして使われた。イトに心を許した海軍少尉は、彼女が中国人を装っているとも知らず、軍の機密を無防備に漏らすのであった。『アイアイの眼』は小説だけに虚実とり混ぜて創作されているが、その下敷きになったのは赤崎伝三郎であることは言うまでもない。

伝三郎が島に渡った頃、既にディエゴ・スアレスから六〇〇キロ離れた西岸の港町マジュンガ（マハジャンガ）に二人の日本人女性が住み、醜業（売春）に従事していたとの記録がある。またそれより六年前の一八九八（明治三一）年頃、東岸中央部のタマタブ（トアマシーナ）にも二、三人の日本人娼婦《しょうふ》の姿が見られたようだが、明治末年には姿を消していたという。

明治中期から日本人娼婦のアフリカ進出はめざましく、現在のケニア、タンザニア、モザンビーク、モーリシャス、南アフリカへとおよんでおり、さらに内陸部のジンバブエにまで日本女性の影が見られたともいわれる。彼女らはいずれもシンガポール、ボンベイ、コロンボなどからの「転戦組」であった。

日本政府がこの島へ初めて役人を派遣したのは明治四五（一九一二）年で、フランス・リヨン駐在領事の木島孝蔵が本国から現地調査の命を受けて島に向かった。調査とは、この島が日本人移民を送り込むのに適しているか否《いな》かを探るというもので、フランス植民地のため、本国駐在の領事がはるばる派遣されたのである。

木島はマルセイユを出発し、スエズ運河を抜け、アフリカ大陸東岸沿いに南下してディエゴ・スアレスに到着した。当時マルセイユとディエゴ・スアレスの間にはフランスの郵船会社が月二回、定期船を運航していた。

木島は本国へ送った報告書の中で伝三郎についても記している。平易な言葉に書き換えてみる。

「ディエゴ・スアレスには熊本県天草出身の赤崎伝三郎が日本人男女三人を使い、兵営の前でフランス風飲食店（カフェレストラン）を営んでいる。提供する飲食物はうまいうえに値段も安いため繁盛《はんじょう》している。赤崎は六年前《ママ》にこの地へ来たが、奮闘努力の結果、現在では土地と家作を数棟所有するほどの資産を作り、地元の信用も得ている」

木島は伝三郎がこの地にやって来たのを六年前としているが、正確には八年前である。

その後も伝三郎は商売に専念し、日本に残した借財やボンベイの知人から借りた金もすべて返済したうえ、なお多額の貯蓄ができた。これを元手に伝三郎はさらに商売を拡大する。ディエゴ・スアレスの中心街に敷地三〇〇坪を借り、「オテル・デュ・ジャポン」（ホテル日本）を開業、バーやレストランも併設して、市内では超一流のホテルと評された。

飽くことを知らぬ伝三郎の事業欲は、ホテル開業三年にして土地建物をすべて自分名義にしたほか、貸家も所有、さらにイタリア人経営の映画館も買収し、これとても三年足らずで借金を完済した。このほか伝三郎は日本雑貨の輸入販売にも乗り出すなど、ディエゴ・スアレスでムッシュ・アカサキの名は、知らぬ者がいないほど成功者として鳴り響いた。

木島の来島から一五年後の昭和二（一九二七）年、外務省はサンフランシスコ総領事などを歴任し、当時は外務省嘱託となっていた大山卯次郎《うじろう》を団長とする七名の専門家を東アフリカ七カ国へ派遣する。日本政府として初のアフリカ大型調査団である。一行はディエゴ・スアレスにも立ち寄り、わが同胞が手広く事業を展開し、地元民からも厚い信頼を得ていることに感激する。

「今回の旅行中で最も嬉《うれ》しかったのは、熊本県天草郡出身の赤崎伝三郎という日本人がホテルを経営し、非常に成功していることである。彼は明治三七年にほとんど無一文で渡航し、以来奮闘の結果、この地でのホテル業を独占し、かつ活動写真館を経営し、今日の富をなしたという。この地のフランス人からも信頼を得ている。自分たち一行が到着すると、赤崎はたいへん嬉しかったようで、自分の経営するホテルに三〇〇人を招いて大歓迎会を催してくれた」（『阿弗利加《アフリカ》土産』大山卯次郎）

伝三郎は調査団に対し、はるか遠く離れた異国の地でも日本人健在なりということを胸を張って示したかったのだろう。

その一方で彼は大山らに対し、献身的に尽くせば尽くすほど、胸中に望郷の念が大きく膨らんでくるのを抑えることが出来なくなった。日本へ帰って行く一行を波止場で見送りながら、彼の胸はまさに帰心矢の如《ごと》し、出来ることなら彼らと一緒に帰りたかった。水平線に消え行く船を眺めながら、傍らの妻にしんみりと語りかけるのであった。

「チカ子よい、もうこんあたりで、日本さん帰ろうや。天草さん、戻ろうや」（『天草海外発展史』）

何ともせつなく響く伝三郎の天草弁である。

帰国のため、夫婦で営々と築いた財産を適当な後継者がいるなら相続させようと考えた伝三郎だが、夫婦には子供がいなかった。そこで長年事業を手伝ってくれ、わが子のように可愛《かわい》がっていた東京出身の桜井岩吉という青年に託そうとしたが、彼は伝三郎の気持ちに感謝しつつも固辞した。桜井は伝三郎がそうであったようにアフリカの地でゼロから自分の力で事業を起こしてみたいと答えた。また既に帰国していた大山にも引き受け手を見つけてほしいと打診してみたものの、適当な人物はついに出てこなかった。

やむなく伝三郎は資産を現地のイタリア人やフランス人に年賦《ねんぷ》で売却し、島を離れることにした。一九二九（昭和四）年四月のことである。
ディエゴ・スアレスに渡り、働き通して四半世紀、気がつくと伝三郎も六〇歳を目前にしていた。二カ月後の六月一日、伝三郎夫婦を乗せた船は懐《なつ》かしい祖国長崎の港に入った。アフリカでの成功者の帰国はたちまち新聞や雑誌が「今浦島帰る」などと書き立てた。

思えば、天草で実家の高浜焼という陶業を継いだものの破産。伝三郎は故郷に当時の金で三〇〇〇円もの借金を残したまま長崎の町へ出る。ホテルのコック募集に応じて修業し、フランス料理の腕を磨く。ホテルから支払われる給料は悪くはなかったものの、この調子ではとても借金返済は覚束《おぼつか》ないと考え、伝三郎はついに胸の内を妻トヨに伝える。
「おい、トヨやい、おりゃ、やっぱし外国さん、一旗上げぎゃ行たてみっぞ、ついてけい」（『天草海外発展史』）
妻に話したところ、妻は実家から猛反対を受け、伝三郎は泣き泣きトヨを離縁したうえで単身、下関から上海《シャンハイ》行きの船に飛び乗る。東京や大阪でなく、一気に海外へ飛び出すという発想がいかにも天草人らしい。

上海から香港《ホンコン》、さらにサイゴン（現ホーチミン）へコックの腕を頼りに向かう。ところがサイゴン滞在中、伝三郎は健康を害し、死線をさまようが、運よく一命をとりとめる。この時親身になって看病してくれたのが同郷天草出身の知人の娘、森チカ子だった。回復後、伝三郎はチカ子を二人目の伴侶《はんりょ》とし、これを機にサイゴンを離れ、シンガポール、ボンベイへと移ったあと、最終的にマダガスカルを選んだのである。

結局フランス人コック長のもとで料理の腕を身につけた伝三郎の長崎時代、そしてチカ子と出会ったフランス領ヴェトナム時代、二人が最後に選んだのもフランス領マダガスカルであった。やはりフランス語が使え、フランス人気質を理解できる土地が二人には溶け込みやすかったに違いない。現に伝三郎はフランス語が上達し、大山との会話はフランス語と日本語のチャンポンだった。

極東の島国を飛び出し、東南アジア各地を転々と移り住み、アフリカまで歩を進めた伝三郎。つい近年までアフリカを語る時、暗黒、未開、野蛮、無知など、さまざまな劣等的、差別的な言葉が飛び交っていたことを思うと、当時の離島はまだまだ不便きわまりない地だったと思われる。だが、アフリカの調査旅行から帰国した大山卯次郎はこうした見方に警鐘を鳴らしている。

「日本人はアフリカのことがよく判《わか》っていないものだから、アフリカといえば、到《いた》るところに恐ろしい猛獣が沢山棲《す》んで居《お》り、気候なども暑くて、とても人間の住み得るところでないように想像し、そしてそこに棲んでいる土人《(ママ)》にしても獰猛慓悍《どうもうひょうかん》で手におえないものばかりと、考えているものもあるらしいが、そういう想像は全然誤りである」（雑誌「海外」昭和五年一〇月号）

伝三郎が妻を同道して邦人未踏のこの島へ渡って以来、片時も忘れなかったのは刻苦勉励であり、日本人としての誇りであった。それらは「財産は自分の努力で築くもの」とか「日本の名誉」などと記された彼の手紙からも偲《しの》ばれる。海外へ飛び出すことへ抵抗感の少ない天草の歴史的風土と進取の気風が横溢《おういつ》していた時代が育《はぐく》んだ気概だろう。

帰国後、伝三郎は持ち帰った財産をもとに郷里でホテルを経営する一方、地元の学校の建て替え費用を提供したり、日本赤十字社へ寄付金を贈るなどさまざまな慈善活動を行った。そして一時はアフリカへ再渡航する気持ちに傾いたが、病弱な妻チカ子のことを考え、断念している。

そんな折、伝三郎のもとへ耳を塞《ふさ》ぎたくなるようなニュースが飛び込んできた。昭和一七（一九四二）年六月、「ディエゴ・スアレス湾にてわが帝国海軍の特潜、英戦艦への奇襲に成功せり」との大本営発表である。

それによると、現地時間の五月三〇日午後六時過ぎ（日本時間三一日午前零時過ぎ）、潜水艦伊号二〇号から発進された二隻の特殊潜航艇が、ディエゴ・スアレス湾口に設置された敵の防潜網をかいくぐって湾内に侵入し、魚雷を発射、停泊中のイギリス戦艦ラミリーズ（二万九一五〇トン）を大破させるとともに、同じくイギリス籍のタンカー、ブリティッシュ・ロイヤリティ（六九九三トン）を撃沈させたという。発表翌日の新聞は「英戦艦撃破、ディエゴ・スアレスに凱歌《がいか》」と、一面トップで華々しく戦果を報じた。

伝三郎にとって、まさか日本軍がはるばるインド洋を横断して、あの島まで戦闘行動に向かうとは思いもしないことであった。日本軍の快挙はたしかに喜ばしいことではあったが、かつて自分が裸一貫で事業を発展させた愛着ある島が戦場となったことに伝三郎は複雑な想いを禁じ得なかったろう。

そして終戦。ディエゴ・スアレス湾で首尾よく敵艦を大破させた潜航艇もその後座《ざ》礁《しょう》し、島に上陸した二人の日本兵はイギリス兵に発見され、投降勧告に応じなかったため、射殺されたと聞いて伝三郎の心はまた痛んだ。

翌昭和二一（一九四六）年四月、身も心もすっかり弱くなった伝三郎は妻チカ子に見守られながら永遠の眠りにつく。享年《きょうねん》七六であった。

第九話　ラオス／ヴィエンチャン

ジャングルを縦断した二人の即席僧侶《そうりょ》

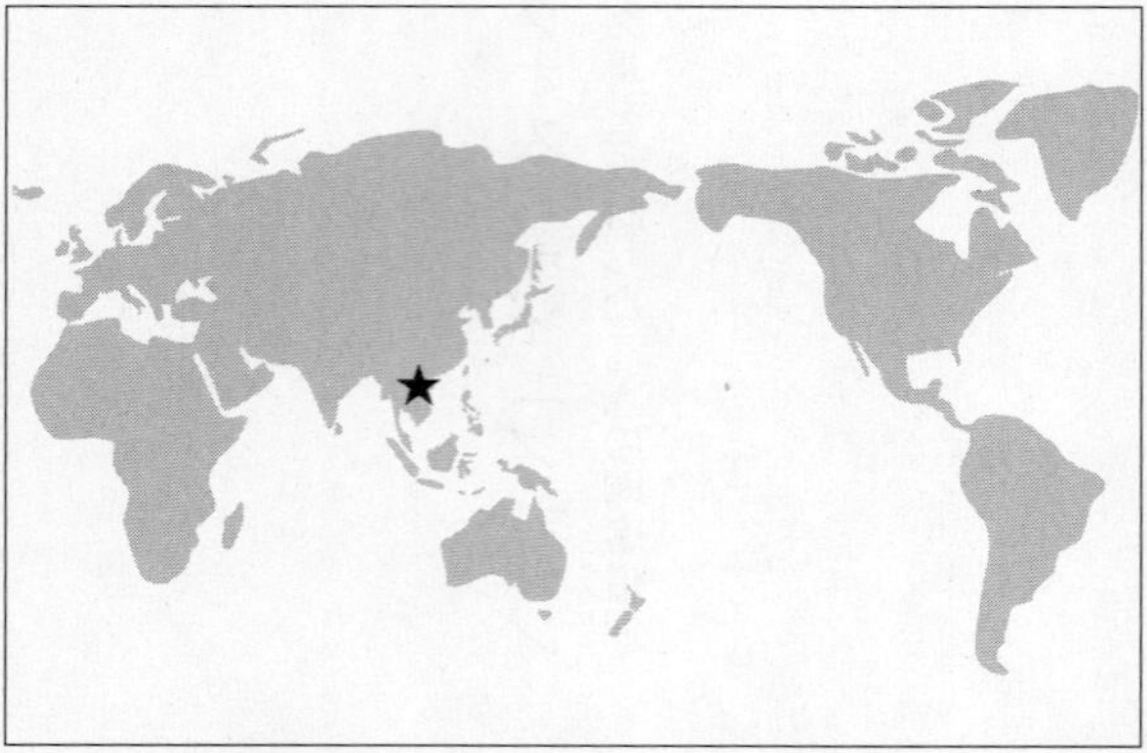

現在：日本からの空路直行便はなく、ヴィエンチャンへはバンコク、ハノイ、ホーチミンなどを経由して入るが、所要時間は8〜9時間。

地理的に近いとは言え、東南アジアにはまだまだ知られざる国もある。インドシナ半島の中央に位置するラオスなども日本人には馴染《なじ》みの薄い国の一つであろう。東隣のヴェトナムや南にあるカンボジアなどへは近年、日本人観光客が急増しているが、ラオスへ観光に出かけたという話はあまり聞くことはない。ラオス政府も一九八〇年代後半から開放政策に転じ、外国人観光客誘致に乗り出したが、ややマニアックな人間でないと、なかなか足を運ばない国と見られがちである。

それでも最近ラオスへのパッケージツアーがその数は少ないが、ぽつぽつ企画されるようになった。手元にヴェトナムと組み合わせたラオス旅行のパンフレットがある。キャッチコピーには「癒《いや》しの国・秘境ラオス」とあり、東洋のプチパリ＝首都ヴィエンチャンと世界遺産の古都＝ルアン・プラバンをたっぷり見て回るという謳《うた》い文句である。現在、この国へは日本からの直行便はなく、タイやヴェトナムを経由して入ることになるが、ヴィエンチャンまで最短で約八時間ほどである。

日本とラオスの交流を振り返ると、過去に特筆すべき往来があったとは言いがたい。それはこの国が海洋に面していないため、双方の船による直接的な交流がなかったことによる。だが周辺国の現タイ、カンボジア、ヴェトナムの港には、その昔朱印船が通い、日本人町も出来ていたことを考えると、これらを経由してラオスの物産が日本へ到来していたことは十分に考えられる。

若い世代には馴染みが薄いだろうが、タバコのキセルに羅宇《らお》と呼ばれる部分がある。吸口と火皿を繋《つな》ぐ竹の管のことで、ラオス産の黒斑竹《くろまだらだけ》が使われたことから羅宇と呼ばれるようになったという。最近ではすっかり見かけることもなくなったが、かつて東京の町にも羅宇屋と呼ばれる商売があり、水蒸気を吹き上げ、ピーという音を立てながらキセルの掃除や修理にやって来たことが思い出される。

ラオスに関する文献を調べてみると、明治以前にこの地へ入った日本人の記録はなく、明治三〇（一八九七）年に岩本千綱《ちづな》と山本鋠介《しんすけ》なる二人が探検旅行したというのが最も古いものである。帰国後、岩本は『暹羅老檛安南《シャムラオスアンナン》三国探検実記』（以下『探検実記』）を著している。暹羅はシャム（現タイ）、老檛はラオス、そして安南は現在のヴェトナムをそれぞれさしている。日本人がラオスに足を踏み入れ、見聞した記録としては今では古典の部類に入る。

日本では終戦前までフランスの植民地であったヴェトナム、カンボジア、ラオスのいわゆるインドシナ三国のことを仏領インドシナとか仏印と呼んでいた。フランスがラオスに触手を伸ばしたのは一九世紀の半ば以降であり、仏教遺跡のアンコール・ワットを再発見したフランス人として有名なアンリ・ムオーがバンコクから川を遡上《そじょう》してラオ族の住む地に入ったのが最初である。次いで一八六六（慶応二）年にフランスはメコン川調査団をサイゴン（現ホーチミン）から送り込み、実地踏査を行っている。

もともとこの地はシャムに支配されたラオ族の複数の王国に分かれていたが、フランスがシャムと小規模な戦闘後、強引に手に入れ、一八九九年に植民地とした。岩本らがこの地を探検した当時、既にフランスが実質的に治めており、彼らも行く先々でフランス人官憲より便宜を受けている。岩本らが見聞した当時のラオスを『探検実記』から追ってみる。

『探検実記』の冒頭で、岩本は「由来此《こ》の地方は日本人の足跡未《いま》だ到《いた》らざるのみならず、欧州人の稀《まれ》に旅行する者あるも……」と述べ、自分たち二人が日本人としてこの地への最初の訪問者であるとしている。彼らはこの当時、何の目的でラオスの地に分け入ったのであろうか。その前に岩本と山本とはいったいどんな人物だったのか。

岩本千綱は安政五（一八五八）年、高知県に生まれた。陸軍幼年学校、士官学校を経て職業軍人となったが、赴任地の新潟県で当時国家からマークされていた政治犯と接触したかどにより停職処分を受ける。その後「天賦《てんぷ》の性は余を駆て東洋諸邦の漫遊を思ひたゝしめ」と、軍を辞めてシャムへ単身渡航する。明治二五（一八九二）年八月、神戸港からシンガポールへ向かい、さらにシャムへと入るが、半年ほどで帰国している。以後も日本と現地の間を往復し、一時期は日本人を引き連れてシャムへの植民事業に関わったこともあった。なかなか腰が据わらないのは本人の性格にも一因があったようである。

岩本は大言壮語する癖があり、思い込むと猪突《ちょとつ》猛進するタイプの人間だった。本人も「甚しきは山師なり詐欺師《さぎし》なりとの酷評」を受けることがあったと告白しており、しばしば周囲との間に軋轢《あつれき》を生んでいる。

その後紆余《うよ》曲折を経て、下した結論がラオス行きであった。岩本はラオス訪問の目的について次のように記している。

「先《ま》つ進んで暹羅の内地に入り、此国に重大なる関係ある北方、仏蘭西《フランス》新殖民地老檛を跋渉《ばっしょう》し、転じて東方、安南東京《あんなんとんきん》に向ひ、到る所の人情、風俗、地理、宗教、其《その》他万

般の実況を視察し、一は自ら資するとともに同感者の参考に供する所あらむ」」・

これを素直に読む限り、岩本の目的は未知なる地域の実地踏査ということになるが、「此国に重大なる関係ある北方」という言葉からは、シャム側から見てこの地域に影響力を強めているフランスの動向を探ることも目的だった。同時に南進論者といわれた岩本が近い将来、日本の本格的な南方進出に備え、現地情勢を把握しておこうと考えたとしても不思議はない。山本もまた岩本に劣らず熱烈な南進論者であった。

ところがこの計画を実現しようにも岩本には資金がなかった。このため彼は一計を案じ、バンコク市内の寺に入って僧侶になることにした。僧侶となれば、これから訪れようとしているラオスの地も仏教国ゆえ、住民たちも自分らを粗略に扱うことはなく、むしろ敬意をもって接してくれるだろう、また托鉢《たくはつ》によって食料の確保も容易なはずと考えたのである。ここに岩本のしたたかな打算が見え隠れする。

一方、同行者の山本鋠介は愛知県出身で、明治二〇（一八八七）年、一七歳の時、来日中のシャム政府高官に誘われて現地へ渡り、王侯貴族の子弟の通う学校で文学や言語を学んだ。年齢から逆算すると、明治三（一八七〇）年生まれとなり、岩本より一回り年少である。彼は真面目《まじめ》な学問好きの青年だったようで、岩本の計画に賛同したのも彼なりの目的があってのことである。

それは平安時代、唐からインドへ仏教研究に向かう途中、ラオスあたりで虎《とら》に襲われ、命を落としたとされるわが国皇族の高岳《たかおか》親王の遺跡探索であった。高岳親王は第五一代の平城《へいぜい》天皇の皇子で、皇太子時代に政争に巻き込まれて嫌気がさし、仏門に入った。その後唐へ渡って修行を重ね、さらにインドへ向かおうとして途中、無念の死を遂げたとの言い伝えがあり、山本はこの際、親王の最期《さいご》の地を何としても見つけ出したいと考えたのである。

こうして二人は早速、バンコク・メナム河畔にある寺に入って髪を剃《そ》り、僧侶となった。しかし僧侶とは形ばかりで、仏教の教義を深く理解したわけではなく、読経《どきょう》や儀式も体得せぬまま寺を飛び出したのである。大いなる俗人が僧衣をまとった姿は漫画的でさえあるが、本人たちはいたって大まじめだった。三九歳の岩本は鉄脚坊、二六歳の山本は三無坊とそれぞれ名乗った。

岩本に言わせると、当時この地をめざす欧州人の場合、数十人の護衛をつけ、テントや食料など万全な装備を整えたうえで出発するのが常だった。それは「猛獣、毒蛇の害は言うを待たず、群盗昼出《い》でて人を殺し、時に森林悪熱猖獗《しょうけつ》を極める」地域だからであり、岩本もこの旅で命を落とすこともありうると覚悟を決めていた。

にもかかわらず二人は僧侶の姿をとったため、きわめて簡素な出で立ちであった。出発に際して岩本が振り分け荷物の中に用意したのは鉄鉢一個、毛布一枚、こうもり傘一本、キニーネ、コロタエン各一瓶、実丹一個、磁針器一個、地図一枚、日記用の紙筆墨などであった。

こうして二人は一八九六（明治二九）年一二月二〇日、バンコクを出立した。途中アユタヤまで川蒸気で上り、そこから歩き始め、シャム東北部の町ノンカイに到着。ここからメコン川を渡船で越えれば、ラオス領である。現在は川に全長約一二〇〇メートルのタイ＝ラオス友好橋が架かり、車や徒歩で対岸へ渡ることができる。

バンコクを出発してからほぼ一カ月後の一八九七（明治三〇）年一月二二日、二人はラオスの地を踏んだ。当時この地には三つの王国があった。二人はまずヴィエンチャン王国に入り、翌日その中心の町ヴィエンチャンに到着した。町は一〇〇〇軒ほどの人家が川に沿って建ち並び、フランス語の学校もあった。人口は約一万と岩本は記している。ヴィエンチャンの人口は現在でも約六〇万ほどで、首都としては世界でも最も規模の小さい町の一つである。

二人はまず道中の保護と便宜供与を要請しようと、現地のフランス政庁を訪ねる。

岩本は陸軍幼年学校時代からフランス語に接しており、多少の会話も出来たのだろう。応対に現れた当地の長官はいかにも有能そうな三〇半ばのフランス人官吏で、聞けばインドシナで一三年も行政官を務めているという。彼は出来る限りの協力はすると言う一方で、岩本らが本当の僧侶でないことを瞬時に見抜いていた。フランス側は二人に対し、僧侶の姿をした間諜《かんちょう》ではないかとの疑いをもっていたようである。

二人は話をしているうちに「外交並に軍事のことに及びたれば、坊等は皮を剝《は》がれんことを恐れ、巧みに談緒を切上げて政庁を辞し寺に帰る」ことにした。にわか坊主《ぼうず》、まさに冷汗三斗というところであった。

ラオスの国土はわが国の本州ほどの広さで、その大半が山岳地帯である。耕地面積は国土全体の一割にも満たず、熱帯のジャングルが全土を覆《おお》っている。二人の計画では、その日の宿は各地の寺院とし、それが叶《かな》わぬ場合には僧侶のいない廃寺や民家に泊まり、最悪の場合には野宿も覚悟した。この時期のラオスは乾季が終わり、暑季を迎えようとしていた。

ルートはヴィエンチャンから北上して中央部のルアン・プラバンに向かい、そこから北東に進んで現在のヴェトナム領内に入るというものである。途中立ち寄ったフランス側の役所で二人は大いに歓待され、食事や酒を振舞われた。二人もフランス人から接待を受ける時は「はばからず飲酒せり」と、僧侶の仮面をかなぐり捨てて、ご相伴にあずかった。

しかしそれはあくまでフランス人の駐在している地域に限り、猛獣の咆哮《ほうこう》が響く人里離れた山道の通行は難儀を極めた。現に二人はシャム領内で一度、ラオスに入ってからも一度、至近距離で大きなトラに遭遇し、危うく難を逃れている。また野営中に盗賊に襲われたり、急流で荷物を流されそうになったり、農家で宿泊を断られ、空腹のまま「サラ」と呼ばれる野中の掘っ建て小屋に眠る日もあった。

その一方で二人は弥次喜多《やじきた》さながらの珍道中を続けている。ある寺に泊まった翌朝、勤行《ごんぎょう》で経を読むはめになり、多少の心得のある山本は別として岩本ははたと困った。経を読めぬとはさすがに言い出せず、出まかせに日本語の歌でも歌ってごまかそうと決めた。「タン、タン、タヌキのタンタンタン、コン、コン、キツネの化かし合い、どちらが勝つか、どちらが負けるか、さあ、さあ、化かしあい」と、勝手に節を付け、経に見せかけて口ずさんだ（『南進の偉人岩本千綱』住江明）。

またある時は重病を装《よそお》って村人に一夜の宿と食料を乞《こ》うたり、持参した薬を与えるかわりに酒を巻き上げるなど俗物坊主の本領を発揮した。

しかしおおむね、どこへ行っても住民たちは素朴で岩本らに好意的だった。

こうして二カ月余におよぶラオス国内の旅を終え、安南（現ヴェトナム）領に入ったが、二人にとっての心残りは高岳親王の遺跡発見が果たせなかったことである。現地の関係者に尋ねたところ、親王が亡《な》くなったのは今から一〇〇〇年以上もの昔のことであり、ラオスには八〇〇年以前の歴史の記録がないと言われ、諦《あきら》めざるを得なかった。もっとも高岳親王の終焉《しゅうえん》の地についてはタイやシンガポール、インドネシアなど諸説あり、特定されていない。

二人の三カ国探検の終着点は安南国東京河内府（現ヴェトナムの首都ハノイ）で、四月九日に到着した。バンコクを出てからの総踏破距離は一九〇〇キロ余り、要した日数は一一一日であった。しかしここで思わぬ悲劇が待ち受けていた。山本が帰国を目前にして高熱を発し、同月二一日に不帰の人となったのである。山本は旅の途中にも高熱に見舞われており、マラリアに罹《かか》ったものとみられる。享年《きょうねん》二六であった。現地では在留邦人も参列して盛大な葬儀が営まれ、遺骸《いがい》は外国人墓地に埋葬された。

岩本らのラオス行きから一〇年後、明治四〇（一九〇七）年七月発行の雑誌「商工世界　太平洋」には「日本人活動の新舞台、仏領印度支那《インドシナ》」と題する特集が掲載されている。この中でラオスについては面積に比べて人口は極めて少ないが、農産物は豊かで、鉄、鉛、金および宝石なども多く、今後商業や鉱業の分野で発展が期待できるとし、「此の機会を利用すると否《いな》とは、一に日本人自らの奮発に俟《ま》たざる可《べか》らず」と、日本人の積極的進出を訴えている。

しかしこの頃、山本の葬儀に在留邦人も参列したというハノイをはじめ、ハイフォン、ビン、サイゴン（現ホーチミン）、プノンペンなど仏印各地には「からゆきさん」をはじめ、多くの日本人が進出し、理髪業や雑貨店などを営んでいた。ハノイ周辺には明治一八（一八八五）年に死没した日本人女性の墓があると、入江寅次は『明治南進史稿』に書いている。彼らの多くは長崎や熊本の出身者で、先にマダガスカルの成功者として紹介した赤崎伝三郎の妻チカ子なども親に連れられ、サイゴンへ渡り、そこで同じ天草出身の伝三郎と出会っている。

天草出身者と言えば、ラオスとヴェトナムの国境付近に「虎御前」と呼ばれる名物女性がいた。その名を鮫島《さめじま》（旧姓）清美という。『天草海外発展史』（北野典夫）によると、明治時代に天草の鮫島家と言えば、イワシを大量に捕獲する八田網《はったあみ》という魚網を考案したことで財をなし、西日本一帯に鳴り響いた有数な網元であった。清美は当主である鮫島小八郎の孫娘にあたり、明治三六（一九〇三）年に生まれた。

鮫島家はどういう経緯か不明だが、長崎に来たフランス人との関係が生まれ、小八郎の二人の娘がハノイに渡って「鮫島ホテル」を経営する。清美も明治四四（一九一一）年、父親に連れられ、叔母たちを頼ってハノイへ向かった。

清美が二三歳を迎えた大正一五（一九二六）年、ロームアリー・アレクサンドル・クロード・アレフレッドというフランス人の富豪と結婚する。その後、詳しい年月は定かでないが、清美は夫とともに内陸部に移り、大規模なコーヒー農園を経営したという。

インドシナにおけるフランス人によるコーヒー栽培は一九世紀末からヴェトナムやラオスの高原地帯で、現地人苦力《クーリー》（労働者）を使って始まった。清美の農園があったのはカントリー州ランクアイと記録にあるが、そこが現在のラオス領なのか、ヴェトナム領なのかはっきりしない。しかし農園では地元の安南人が多数雇われていたというから、おそらくラオス国境に近いヴェトナム領内であった可能性が高い。

昭和一五（一九四〇）年九月一六日から一八日付の大阪毎日新聞に「現地邦人に仏印を聞く」と題する座談会が掲載されており、出席者の一人に清美の農園で苦力監督を務める末松豊作という天草出身者がいる。末松は当時四七歳、仏印在住歴は三一年と紹介されている。座談会の中で、末松は仏印の成功者としての清美について次のように語っている。

「わたしの働いている農園は、官吏上りのロームというフランス人が経営していたのですが、その人が先年死んだあと、未亡人ローム清美さん（四〇歳くらい・天草出身・旧姓鮫島清美さん）というしっかりものの日本人婦人がやっています。まあ仏印における日本婦人の成功者の一人でしょう。八歳の時父に連れられて天草から渡来し、結婚後フランス国籍を取得しています。一人で農園に残っており、とても変り者です」

太平洋戦争が始まる二、三年前、一人の天草出身者が同郷の陸軍少佐を案内しながらインドシナ各地を旅行中、清美のコーヒー園に立ち寄ったところ、清美から大歓待を受けている。当時農園の経営を亡夫から引き継いでいた清美は「虎御前」と呼ばれ、たいそう羽振りのよい暮らしをしていたという。

彼女がなぜ「虎御前」と呼ばれたのか定かでないが、トラの出没するジャングル地帯に住み、裕福な暮らしをしていることから名付けられたのか、トラにたとえられるほど気丈でしっかり者の女性だったのか、それともトラにまつわる武勇伝でもあったのだろうか。座談会の中で、末松が清美のことを「とても変り者です」と語った一言に、何かヒントがありそうだ。

清美は戦後も女性の細腕で農園を切り盛りしていたが、最後は非業《ひごう》の死を遂げたようで、「日本敗戦後、南北対立の渦中《かちゅう》に巻き込まれ、ベトコンに殺されたと伝えられる」と、前出の北野典夫は記している。

ラオスには「電気婆《ばあ》さん」と呼ばれ、戦前から長く暮らした女性がいたという。彼女の本名や生年など詳しいことは不明だが、昭和三五（一九六〇）年、当地を訪れた評論家の大宅《おおや》壮一は次のように記している。

「天草の女が一人ビエンチャンにいる。フランス人と結婚して、そのあいだに生れた娘がフランス人の電気技師と結婚、発電所につとめていて、この天草女は〝電気婆〟で通っている」（『黄色い革命』）

「虎御前」同様、その名のいわれはいまひとつはっきりしないが、天草生まれでフランス人と結婚したという境遇は清美と共通している。

当時、現地の日本人女性の中には清美らのようにフランス人や中国人と結婚したり、あるいは内縁の妻におさまるケースは珍しくなく、相手の仕事によっては発展した海沿いの町を離れ、奥地で暮らす者もいた。このように明治末年以降、インドシナ内陸部のラオスにまで進出した日本人が、いなかったわけではないが、居住者となると、その数は極めて少なく、あの「からゆきさん」ですら、ここではその影を見出《みいだ》すのは困難である。

第一〇話　トルコ／イスタンブール

オスマン皇帝に愛された明治の寅《とら》さん

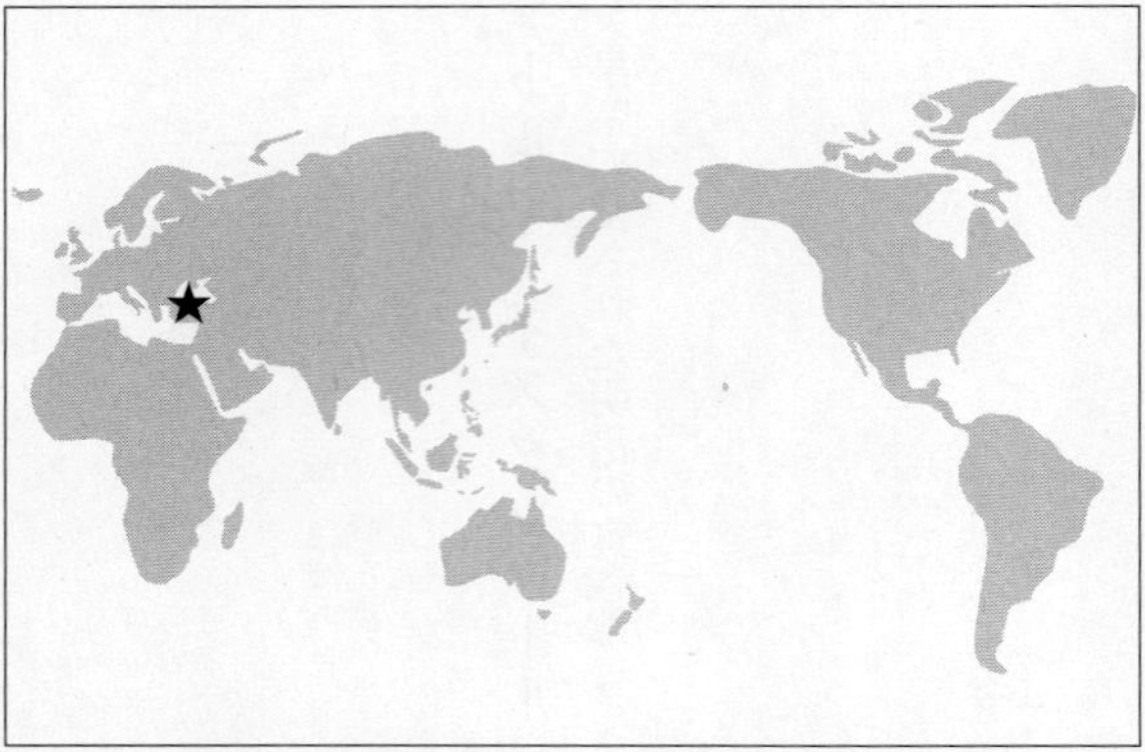

現在：日本からの空路直行便で約12時間。

「飛んでイスタンブール」という唄《うた》が流行《はや》ったのは、今から三〇年も前の昭和五三（一九七八）年のことである。これに触発されたわけではないが、一つの町ながら海峡をはさんでアジアとヨーロッパの二つの顔をもつ東西文明の十字路イスタンブールを訪ねてみたいと思い続けていた。その夢が実現したのは平成六（一九九四）年のことである。

イスタンブールの中心はヨーロッパ側にあり、金角湾をはさみ、旧市街と新市街からなる。旧市街にはローマ時代の遺跡をはじめ、モスクやバザールなど昔ながらのたたずまいが残り、新市街はオフィスビルやショッピングセンター、ホテルなどが建ち並ぶ。さらにボスポラス海峡をはさんで対岸のアジア側にも市域が広がる。首都アンカラが政治の中心であるのに対し、イスタンブールは経済の町であり、この国を代表する町でもある。現在日本からこの町へは飛行機の直行便があり、訪れる日本人観光客も二〇〇八（平成二〇）年には一六万八〇〇〇人に上った。

かつてキリスト教勢力がこの一帯を統治していた時代、町はビザンティオン、そしてコンスタンチノープルと呼ばれていた。イスタンブールという名前が付けられたのは一五世紀半ば、回教徒のトルコ人によってオスマン帝国が誕生し、帝都となってからである。しかし以後も長くコンスタンチノープルという旧名が併用された。一九二三（大正一二）年のトルコ革命によって五〇〇年続いた王政が倒され、この国は共和政国家に生まれ変わる。初代大統領アタチュルクは首都をオスマン時代のしがらみの強いイスタンブールからアジア側のアンカラへと移す。

日本とトルコはともにアジアに属する国とは言え、地理的に東と西の両端に位置しているため、本格的な交流が始まったのは明治に入ってからである。日本人として最初にこの地を踏んだのは、岩倉使節団の一員に加わった福地源一郎（桜痴《おうち》）と宗教家の島地《しまじ》黙雷《もくらい》の両人である。

福地は徳川幕府派遣のヨーロッパ使節団に二度、そして明治新政府のアメリカ貨幣制度視察、さらに岩倉使節団と、わずか一〇年の間に四度も海外へ派遣されたことを考えると、語学に長じた有能な人物だったのだろう。

一方の島地は岩倉使節団出発の翌年、西本願寺から宗教事情視察のためヨーロッパへ派遣される。視察後、島地はパリで旧知の木戸孝允《たかよし》に会った際、福地が使節団一行から離れ、特命を帯びてイスタンブールへ赴くという話を耳にしたため、同行を願い出たのであった。

福地の受けた命とはトルコの立会裁判調査、つまり陪審制度の視察で、明治新政府がめざす不平等条約改正に向けた準備のためである。島地には宗教家としてイスラム社会の実情を見てみたいという希望があった。

明治六（一八七三）年四月一一日、二人は海路イスタンブールに入り、一〇日余りこの地に滞在するが、この間それぞれの目的のために行動する一方、市内近傍を見て回った。

福地は多くを書き残していないが、島地はこの町の見聞を細かく『航西日策』に記している。たとえば「人家多くして猥醜《わいしゅう》極まる」、「街頭瓦斯《ガス》灯《とう》の明なし、暗闇《くらやみ》なり」、「背に物を負うは貧民荷を運ぶなり」、「犬皆野郎扱にして道路の間に伏す。犬の子、人に踏まる、母犬怒って他の犬を噛《か》む」、「此《こ》の国遊女なし、制度甚だ厳なり」、「婦、大体他男に会することなし、女は女のみ相会す。王は歓楽の極なり、歳入の三分の一を後宮の費に宛《あ》つ」など、僧侶《そうりょ》にしては、なかなかさばけた観察をしている。

島地はさらにこのあと、エジプトを経由して聖地エルサレムまで足を伸ばしている。日本人仏教徒としてエルサレムの地を踏んだのは彼が最初である。

福地らの訪問から三年後、トルコを訪れたのは元薩摩《さつま》藩士の中井弘という少壮の外交官である。彼は明治七（一八七四）年から一年四カ月、ロンドンの日本公使館に勤務したあと、帰任に際して同僚の渡辺洪基とイスタンブールに立ち寄っている。帰国後、この旅の模様をまとめた中井の『漫遊記程』によると、二人は明治九（一八七六）年一月三一日、イギリスを発《た》ってオランダへ渡り、鉄道でベルリンを経てペテルブルク（現サンクトペテルベルク）に到着、そこからモスクワ、キエフを経て黒海に面する港町オデッサへ着いたのは二月二二日であった。ここで便船を待ち、四日後の二六日、オデッサ港からロンドンへ向かうロシア船ナキモフ号に乗り込み、一路イスタンブールをめざした。

黒海はこの季節にしては珍しく荒れることもなく、船は穏やかな海上を南へ進んだ。そして一夜明けると、中井の双眼鏡がついにトルコの地をとらえる。

「既に船はボスポラス海峡に入った。左右に砲台があるが、古代のものと思われる。両岸の山は高くなく、また樹木も多くない。ただ青々とした春の草が見えるだけである。今日トルコ領内に入り、とても爽《さわ》やかな気分になった。広い黒海がここから細い海峡をもってはるか地中海に通じるのを見て、自然の創《つく》り出した造形の妙に感嘆する」

黒海とマルマラ海を結ぶボスポラス海峡は全長約三〇キロにおよぶ。

実はこの海峡を通過した日本人は中井らが最初ではない。彼らより約一年半前の明治七年夏、幕末にロシアへ密航した元掛川藩士増田甲斎が帰国に際し、オデッサからロシア船ツェサリビッチ号で海峡を抜け、アレキサンドリア（エジプト）へ向かっている。増田は海峡について特に書き残していないが、おそらくボスポラス海峡を通過した最初の日本人とみられる。

中井は甲板に立ち、海峡クルーズを楽しむ。

「右岸（ヨーロッパ側）に古城が見えてきた。古色蒼然《そうぜん》としたその建物はおそらくギリシャ・ローマ時代のものと思われる。両岸には起伏のある岩山が広がり、樹木が少ないのは興趣に欠けるが、岸に沿った道を人や馬が通り、蒸気船が行き交う海峡の風景はまことに素晴らしい」

さらに「新築の砲台ありて」とあるのは一五世紀半ば、海峡最狭部の高台に建設されたルメリ・ヒサールという要塞《ようさい》のことと思われる。

筆者は中井とは逆コースで海峡を航行した際、この要塞へ立ち寄っている。当時の旅行メモには次のようにある。

「日本企業により完成した第二ボスポラス大橋に接近。橋の左手前、断崖《だんがい》上に石積みの建造物。ガイド曰《いわ》く、ルメリ・ヒサールという要塞なり。オスマン時代、戦に備え四カ月で完成。要塞下の船着き場より急階段を上る。入場料二万リラ。要塞内の大砲、すべて海峡に向かって並ぶ」

中井らの船は次第にイスタンブールへ近づき、右手に壮麗な白亜の建物が見えてきた。一九世紀半ば、当時の金額で五〇〇〇万円を投じ、一〇年以上の歳月をかけて完成したドルマバフチェ宮殿である。やがて市街地が姿を現す。丘陵の斜面に広がるイスタンブールの町は人家でびっしりと埋め尽くされ、その中にモスクのミナレット（尖塔《せんとう》）がいくつも見えた。

二人は金角湾内の停泊所で下船し、小船を雇ってヨーロッパ側の旧市街に上陸する。時に明治九年二月二七日であった。中井のイスタンブール滞在は、わずか三日間で、三月一日には渡辺と別れ、一人ギリシャへ向けて出発している。

滞在中、中井は連日、首相や外務大臣など政府高官と会談を重ね、両国が一層の友好促進に努めるべきという点で意見の一致をみる。この時、外務大臣のラシット・パシャが語った言葉が中井の心を揺さぶる。

「わがトルコもまた日本と交際通信したいと、ここ何年も願っており、貴殿の来訪を機に交際信誼《しんぎ》を厚くし、相互の往来を活発にしたい。トルコは元々アジアの人種であり、日本とは同種の民族であるからには、長く交際することを望んでいる」

同じアジアの民という言葉が中井の琴線にふれたのだった。

中井は会談の合間をぬって市内探訪にも精を出した。軍事博物館、東ローマ時代の古寺（現アヤソフィア教会）、トプカプ宮殿などを外務省の役人の案内で見学する。トプカプ宮殿では財宝類を収蔵した建物に日本と中国の陶器が陳列されているのを見て、東西交流の悠久の歴史に思いを馳《は》せた。

一方、海上から美しく見えた町も足を一歩踏み入れると、たちまち中井を失望させた。道路は細かい石ころがゴロゴロとして歩きにくく、またぬかるみがあって靴まで埋まってしまうほどだ。民家はほとんどが木造で、多くは不潔で悪臭を放っている。赤いトルコ帽の男たちが町にうろうろしており、吠《ほ》える犬が多くて歩きづらい。乞食《こじき》が通行人に物乞いをする。ヨーロッパの美しい街並みを見慣れた中井の不快さが目に浮かぶようである。

中井と全く同じ感想を明治三九（一九〇六）年、この地を旅した徳冨蘆花《とくとみろか》が『土京雑記』に漏らしている。蘆花はトルコに土耳其という字をあてている。

「敷石の凸凹《デコボコ》、先づ行人の頭痛を起すに、評判はかねて聞きたれど今更に驚かるは犬なり。君士丹丁堡《コンスタンチノープル》に多きものはと云《い》はば、土耳其帽に犬、君士丹丁堡の住者の数はと聞かれなば、百十万の人間と、犬は取調べ中と答ふる外なからん」

蘆花は「二歩に一疋《ぴき》、十歩に五疋」ほどの割合で野良犬《のらいぬ》を目にし、足の踏み場に困るとしており、「土耳其人は犬を不潔視す。不潔視して放擲《ほうてき》す。総じて放擲主義の土耳其也《なり》」と断じている。市当局もあまりの悪評に一九一〇年、飼い主なき野犬を一斉に捕獲して無人島へ送り、イスタンブールの町から一掃している。

福地や中井らの訪問以降も明治政府はトルコへ関心を向け、明治一三（一八八〇）年には初の使節団を派遣している。一行は外務省の幹部職員吉田正春を団長に参謀本部の軍人ら九人からなり、その中に商人など五人の民間人が含まれていたことは注目に値する。この国の対ロシア政策を学ぶとともにビジネスチャンスを探ろうとしたのだろう。

さらに明治二〇（一八八七）年、皇族の小松宮彰仁《あきひと》親王がヨーロッパ歴訪の帰途、トルコを非公式に訪問し、時の皇帝に謁見《えっけん》している。これに対する返礼としてトルコ側は明治二二（一八八九）年七月、軍艦エルトゥールル号（二三四四トン）で、約六〇〇人からなる使節団を日本へ派遣した。使節団長のオスマン・パシャはトルコ皇帝の親書を奉じて明治天皇に拝謁している。

ところがこの使節団は帰路、予想もしない悲劇に見舞われる。三カ月の日本滞在を終え、明治二三（一八九〇）年九月、横浜から帰国の途についたエルトゥールル号は日本列島に接近中の台風の直撃を受ける。暴風雨に巻き込まれ、激浪に翻弄《ほんろう》された艦は紀伊半島南端の樫野埼《かしのざき》沖で座礁《ざしょう》、古い木造艦は大破して沈没した。この事故で乗組員のうち五〇〇人を超える命が奪われ、生き残ったのはわずか六九人に過ぎなかった。この時団長のオスマン・パシャも海の藻屑《もくず》と消えた。

この事態に紀伊半島最南端に浮かぶ大島（和歌山県串本《くしもと》町）の住民たちは献身的に生存者の救出や負傷者の手当てにあたった。貧しい集落ながら、ありったけの食料を供出し、衣服を与えるなど協力を惜しまなかった。さらに遺体を集め、新たに設けた島の共同墓地へ手厚く埋葬した。

日本政府は負傷者の回復を待って比叡《ひえい》、金剛の二隻《せき》の軍艦に生存者六九人を乗せ、トルコへ送り届ける。日本の示した誠意ある行動にトルコ国民は大感激し、歓喜の声で二隻の軍艦を迎えた。トルコが世界有数の親日国となるのは、この遭難事故がきっかけである。

トルコ国民をさらに日本びいきにさせたのは、日本が日露戦争でロシアを打ち破ったことである。日本と同じくロシアの南下政策に頭を痛めていたトルコにとって同じアジア、しかも極東の小国がロシアを叩《たた》きのめしたことは大いに勇気づけられる出来事だった。

日露戦争が始まると、皇帝は部下の陸軍少将から逐一、戦況報告を聞き情報収集に努めた。また一般市民も日に何度も日本軍の戦勝祈願を繰り返し、日本軍の死傷者に対する見舞金の募金や軍事公債に競って応じた。新聞も日本の善戦ぶりを大きく取り上げるなど官民挙げて日本へ熱狂的なエールを送り続けた。

それほどトルコ人の反ロシア感情が強かったということであろう。日本がロシアに勝利すると、たちまちイスタンブールの町に「ノギ」という玩具《がんぐ》店、アンカラには「トーゴー」という靴店が出現したほか、生まれた赤ん坊にまで「ノギ」や「トーゴー」と名付ける親が続出するなどトルコに一大日本ブームが沸き起こった。平成三（一九九一）年秋から二年余、トルコ大使を務めた山口洋一もアンカラで贔屓《ひいき》にしていたのはトーゴー靴店であったという。

「アンカラのアタチュルク大通りにある町で一番の高級靴店はトーゴー（TOGO）

という名前である。私が現在履いている靴の内側をみると、軒並み『トーゴー』のマークが目につく」（『トルコが見えてくる』）

その後も皇族、官吏、軍人、学者、作家らのトルコ訪問が続く。変わり種ではロシア帰りの軽業師一行もこの地で興行を打っている。興味深いのは日本人で最初のトルコ留学生となった伊東忠太の渡航裏話である。

明治二五（一八九二）年、東京帝国大学の建築学科を卒業した伊東は大学院へ進み、日本建築史の研究に励んでいた。やがて研究が深まるにつれ、日本建築の源流を探るためには西アジアを見なくてはならないとの結論に達し、今で言う工学部長に留学申請するが、留学先は欧米に限り、西アジアなどは前例がないと即座に却下される。

しかし彼は粘り強く説得に努めたところ、ついに許可が下りる。その際に学部長が付けた条件が面白い。それは「欧米諸国を経由して帰国すべし」というものだった。学部長はあくまで前例にこだわったのである。

伊東は明治三五（一九〇二）年、日本を発《た》ち、中国、東南アジア、インド、ドイツ、バルカン諸国などで建築物の調査をしたあと、念願のトルコ入りを果たす。

トルコに長く暮らした最初の日本人は野田正太郎という時事新報の二三歳の記者である。野田は明治二四（一八九一）年、エルトゥールル号の生存者を移送する軍艦比叡に特派員として乗り込んでイスタンブールへ赴き、約二年間とどまって現地事情を記事にして送る一方、皇帝の求めに応じて陸軍大学で日本語を講じている。

だが在住期間という点では、のちに民間大使とか、無名無冠の領事と称された山田寅次郎《とらじろう》に勝る者はいない。慶応二（一八六六）年、上州沼田藩（現群馬県）の家老職の家に生まれた寅次郎は学問に励み、若くして英、独、中、仏語を習得するほどの俊秀だった。その一方で、寅次郎は一六歳の時、茶道の名門宗偏《そうへん》流家元の山田家を継いでいる。

彼のトルコとの関わりもまた海難事故がきっかけである。寅次郎は事故で命を失った将兵の遺族らを慰めるため、国民に義援金を呼びかけ、当時の金額で五〇〇〇円（今の金額で約二五〇〇万円）を集める。民間主導の募金とは言え、時の外務大臣青木周蔵に贈呈方法を相談したところ、寅次郎自身が直接これをトルコ側へ手渡すべきと説得され、明治二五年一月末、日本を出発した。

長い船旅を経てスエズから鉄道でカイロに入り、さらにアレキサンドリアへ出て便船を待ち、イスタンブールへと向かった。現地到着は四月初め、日本を出てから二カ月余が経《た》っていた。寅次郎は早速外務大臣のサイド・パシャに面会し、日本国民からの浄財を手渡すと、大臣は大いに感激し、感謝の言葉を繰り返し述べた。翌日には海軍大臣、そして数日後には皇帝アブドル・ハミッド二世への拝謁が実現する。

彼は皇帝に日本から持参した家伝の明珍《みょうちん》の兜《かぶと》と甲冑《かっちゅう》、陣太刀を献上し、皇帝からは勲章を授けられる。その際に皇帝から寅次郎に対し、野田と同じように、しばらくこの地にとどまって陸海軍の幹部へ日本語教育を施してほしいとの要請があり、彼自身もトルコ語習得のよい機会と考え、申し出を受け入れることにした。寅次郎、二六歳の時である。

イスタンブール滞在を決めた寅次郎は精力的に町を歩いて見聞を広め、地元の人々と交わった。しばらくすると皇帝から寅次郎に、日本語教授のほか帝室博物館に所蔵されている東洋美術品の目録作成の依頼があり、さらに日本から木工道具、絵具、柿《かき》の木、小鳥類を取り寄せて欲しい、数寄屋《すきや》造りの日本家屋を建てて欲しいなどと矢継ぎ早に命が下る。そして最後には「日本の珍しき品々」を販売する店を開いてはどうかとまで勧められる。皇帝の寅次郎に寄せる信頼や期待がいかに大きかったか想像できよう。

彼は幾度も日本との間を往復し、皇帝の要請にすべて応《こた》えた。中でも新市街イステイクラル通りに開いた店には日本から輸入した絹布《けんぷ》、陶器、茶、雑貨類を並べ人気を博した。トルコにおける日本商店の第一号である。同時に寅次郎はトルコ産品の日本への輸出も手掛けた。

蘆花の『土京雑記』の中にも「土京唯一《ゆいいつ》の日本部落《(ママ)》なる中村日本雑貨店の支配人N君の案内にて……」という記述がある。このN君とは中村健次郎という寅次郎の事業パートナーのことである。当時大阪に中村商会という貿易会社があり、寅次郎の斡旋《あっせん》でトルコとの輸出入を手掛けていた。健次郎は、その経営者の一族に連なる者で中村商会の当地における責任者だった。

一方で、寅次郎は祖国を思う愛国者でもあった。先にマダガスカルの章で、島に寄港したバルチック艦隊の動向を本国へ通報したホテル経営者を紹介したが、寅次郎もまた日露戦争における隠れた功労者の一人と言ってよい。彼は開戦当時、オーストリア駐在公使だった牧野伸顕《のぶあき》から依頼を受け、海峡を通過するロシア黒海艦隊を監視し、本国へ暗号を使って密《ひそ》かに打電していたのである。

イスタンブール新市街の高台にガラタ塔という一四世紀に建てられた高さ六〇メートルほどの塔がある。今では市内の観光名所の一つとなっており、筆者もこの最上階に上り、夕陽に染まる眼下の海峡や対岸の丘に聳《そび》えるモスクを眺めた。寅次郎は自らも海峡を見下ろす高台からロシア艦隊の動向を監視する一方、現地人二〇人ほどを雇い、ガラタ塔の上から交替で見張りを続けさせたのであった。

明治四四（一九一一）年、画才のある寅次郎は、この国の習慣、暮らしぶり、風物などを自筆の挿絵入りで『土耳古画観』という本にまとめた。その中で彼は「余、日土の間に来往すること十有八年」と書いており、明治の中期から末期にかけ、頻繁に日本とトルコの間を往《い》き来《き》したことをうかがわせている。船での往復に四カ月も要する時代にである。

その後も彼はトルコ行きを続け、イスタンブール在住は通算二〇年余におよんだ。

「ボスポラス雲間の月も今は夢」

寅次郎、晩年の句である。彼はトルコから持ち帰った陶磁器類を慈《いつく》しみ、壁に張った世界地図を眺めながら昔の思い出に耽《ふけ》ったという。

寅次郎は昭和三二（一九五七）年二月、九一歳で没するが、生涯を日本とトルコの友好促進に捧《ささ》げた、まさに堂々たる民間親善大使であった。

第一一話　チリ／バルパライソ

最初の人口調査に残る二人の日本人《ハポネス》

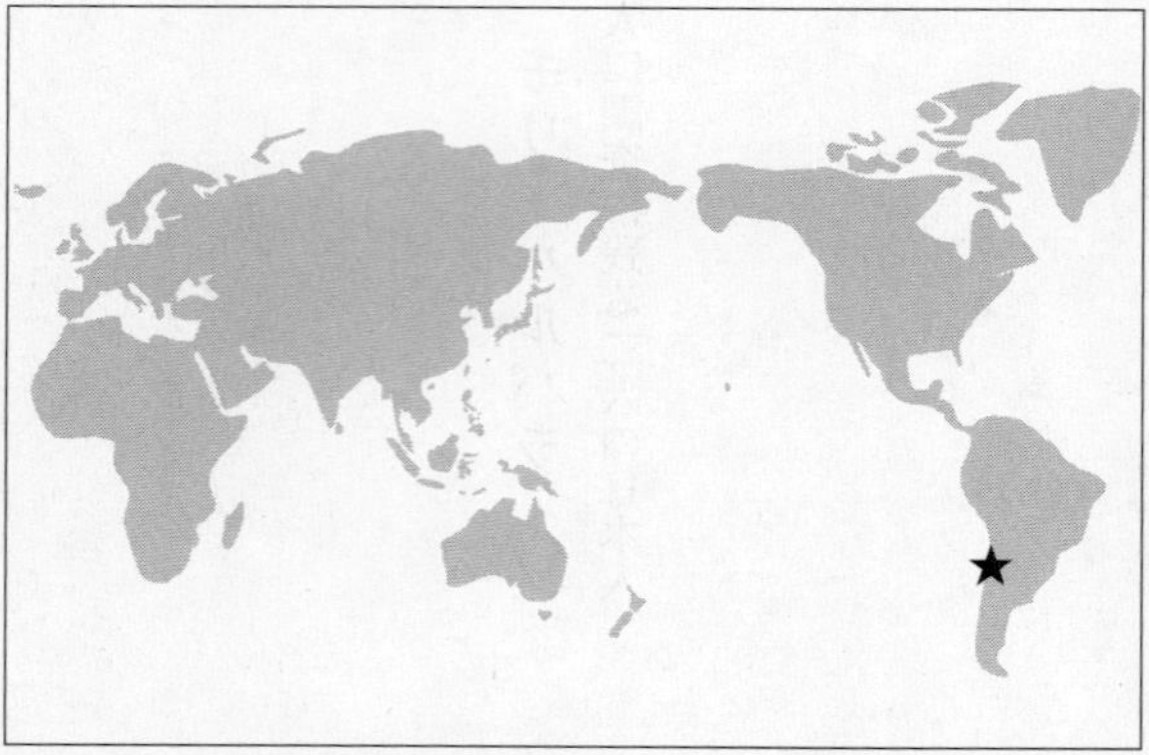

現在：日本からの空路直行便はない。北米主要都市経由で、チリの首都サンティアゴまでが約30時間。サンティアゴからバルパライソまでは車で約１時間。

日本とは季節、時刻とも正反対の地にある南米大陸、その西岸にへばりつくように細長く伸びた国がチリである。日本と同じく地震国で、二〇一〇年二月末にもマグニチュード8・8という巨大地震に見舞われた。ふだんはブラジルやペルーなどと比べ、あまり馴染《なじ》みのある国ではないが、最近ではこの国のワインが日本でも人気を呼び、スーパーにはチリ産オレンジが並ぶ。好ましくないニュースとしては青森県の公社職員が出稼ぎに来たアニータなるチリ人ホステスに一四億円もの巨額の公金を貢《みつ》いだとして話題を呼んだ。

西は太平洋に面し、東はアンデス山脈が屏風《びょうぶ》のように連なる。東西の幅は平均すると、約一八〇キロというから東京と静岡市ほどの距離である。それに比べ、南北は四二〇〇キロにもおよび、その距離はフィリピン北部から日本列島を通り越してサハリン北部までに匹敵する。

日本からこの国へ向かおうとすれば、アメリカを経由し、まる一日以上飛行機に乗り続けなければならず、今なお遠い国である。

この南米大陸へ最初に渡ったとされる日本人の記録が、アルゼンチン・コルドバ市内の州立歴史古文書館に保存されている。それは一五九六（慶長元）年七月一六日付の公正証書で、当時コルドバ市在住の奴隷《どれい》商人ディエゴ・ロペス・デ・リスボアが、ミゲル・ヘロニモ・デ・ポルラスという神父に日本人のフランシスコ・ハポンという奴隷を八〇〇ペソで売却したというものである（『大航海時代夜話』井沢実）。フランシスコは二一歳の男性とされるが、どのような経緯とルートでアルゼンチンへ連れて来られたのかは定かでない。また一六一三（慶長一八）年頃、ペルーの首都リマに日本人男女二〇人が住んでいたことが人口調査に載っている。

チリに最初に上陸した日本人は長い間、あのジョン万次郎こと、中濱《なかはま》万次郎で、嘉《か》永《えい》三（一八五〇）年四月、チリ中部の港バルパライソに立ち寄ったというのが定説となっていた。

しかし万次郎の子孫である中浜博は平成一七（二〇〇五）年に出版した『中濱万次郎、「アメリカ」を初めて伝えた日本人』の中で、チリ上陸の年月は変わらないが、寄港先についてはバルパライソではなく、南部の港タルカウアノであると訂正した。中浜はこのことをチリ在住の知人を通じて入手した港湾関係の資料から裏付けたとしている。

土佐の漂流民万次郎は嘉永二（一八四九）年一一月末、日本への帰国費用を捻出《ねんしゅつ》するため、当時ゴールドラッシュに沸いていたアメリカ・カリフォルニア州の金山でひと稼ぎしようと思い立ち、滞在していたアメリカ東海岸のニューベッドフォードから帆船スティグリッツ号（三四九トン）に水夫として乗り込み、サンフランシスコへと向かった。

船は南米東岸に沿って大西洋を南下し、大陸最南端の難所ホーン岬を回って太平洋に出た。出港して四カ月が過ぎた頃、万次郎の目にチリの険しい山々が飛び込んできた。おそらくアンデスの峰々であろう。嘉永三年四月一一日、スティグリッツ号は薪《まき》や水、食料を補給するためタルカウアノへ寄港する。ここはバルパライソの南四〇〇キロに位置し、チリ第三の都市コンセプシオンの外港で、今回地震による被害が最も大きかった地域である。万次郎はここに七日間滞在したとされるが、何を見て、どのように過ごしたのかは明らかでない。

ところが万次郎のタルカウアノ寄港より以前に、チリへ渡った日本人がいた可能性が指摘されている。万次郎より遡《さかのぼ》ること八年前、天保《てんぽう》一三（一八四二）年頃、メキシコからチリへ渡ったとされる三人の漂流民である。彼らの乗り込んだ播磨《はりま》（兵庫県）

の商船栄寿丸（永住丸・永寿丸とも）は天保一二（一八四一）年一〇月、酒、砂糖、綿などを積んで神戸を出港したが、房総半島沖で暴風雨に見舞われ難破し、太平洋上を一〇〇日以上も漂流していたところ、スペインの密貿易船エンサヨ号に救助される。乗組員一三人はスペイン人船員に酷使されながら、カリフォルニア半島突端の岬サン・ルーカスにたどり着いた。

その後、彼らはスペイン人船員の目を盗んで、船から次々とメキシコ本土西岸の町へ逃れ、帰国の機会をうかがうことにした。一三人のうち九人はマサトラン、四人はグアイマスという港町に分かれて暮らしていたが、ある日グアイマスにいた四人組のうち三人が忽然《こつぜん》と姿を消したのである。

三人は南部（岩手県）出身の要蔵、明石《あかし》（兵庫県）出身の岩松、それに能登《のと》（石川県）出身の勘次郎で、いずれも三〇歳前後の働き盛りの男たちであった。彼らは一体どこへ消えたのであろうか。

だがヒントは残されていた。要蔵ら三人は新たに移った地から、しばらくしてメキシコに残った仲間へ手紙を出していたからである。そこにはメキシコから海路五〇日ほど南にある国の「ハキバライ」という地で暮らしており、当地で結婚し、日本へ帰国する意思がないことも記されていた。栄寿丸の乗組員のうち、その後帰国した者たちは幕府役人の取り調べに対し、要蔵ら三人が居住していた地を「ワキバライソ」とか「ワキツパライリ」などと答えているが、これらの地名はいずれも同一場所をさしているとみてよい。メキシコから海路五〇日ほど要する南の国、その国にあるハキバライという町はどこなのか。

当時既に北米と南米のスペイン植民地間を結ぶ船便があり、活発な交易が行われていた。メキシコに残った栄寿丸の仲間たちもハキバライがどこにあるのか知らずとも、その地から麻、木綿、コーヒーカップ、硝子《ガラス》器などが運ばれて来ることは知っていた。

研究者たちがメキシコ西岸を流れる海流や風の動き、当時の帆船の速度などからハキバライなる地の割り出しに努めた結果、断定は出来ないものの、チリのバルパライソ港にほぼ間違いないとしている。長年にわたり栄寿丸の乗組員の足跡を追い続けている在野の研究家佐野芳和も「要蔵ら三人の末裔《まつえい》はバルパライソの周辺に今生きていると、私は考えている。確証が入手できぬのが残念だが……」と、その著『新世界へ』の中で述べている。

日本語で「天国のような谷」とか「極楽谷」と訳されるバルパライソはスペイン人によって一五三五（天文四）年に建設された南米太平洋岸最大の港で、湾の三方を丘陵で囲まれた天然の良港である。昔から商工業や貿易の盛んな地で、現在は首都サンティアゴに次ぐチリ第二の都会として国会も置かれている。海と丘陵に挟まれた市街地の面積は狭いが、スペイン時代のコロニアル調の由緒《ゆいしょ》ある建造物が数多く残り、ユネスコの世界遺産にも登録されている。

要蔵らの落ち着き先がバルパライソだとしたら、彼らは何ゆえメキシコからこの地をめざしたのだろう。バルパライソへ行けば一攫千金《いっかくせんきん》の夢が叶《かな》えられるとか、日本へ向かう船便が頻繁にあるとか、誰かに吹き込まれたのかも知れない。

彼らは現地で家庭をもったとしている。彼らに帰国した形跡はないから、おそらくそのままかの地で人生を終えたとみられるが、何を生業としていたのだろう。参考までに三人とほぼ同じ頃、隣国ペルーに暮らした同じく漂流民たちの生き方をみてみよう。

彼らは尾張（現愛知県）知多半島の水夫《かこ》四人で、栄寿丸と同じように紀州沖で船が難破し、太平洋を漂流中に外国船に救助されたのち、天保一三年、ペルーのカヤオ港に連れて来られた。カヤオは太平洋に面した首都リマの外港である。

四人のうち長吉なる者は日本を離れて約二〇年後の万延元（一八六〇）年頃、ペルーを離れて一人、清《しん》（現中国）へ向かったが、残りの十作、亀吉、伊助は帰国せず、この国の土となった。十作は明治三（一八七〇）年頃に死亡したとされ、亀吉は仕立屋として生計を立て、明治八（一八七五）年には子供が四人いたという。また大工となった伊助は結婚したが、子宝に恵まれなかった。伊助は明治一〇（一八七七）年、リマから郷里の愛知県知多半島の村へ手紙を出している。この時伊助は六八歳だった（『日本人漂流記』川合彦充）。彼らはそれぞれ腕に技術をもつ職人として家族を養い、ペルーの地で生涯を閉じたのである。

チリ政府の実施した国勢調査で、日本人の在住者が最初に確認されるのは、一八七五年であり、そこには二人のハポネス（日本人）の記録が残っている。二人の名前、年齢、職業などは不明だが、いずれも男性で、このうち一人はコキンボという港町、もう一人はタルカという内陸の町に住んでいた。二つの町はともにチリ中央部にあり、バルパライソをはさんで北にコキンボ、南にタルカが位置する。

時代が江戸から明治に移ってまもない頃、この国に住み着いていたハポネスとは一体どんな人物だったのか。当時ごく一部の知識階級を除けば、ほとんどの日本人はチリなどという国を知らなかった。この頃の海外渡航者と言えば、官吏、軍人、留学生らのエリートか、異国回りの旅芸人ぐらいなものだったが、当時の日本人の目はすべて欧米に向けられていた。

日本がチリと国交を樹立するのは明治三〇（一八九七）年だから、当時は緊急に解決すべき問題などあるはずもなく、若者が留学するほど進んで吸収すべき知識や技術もこの国にはなかった。旅芸人をもてはやすのも専《もっぱ》ら欧米の人々だったし、軍事交流にしても日本海軍の「竜驤《りゅうじょう》」が遠洋練習航海の途中、バルパライソへ寄港するのは明治一六（一八八三）年であり、この国から軍艦を購入するのもずっと後年のことである。そんな時代だから、高い船賃を払い、数十日かけて地球の裏側の国へわざわざ出向く日本人がいたとは考えにくい。

とすれば、最初の人口調査にあるハポネスとは明治になってから自分の意思でやって来た者ではなく、それ以前から住んでいた者と考えるのが自然だろう。明治八年以前からチリに住んでいるハポネスとは外国船に救助された漂流民か、北米大陸からの転住者ということになる。

人口調査は栄寿丸の要蔵ら三人がバルパライソに上陸したとされる年から約三〇年後に実施されており、彼らが健在だとすれば、六〇歳前後になっている。同時期に隣国ペルーで暮らす亀吉、伊助らも六〇歳を超えて生存していたことを考えれば、人口調査のハポネスが栄寿丸の要蔵、岩松、勘次郎のうちの二人でないとする理由はない。

バルパライソの位置するチリ中央部は気候も温暖で四季もはっきりしている。食べ物も味噌《みそ》、醤油《しょうゆ》こそないものの、魚や肉はもちろん、米や日本人の口に合う大根、葱《ねぎ》、ジャガイモ、インゲン豆などの野菜、果物も手に入ったから慣れれば住みやすかったはずである。

もし人口調査に現れた二人のハポネスが要蔵たちだったとすれば、バルパライソ上陸後、しばらくして一人が病気で死亡したか、あるいは何かの事情でこの国を離れ、残された二人はいつの時期にか、家族とともにコキンボやタルカの町へ移って暮らしたことになる。

もっとも要蔵ら以外で、早い時期にチリへ渡航した日本人については諸説ある。日本とチリの国交締結一〇〇年を記念して編まれた『日本チリ交流史』（日本チリ交流史編集委員会）によると、一八五六（安政三）年、日本がイギリスから購入した軍艦をマゼラン海峡経由で回航した際、同乗してきた日本人二人がチリの土を踏んだとあり、続いて一八七五年、サンティアゴの国際展に日本からの参加者があったとしている。

一方、チリ側の記録によると、一八六七（慶応三）年、商業航路を求めて一隻《せき》の日本船がプンタ・アレナスに到着したとある。プンタ・アレナスとはチリ南端のパタゴニア地方の港町である。どんな船で、誰が乗り組み、どんなルートで来航したのか詳しいことは不明であるが、夏は短く年中冷たい強風に吹きさらされている地に、その頃商業航路を求めて、わざわざ寄港する必要があったのかどうか疑わしい。

しかしこれら早い時期にチリへ渡航したとされる日本人はいずれも、その渡航目的からして一時の滞在者であって居住者ではなかったとみてよい。

その後、この国の日本人居住者は確実に増えていく。一八八五（明治一八）年の人口調査では五一人、一八九五（明治二八）年には二〇人と減少するものの、一九〇三（明治三六）年に一二六人、さらに一九〇七（明治四〇）年には二〇九人に達している。チリはペルー、ブラジル、アルゼンチンなど農業移民を積極的に受け入れた周辺国とは異なり、組織的に外国人を受け入れたことはなく、日本人の場合もすべて個人の意思による自由移民であった。

なぜこれほどチリへ渡る日本人が増えたのか。『アメリカ大陸日系人百科事典』でチリの章を担当したアリエル・タケダによると、日本人による初期のチリへの移住は夢と希望を追い求める少数の者たちによって自発的に行われたものだとし、二つの理由を挙げている。

一つはチリが鉱物資源争奪をめぐり、隣国ペルー、ボリビアを相手に繰り広げた南米太平洋戦争、いわゆる「硝石戦争」（一八七九～八三年）に勝利したことにより、国際的地位が上がり、経済も活性化して予想外の好景気に恵まれたこと。二つは明治三八（一九〇五）年、東洋汽船の南米定期航路の開設によって、チリの情報が日本に多く伝えられ、この国へ渡って成功した日本人の話が広く喧伝《けんでん》されるようになったためだとしている。

こうした最中、チリの内戦に首を突っ込んだ風変わりな日本人がいる。石橋禹三郎《うさぶろう》という長崎県平戸出身の若者である。禹三郎は二〇歳の時、アメリカへ渡ったが、現地の商業学校に学んでいた明治二四（一八九一）年、チリで硝石開発の権益問題をめぐり、国を二分する内乱が勃発《ぼっぱつ》する。この時、アメリカは鎮圧のための義勇兵団を募集し、これに応じて禹三郎は、はるばるチリへと赴いたのである。彼は海兵隊の一兵卒として戦い、七カ月後に勇躍サンフランシスコへ凱旋《がいせん》したという。

当時チリは空前の硝石ブームに沸いており、アメリカがチリに介入したのも豊富な鉱物資源の利権確保と無縁ではあるまい。一八三〇年代から始まった硝石や銅の開発は年を追うごとに産出量が増え、採掘する労働者を国内だけで確保するのが困難になった。日本からも明治三六（一九〇三）年、一〇〇人を超える契約坑夫がチリへ渡っている。さらに隣国ペルーへ出稼ぎとして渡った日本人の中には契約終了後に、活況を呈していた硝石産業に目をつけ、国境を越えて転住して来る者も少なくなかった。

もう一人ユニークな日本人がいる。その名を太田長三という。明治四〇（一九〇七）年、東京高商（現一橋大学）を卒業した太田は数多《あまた》の誘いに目もくれず、当時南米航路を開設して二年目の東洋汽船という新興の海運会社に入社する。太田は学生時代、国際絵葉書交換サークルを通じて知り合ったチリの女性と文通していた。

彼女と絵葉書や手紙の交換を重ねていくうちに太田のチリへの関心は高まり、現地駐在という条件付きで東洋汽船に職を求めたのである。金の卵の「高商」出身者が欧米ではなく、わざわざ南米勤務を志願したとあって、会社側も彼の希望を受け入れ、バルパライソへ派遣する。

太田はそれまで送られてきた手紙の文面から、相手がそれなりの教育を受けた女性と想像していたが、実際会ってみると彼女はまさしく深窓の令嬢、この国の上院議員の娘であった。やがて二人に恋が芽生え、結婚。最初の絵葉書のやりとりから数えて一二年後のことであった。

その後、東洋汽船は日本郵船に吸収合併されるが、太田は引き続きチリ在勤を希望し、バルパライソ支店長などを務めたあと退職、晩年は農場を経営した。夫妻に子はなく、生涯愛するエスポーサ（妻）と二人で、かの地に暮らした太田、太平洋を挟んだラブロマンスは日本とチリの架け橋として今も現地の人々に語り継がれている。

自分の意思でチリに渡り、刻苦勉励の末、成功した日本人がいる。石川県小松市出身の千田平助である。彼は晩年、チリへ渡航した当時を回顧して次のように語っている。

「わたしが初めて智利《チリ》に参りましたのは、明治四三年の三月でした。おちつきましたのはバルパライソ港でありますが、その頃の在留邦人としては、海軍兵学校の柔道の先生二人、実業練習生一人、屏風《びょうぶ》の職人一人位のものでした」（雑誌「海外」昭和六年八月号）

ここで言う海軍兵学校とは日本のではなくチリのことである。この国には昔から尚武の気風があり、海軍兵学校でわが柔道が正規科目となっていた。当時日本から柔道の教師が招聘《しょうへい》されていたのだろう。

千田は対日感情も悪《あ》しからず、日本人も多くない土地で一旗揚げようと考えた。当時のチリはドイツ人を筆頭に欧州からの移住者が圧倒的に多く、日本製品の販売も中国人の手に牛耳られていた。千田は日本人のつけ入るビジネスチャンス大いにあり、と判断して渡航したと思われる。

千田は明治四三（一九一〇）年、東洋汽船で横浜から大量の雑貨類とともに単身で出発した。当時航路の終点であるバルパライソまでは一カ月半ほど要した。本人はスペイン語も解せず、身を寄せるあてもなかったと言っているが、英語の素養はあったようだ。

ところが上陸にあたって早速トラブルに直面する。持ち込んだ荷物の関税を払う金さえ持ち合わせていなかったからで、やむなく税関職員に荷物を担保として税金を肩代わりしてもらう始末だった。千田は到着したその日から、昼間はバルパライソ港に停泊中の英語の通じる船へ売りに行き、これが終わると休む間もなく山の手の英国人居留地へ行商に回るなどして、こつこつ働き、やっとのことで借金を返済した。

これを機に千田の商売は波に乗り、日本から息子や縁者を呼び寄せるなどして小売業から貿易業、農園経営へと事業を拡大していく。チリへ渡って八年後の大正七（一九一八）年、平助を社主とする千田商会（カーサ・ハポネサ）は本店をバルパライソに置き、サンティアゴなどに三支店を有し、従業員は日本人一七名、外国人九名を抱えるまでになる。そして日本雑貨の輸入販売による年間売上高は当時の現地貨で八〇

「サンチアゴから西北の太平洋岸にバルパライソと言って、我が東洋汽船の南米航路の終点に成って居る港がある。此処《ここ》に一人異数の成功を遂げた立志伝中の老人が居る。姓は千田とばかりで、名は知ら無いが、今から十四五年前に裸一貫で流れて来て、バルパライソを根拠に、日本の雑貨品を、風呂敷《ふろしき》で背負っては名にし負うアンデスの峻《しゅん》路《ろ》険路を縦横無尽に飛び回って貯《た》め込んだ」（『南米と中米の日本人』山岡光太郎）

　チリを訪れる者は誰もが千田の発展ぶりに目を見張った。

万ペソに達した（『海外日本実業者の調査』外務省通商局編）。

　しかし千田のように努力と才覚で成功したチリの日本人はほんの一握りに過ぎず、大半は硝石採掘坑夫として小金を貯めたあと都会に出て、洗濯店、理髪店、雑貨店などを開いたり、地方へ散って農業や花卉《かき》栽培を営む者たちであった。

第一二話　ミャンマー／ヤンゴン

王国の警備隊長を務めたキリシタン武士

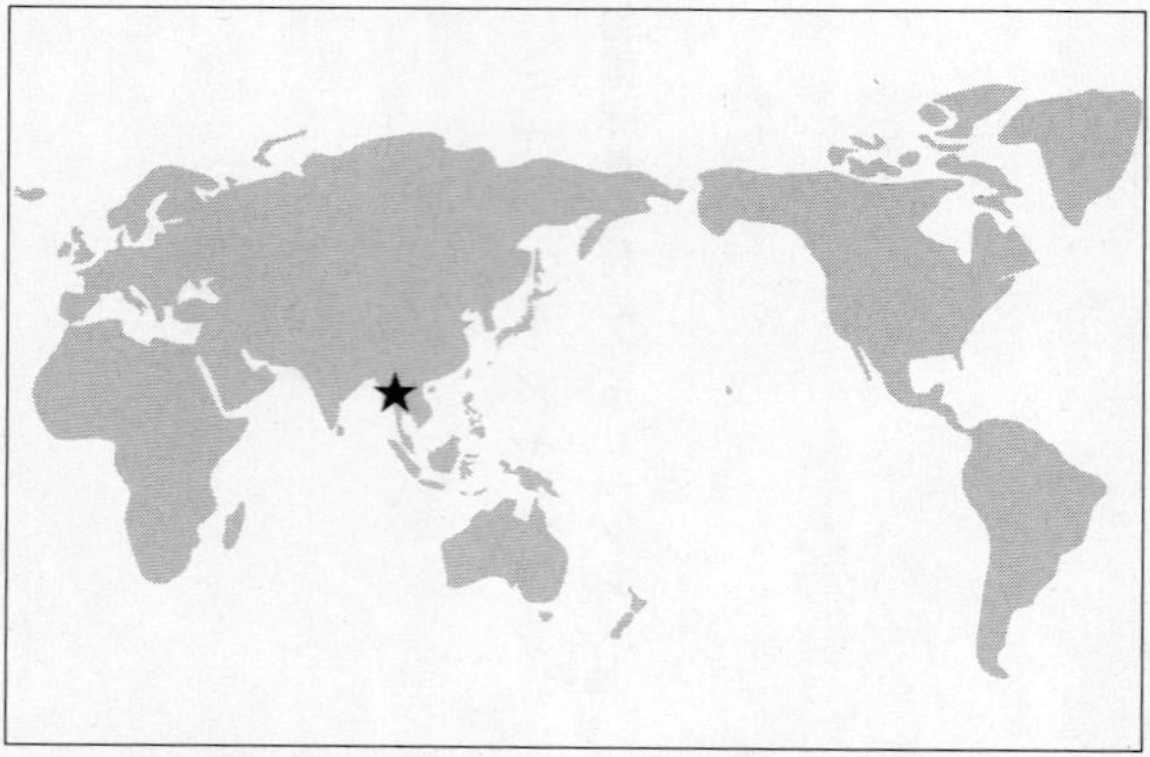

現在：日本からの空路直行便はない。周辺主要都市からの乗り継ぎになる。バンコク経由だと日本から約10時間。

二〇〇七（平成一九）年秋、ミャンマー（旧ビルマ）で、また大規模な反政府運動が火を噴いた。日頃から強権的な政府に対し、不満や不信感を抱く国民が燃料費値上げを機に立ち上がったのだ。だが今回も治安部隊が市民や僧侶《そうりょ》を多数拘束したうえ、群衆に向けて無差別に発砲するなど力で封じ込んだ。発砲により、日本人カメラマンを含め、かなりの犠牲者が出たはずだが、発表された死傷者数は極めて少なかった。性懲《しょうこ》りもなく国民への弾圧を繰り返す軍政トップに国際社会は厳しい批判を浴びせた。

筆者が昭和五二（一九七七）年、当時の首都ラングーン（現ヤンゴン）を訪れた時も、この国はやはり軍事政権下にあった。独裁者ネ・ウィン将軍率いる時の政府は外国に頼らず、自助自立を基本とするビルマ式社会主義なるものを標榜《ひょうぼう》し、半鎖国政策を採っていたため、経済は停滞し、破綻《はたん》寸前にあった。

最近でこそヤンゴン市内にも高層ビルが建ち、交通渋滞もみられるようになったと聞くが、当時は鬱蒼《うっそう》としたインド菩提樹《ぼだいじゅ》の下にイギリス植民地時代の古ぼけた石造りの建物が点在し、特に夜などは明かりが乏しく、町全体が壮大な闇《やみ》の中に沈んでいた。

通りを走るバスはどれも老朽化しており、しかも定員無視で客を乗せるものだから、車体は傾きスピードも出ない。昼なお薄暗い商店は活気がなく、手持ち無沙汰《ぶさた》の若者が中心部のインド映画館に群がっていた。

一方、市内にあるパゴダ（仏塔）へ足を運ぶと、そこはまるで時が止まったかのように、ゆったりと祈りを捧《ささ》げる善男善女で溢《あふ》れていた。祈りの場はまた市民の憩《いこ》いの場でもあった。人々はまるで近所へ買い物にでも出かけるような気安さでパゴダへ足を運び、何時間でも仏と向き合う。そして彼らがわれわれに見せる微笑《ほほえ》みと控えめな態度はまさに「仏の国」へ来たことを強く感じさせるものだった。人々は貧なれど卑《いや》しくなく、貧をまた恥じる風もなかった。

「私たちビルマ戦場経験者は、みんな私たちのいうビルメロ（ビルマ・メロメロ）、つまり無条件的なビルマ賛美者である」と、公言して憚《はばか》らなかったのは故・会田雄次《あいだゆうじ》京大教授である。若き日をビルマ戦線で過ごした教授は昭和四九（一九七四）年春、二六年ぶりにビルマ再訪の機会を得る。長く待ち望んでいた訪問であった。教授をビルメロにさせたのは、慎み深く慈愛に満ちたビルマ人の国民性に惹《ひ》かれてのことである。ビルマはトルコとともに世界で最も親日度の高い国の一つといわれてきた。

日本人がこの国へ初めて入ったのは江戸時代初頭とみられる。一六世紀末から東南アジア各地へは朱印船貿易の商人や戦乱で仕官先を失った武士、キリシタンなどが続々と渡っているが、ビルマへは当時ポルトガルの植民地だったマラッカ（マレーシア）を経て入ってきた者たちが最初で、その時期は元和《げんな》四（一六一八）年頃とされる。

それらの日本人がどんな人物だったのかは明らかでないが、四年前の慶長一九（一六一四）年に、徳川幕府は国内のキリシタンを多数マカオ（ポルトガル領＝現中国）やマニラ（スペイン領＝現フィリピン）へ追放しており、その一部がビルマへと流れたことは十分考えられる。

かつてビルマ大使を務めた鈴木孝は在任中、初期の日本人渡航者について精力的に調査を行い、新しい史実を発掘している。その一つが、かつてこの国の西北部を支配していたアラカン王国に暮らした日本人の存在である。元大使はラングーン大学（現ヤンゴン大学）に所蔵されていたポルトガル人司祭セバスチャン・マンリーケの『東南アジア旅行記』（英訳版）という書物から江戸時代初期、この国に居住した日本人がいたことを探り出した。

それによると、アラカン王国に居住したのは国王の警護を務めていたキリシタン武士団である。マンリーケは当時、アラカン王国の西南部、現在のバングラディシュ東部にあったポルトガル人居住地ディアンガの教区長だった。当時アラカン国王は周辺海域に出没するポルトガル人海賊に頭を痛めており、ついにディアンガ征討の決意を固める。

ところが、その動きを知ったマンリーケはディアンガ攻略をアラカン国王に何とか思いとどまらせようと、先手を打ち、自ら和睦《わぼく》を求めに王国の首都ムラウーへ赴いた。マンリーケを出迎えたアラカン王の家臣たちも、いきなり手荒なことはせず、礼儀をわきまえた態度で彼に接した。

時は一六三〇（寛永七）年、マンリーケらの応対に現れたのが、王国で護衛隊長を務めるドン・レオン・ドノと名乗る日本人であった。

「土手の向こうから歓迎の鉄砲を撃ち鳴らしながら着飾った日本人の一団が現れた。そしてわたしに向かって恭《うやうや》しく平伏した。するとその中の一人が舟に上がって来て、わたしの足もとに接吻《せっぷん》した」（『ビルマという国』鈴木孝）

このドン・レオン・ドノなる日本人は、時のアラカン国王チリツダンマから厚い信頼を受けており、少なくとも当地に七年以上滞在しているようだった。レオン・ドノは国王との面会を求めるマンリーケに対して、自分たちは日本人で、すべてキリスト教徒であると明言し、国王に拝謁《はいえつ》する際に、是非とも日本人町に教会の設立許可が得られるよう口添えしてほしいと依頼した。

当時ムラウーには日本人町があり、多数の日本人が居住していた。レオン・ドノの本名、素姓、彼に率いられた日本人の総数、さらに彼らがアラカン地方に現れた経緯などについて、マンリーケは詳しくふれていないが、レオン・ドノがきわめて礼儀正しく、敬虔《けいけん》で熱意に溢れ、頼もしきキリスト信徒であったと、好意的に記している。

こうしたことから元大使はレオン・ドノなる人物について次のように推測した。

「レオン・ドノの『レオン』というのは明らかにカトリックの洗礼名であり、『ドノ』は、日本語の敬称の『殿』ではなかったかと思われるが、日本名は全く不明である。しかしその折り目正しさ、名誉を重んずる人物であったこと、かつ武力を必要とする国王の護衛隊長であったことからみて、武士であったことは疑いない」

マンリーケがこれら武士団と出会ったとされる一六三〇年頃の日本と言えば、幕府がキリスト教を全面的に禁制としてから一七年が経過し、隠れ信者の摘発など一段と弾圧を強めていた。レオン・ドノたちもマニラへ追放されたキリシタン大名の高山右近らと同じように国外へ脱出したあと、アラカンの地へ移り住んだものとみられる。

しかしマンリーケがこれら日本人たちに会ってから三十数年後、この地を訪れたオランダ人旅行者の記録にはアラカンの日本人町について何もふれられていない。日本人のキリシタン武士団を重用した国王のチリツダンマは一六三八年、政争により殺害され、彼につながる親族もまた全員抹殺されたというから、この時日本人たちも粛清され、町が焼き払われた可能性は十分ある。

ビルマにはこのあと、別の日本人グループが東北部のケントン地方に居住したことが明らかになっている。彼らは山田長政に率いられた武士団の残党六二人とされる。ケントン地方は中国、ラオス、タイと国境を接し、いわゆるゴールデントライアングル（黄金の三角地帯）と呼ばれる山岳地帯にある。近年ケシの密栽培や密貿易が盛んに行われており、ミャンマー政府も神経を尖《とが》らせている地域である。

山田長政は天正一八（一五九〇）年に生まれ、長じて沼津（静岡県）藩主大久保家の駕籠《かご》かきをしていたが、しきりに海外へ飛び出したいと思うようになり、やがて脱藩して慶長一五（一六一〇）年頃、シャム（現タイ）へ渡った。当時シャム王国の首都アユタヤには一〇〇〇人以上の日本人が居住し、日本人の首領オープラ純広なる者が日本人町を治めていた。

純広の後を継いだ長政は、たちまち時の国王の信任を得て高い官位を授けられる。彼は国王を補佐する一方、アユタヤの日本人町の長として外国との貿易を手掛けるなど活躍していたが、やがて国王が没すると、王国内部の政争に巻き込まれ、アユタヤを追われる。日本人町は焼き払われ、日本人たちはメナム川を船で逃走するが、シャム軍の追撃を受け、多数の死傷者を出した。この時、一部の日本人はカンボジアへ逃れたといわれる。長政も中央政府からタイ南部の大守に追放されたあと、政敵により毒殺され、その時期は一六三〇年頃とみられる。

しかしこの混乱時に長政の本隊から離れ、ビルマへ逃れた日本人グループが存在したと、鈴木元大使は指摘する。彼はビルマ在勤中、これらの日本人の末裔《まつえい》と自称するゴン・シャン族の家族と面会し、彼らの口から直接次のような話を聞いている。

「わたしどもの先祖からの言い伝えによると、タイのアユタヤ王国時代に日本の武士六二人がシャム人に嫌われたとかで、メナム河を北に遡《さかのぼ》り、わたしども先祖の領内に逃げて来たので、先祖たちはかれらをかくまいました」（『ビルマという国』）

「ジップン」と呼ばれた日本の武士団は、一人のリーダーに率いられて太平洋のある島からシャムへ渡って来たと語り、ゴン・シャン族も彼らが立派な人物だったので、いつの間にか、彼らの習慣を真似《まね》るようになった。日本人から学んだものとしては、長髪をやめてイガグリ頭にしたこと、衣服は衿《えり》を左前に合わせて着ること、食事は指でなく箸《はし》を使うこと、女は男をさしおいて出しゃばらないことなどであった。

日本人はいずれも独身者ばかりで、やがてゴン・シャン族の娘と結婚し、以後ケントン地方に暮らしたという。ゴン・シャン族の言い伝えにある一人のリーダーとは山田長政で、太平洋のある島とは長政が日本を飛び出してシャムに来る前に立ち寄ったとされる台湾とみてよい。

ケントンに住んだ日本人については異説もある。

「一七〇〇年頃、タイのアユタヤから罪人として追放された三二人の日本人がケントンで獄中生活を過ごしていた。のちに彼らは釈放されてケントンのために武勲をたてた。これが認められて日本人の首領が土侯の跡目を継ぐことになった。この日本人の子孫はクン族と呼ばれ、日本式の生活様式を今に伝えているという」（『海外交流史事典』富田仁編）

元大使の話とは重なる部分もあるが、年代にして六、七〇年、人数も三〇人ほど異なる。人数は別としてもアユタヤの日本人町が焼き払われ、山田長政が毒殺された時期が一六三〇年頃だとすると、一七〇〇年頃、ケントンの獄に日本人が繫《つな》がれていたとする説は時間が離れ過ぎているように思える。

だが戦乱後、しばらくしてアユタヤには再び日本人の居住が許され、長政時代よりずっと小規模ながら日本人町も再興されたといわれる。ケントンに入った日本人とは、果たしてどの時期をさすのだろうか。
ともあれ日本人の武士団がケントン地方に居住していたことは確かなようである。前出の会田教授が「世界でも日本人に最もよく似た風貌《ふうぼう》と同質の性格を持つ」と指摘したビルマ人の中に、サムライの血をひく子孫たちがいても不思議はない。

徳川幕府が鎖国体制を確立してから、この国へ渡ったとされる日本人の記録はしばらくない。一方ビルマも隣国シャム（現タイ）との戦いに明け暮れ、国内では部族間の覇権争いが激化するなど混乱が続き、そこへイギリスの介入を招く。まさに内憂外患という長い時代を経て、結局ビルマはイギリスと三度にわたる戦争の末、屈服し植民地となる。

鎖国が解かれてから最初にこの国へ入った日本人は、あの「からゆきさん」である。明治一四（一八八一）年には既に一〇人の日本人がビルマにおり、このうち六人が女性であった。同二四（一八九一）年には六九人（うち女性が四九人）、さらに同三四（一九〇一）年には一一四人（うち女性は八六人）と、常に女の数が男を上回っている。女性のほとんどは「からゆきさん」で、男の大半は彼女らを監督する者たちだったとみてよい。

彼女たちの中には日本から直接ビルマをめざした者もいれば、当時東南アジアにおける「からゆきさん」の最大拠点だったシンガポールからの「転戦組」もいただろう。シンガポールと言えば、明治の半ば、時の領事藤田敏郎は「（当地の）在留邦人は約一〇〇〇人おり、このうち九〇〇人が女性で、さらにその九割九分は醜業婦（娼婦《しょうふ》）である」と述べている。

彼女らがどんなルートでビルマへ入ったにせよ、その種の商売が現地では未開拓で、今後大いに発展の可能性ありと見込んだ売春宿の経営者が、女衒《ぜげん》と呼ばれた周旋人を通して女性をかき集めたのである。

筆者はラングーン滞在中、当時市内に二つあった日本人墓地のうちの一つを訪ねたが、そこには明治、大正時代に現地で死亡した女性の墓石が目についた。七〇基あまりある墓標のうち、大半が一〇代や二〇代の若い女性のもので、刻まれた彼女らの出身地を見ると、そのほとんどが熊本県天草や長崎県島原など九州西部地方に集中していた。

娘たちは「母《か》っちゃま、外国で稼いで、米んば食わせて上げ申そわなん」（『天草海外発展史』北野典夫）と、家族に楽な暮らしをさせたい一心で、娼婦となり、日本を飛び出して行った。

山崎朋子の『サンダカン八番娼館』には、天草出身のおサキという元「からゆきさん」が晩年、ビルマへ渡った親類縁者について回想するシーンが随所に登場する。

「トーイチの姉におトクというのがおっての、村の者《もん》は『おトンジョ、おトンジョ』と呼んどったが、そのおトンジョがビルマのラングーンでお女郎屋《じょろや》を開いておったと……」

「ヨシ姉《あね》がはじめて行ったとはラングーンじゃが……」

「お父《と》っさんの一番上の兄《あぼ》さんの娘にハルという子がおっての——そのハルがラングーンへ二十年行っとるし……」

「二度めの御亭主の正田カイキチはラングーンの女郎屋の番頭で……」

天草出身の娼婦が進出したのはラングーンばかりではなかった。明治四五（一九一二）年、内陸部にある第二の都市マンダレーを訪れた農業技師の川上滝弥は、この地に山田商店という京都出身者が営む雑貨店のほか、日本人の営む売春宿があるのを目撃している。

「日本人二戸あるも共に正業と見るべからざるものなり、なにがし楼《ろう》とでも云《い》う可《べ》き家に立ち寄る。主婦は天草の産、海外に活動すること十余年、此《この》種の社会には珍しき程、風采《ふうさい》も賤《いや》しからぬ婦人にて……」（『椰子《やし》の葉蔭《はかげ》』川上滝弥）

当時天草女性からすれば、ラングーンもマンダレーも大差なく、ごく身近な海外の出稼ぎ先の一つに過ぎなかったのである。

明治三八（一九〇五）年、ビルマへ渡った福岡県出身の福島弘がまず驚いたのも「からゆきさん」の多さだった。

福島はのちにビルマの成功者と称される実業家で、二〇歳の時、叔父に連れられラングーンへ向かった。叔父はその時既にラングーンで働いており、一時帰国した際に甥《おい》の弘を伴って再渡航したのである。

福島は入国した当時のビルマの状況について、全土で正業に就いている日本人はわずか七、八人しかいなかったが、娘子軍《じょうしぐん》は約四〇〇〇人にも達していたと語っている。その数に誇張があるにせよ、まともな仕事に従事している日本人がほとんどいなかったということになる。その後、叔父は事情により帰国したが、福島は一人ビルマの地に踏みとどまり、以後三〇年の長きにわたって商売に励んだ。

ラングーンに着くと、福島は叔父の紹介により、まず中国人商店で働くが、現地語習得の必要性を感じ、仏教寺院に移り住んで言葉とビルマ社会について学ぶ。その後、寺を出て今度はインド人経営の雑貨店バーマ（ビルマ）日本商会に入り、本格的に働く。

福島はここでよく辛抱し、商売のコツを身につけた。彼がビルマへ渡って五年の月日が流れた。二五歳になった福島はインド人経営者から店の譲渡を打診され、ここぞチャンスとばかり店を引き継いだ。彼の成功者へのステップはここから始まった。貿易業とともにラングーン市内でデパートを開業して蓄財し、さらにゴム園、真珠の養殖、椰子の栽培など事業を拡大していった。何を手掛けても当たり、福島は絶頂期を迎える。大正五（一九一六）年、ビルマへ渡って一〇年余の歳月が過ぎた。この年彼は日本へ戻り、女子医専を卒業したばかりの女性と結婚、新妻を伴って再びビルマへ戻った。

新婦は正式な医師免許をもつ日本人最初のビルマ在住医師であり、しかも女医であったため評判を呼び、夫の福島も病院で使う車を真っ赤に塗るなど話題づくりに努めた。その結果、女医と赤い車の福島病院はラングーンの町で知らぬ者がいないほど有名となり、患者が門前市をなすほど繁盛《はんじょう》した。まさに夫婦ともに順風満帆、さらなる財産を蓄えることができた。

昭和元（一九二六）年一二月、外務省が各在外公館を通じて調査した『在外本邦実業者調』に、福島の経営する「華南商事」も掲載されている。それによると、この会社の営業科目は農業と海運で、この年の売上高は現地貨で五〇万ルピー、従業員は日本人二名、現地人一〇〇名となっている。現地人とはゴム園や椰子畑に雇われていた者たちであろう。このほか福島は地方でコンニャク芋の栽培も手掛けている。

こうして福島はビルマ在住日本人の中で、押しも押されもせぬ成功者として盛名を博し、当地を訪れる日本人は誰もが彼を頼り、彼もまた親切に面倒をみた。前出の農業技師川上滝弥もラングーン滞在中に正月を迎え、福島宅で風呂《ふろ》に入り、雑煮をふるまわれている。福島のビルマ暮らしは通算三〇年におよんだ。

一方、時が経過するにつれ、日本政府は「からゆきさん」を近代日本の恥部として大正九（一九二〇）年、海外廃娼令を発布、ようやく正業がとって代わるようになる。三井物産や日本綿花（のちのニチメン）、横浜正金銀行（旧東京銀行）など貿易、金融業が支店や出張所を置いたほか、地方の町にも精米所や綿花の紡績工場が建てられた。イギリスも正業の日本人には特に厳しい入国制限をしなかったから、福島夫妻のような貿易商や医師のほか、雑貨商、写真屋、旅館、料理店、大工など一旗揚げようとする渡航者が後を絶たなかった。

昭和七（一九三二）年七月発行の雑誌「海外」に、今後ビルマで日本人にとって有望な職業とは医師、歯科医師、靴修理、理髪店、写真屋、雑貨行商の六つであると帰国者が書き、同胞の渡航を促している。

しかし日本人がいかに頑張ろうと、ビルマ経済を実質的に牛耳っていたのは、地理的にも民族的にもこの国と近いインドや中国の商人たちであり、在留日本人は戦前の最盛時でも六、七〇〇人程度にとどまった。

そして第二次大戦の勃発《ぼっぱつ》、ビルマは稀《まれ》にみる大激戦地となり、多くの日本人将兵が命を落としたのはよく知られるところである。

第一三話　イギリス／ロンドン

ロンドン見物最初の日本人は尾張の水夫《かこ》

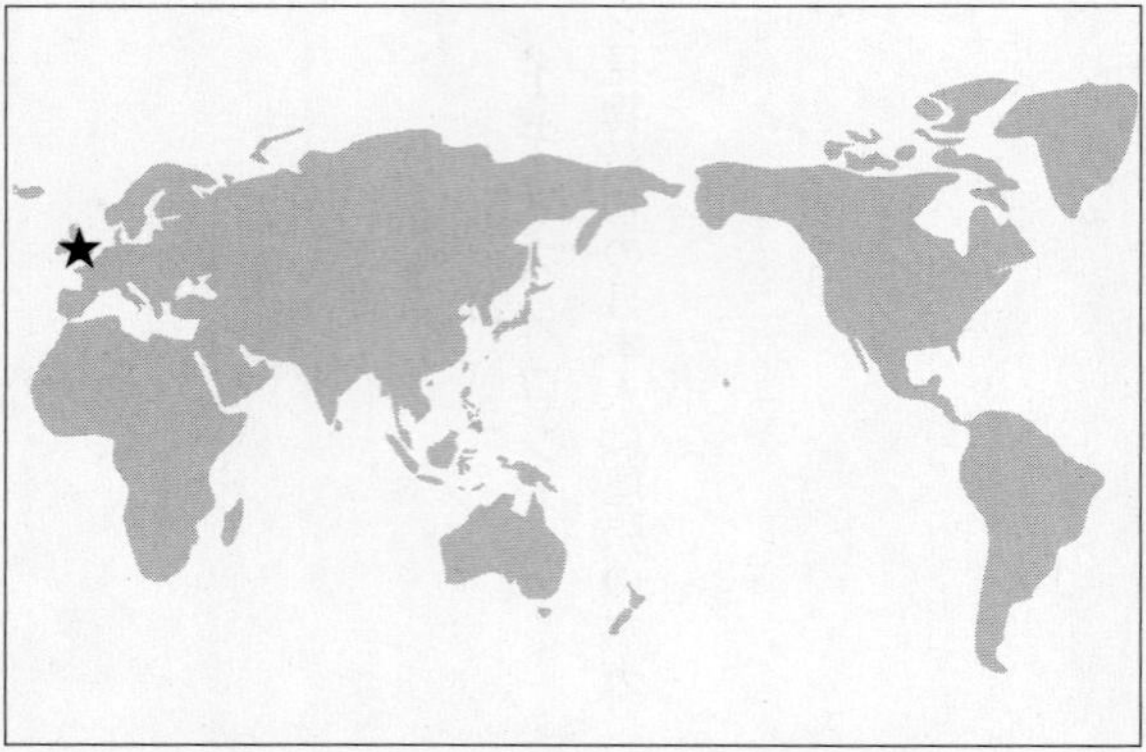

現在：日本からロンドンまで、空路直行便で約12時間。

自分の意思ではなく海外へ渡った日本人について、本書では対象外にしているが、今より一七〇年前の鎖国体制下に大英帝国の都ロンドンへ立ち寄り、たった一日だけ市内見物を楽しんだ者がいたと知り、例外的に取り上げることにした。日本人として初めてロンドンの町を歩いたとされる彼らは一体、どんな経緯でイギリスへ向かい、わずか一日のロンドン見物で何を見、何を感じたのだろうか。

ロンドンに上陸した最初の日本人は乗っていた船が難破して異国の地に流れ着いた、いわゆる漂流民三人であった。つまり彼らは望んでこの国へ来たわけではない。三人は尾張国（現愛知県）知多郡小野浦の水夫、岩吉（当時三〇歳）、久吉（当時一七歳）、それに音吉（当時一六歳）だった。

天保《てんぽう》三（一八三二）年一一月、岩吉ら一四人の乗り込んだ宝順丸（一五〇トン）は尾張藩の年貢米《ねんぐまい》を積んで志摩国（現三重県）鳥羽《とば》から江戸へ向かっていたところ、海の難所として知られる遠州灘《えんしゅうなだ》で暴風雨に見舞われる。船はたちまち舵《かじ》が破壊され、帆柱が折れて航行不能となり、海流のままに太平洋上を東へ東へと流されていった。

幸い米は十分あったから、飯米に不自由することはなかったが、次第に飲料水や生鮮野菜に事欠き、やがて彼らをのぞく一一人は脚気《かっけ》や壊血病に罹《かか》って次々と死んでいった。生命力の強弱が生死を分けるのは古来から漂流者の常である。

漂流すること一年二カ月あまり、宝順丸が着岸したのは太平洋を挟んで対岸の北米大陸西海岸、現在のアメリカ・ワシントン州のフラッタリー岬付近といわれている。彼らは上陸すると、たちまち原住民のアメリカン・インディアンのマカ族に捕らえられ、奴隷《どれい》として酷使される。

ところが半年あまり経《た》った頃、毛皮の交易を行うイギリス・ハドソン湾会社の社員がたまたま漂流日本人のことを知り、金を払って救い出してくれた。これは人道的措置というよりも、イギリス人たちは彼らを故国へ送り届けることが、日本と接触する契機になると判断したからである。以後アメリカやロシアも同じように漂流民の送還を口実に来航し、日本へ開国と通商を迫っている。

三人はイギリス軍艦イーグル号に移され、バンクーバー、ハワイを経て南米最南端のホーン岬を回った。さらに船はアフリカ西岸からイベリア半島沿いに北上し、ヨーロッパの海域に入って行く。この頃になると、岩吉ら三人も多少英語の読み書きができ、船長らと片言の英語による意思の疎通《そつう》も可能になっていた。航海中に暇をみては船長はじめ、乗組員が教えてくれたからである。

次第に行き交う船の数も増え、繁華な地に近づいてきたことを思わせた。船長は彼らに世界で最も強大で文明の進んだ国にまもなく到着すると告げ、それは世界各地に領土をもつイギリスという国であると説明した。

ドーバー海峡からテームズ川の河口に着くと、そこにはこれまで見たことのないほど夥《おびただ》しい数の船が集っており、彼らはまるでマストの林の中に入ったような気がした。イーグル号はここから川を遡《そ》行《こう》し、税関のある埠《ふ》頭《とう》に停泊する。一八三五（天保六）年六月、三人が故郷を出てから三年半の月日が流れていた。

船長はじめ乗組員は長い航海から解放され、喜々として次々と上陸して行ったが、岩吉らは引き続き船内に残るよう命じられた。イギリス政府は彼ら三人の処遇を決定するまで、身柄を拘束したのである。だが出航を前に一日だけロンドン上陸が許された。

「十日間をテームズ河上の船の中で送った。出帆の前に、まる一日を陸上で過ごすことが許され、案内者に伴われて、この偉大な都市を見物して歩くことが出来た」（『英国政府と日本漂流民』奥平武彦）

もっとも岩吉ら三人より以前にも、イギリスへ渡った日本人がいたとする説がある。古くは一六世紀の中頃、日本人の船乗りの中にポルトガルやスペインの船、いわゆる南蛮船に乗り込んで、はるかヨーロッパまで出かけイギリスを訪れた者がいたとされる。また先にメキシコの章でふれたが、一五八七（天正一五）年一一月には、カリフォルニア半島沖でイギリス船がスペインのガレオン船を拿捕《だほ》した際、乗っていた二人の日本人青年を救出し、そのままイギリスまで連れて来たという記録もある。

さらに一六一三（慶長一八）年一二月、イギリス東インド会社の交易船クローブ号が長崎平戸から本国へ帰る際、乗組員の中に一五人の日本人水夫がおり、彼らは喜望峰回りでイギリスに到着したのち南イングランドの港町にしばらく滞在してから帰国したといわれる。

しかしこれら早い時期にイギリスへ渡ったとされる日本人の記録はいずれも外国の文献に残っているもので、彼らの名前や滞在中の詳しい行動などは明らかでない。

このほか一八〇三（享和《きょうわ》三）年八月、ロシアの通商使節レザノフに引率され、日本へ向かった仙台の漂流民津太夫《つだゆう》らを乗せた船が、イギリス南西端のファルマスに寄港している。だがこの時彼らには上陸が許されず、船上より町を眺めるしかなかった。

こうした中でイギリスへ上陸した年月、名前、出身地、渡航経路などが判明しているのは漂流民の岩吉たち三人だけであり、ロンドンに入った最初の日本人とされるゆえんである。

ロンドン上陸の朝、岩吉らは案内人の船長に伴われ、埠頭から乗合船で市内へと向かった。船内の乗客たちは初めて見るチョンマゲ姿の東洋人たちに好奇の視線を注いだ。桟橋で船を降りると、船長は辻《つじ》馬車をつかまえ、市内中心部へと向かった。大英帝国の都ロンドンは彼らにとって見るもの、聞くものが、ただただ珍しく感嘆の声を発し続けた。

重厚な石造りの建物が続く大通りを抜け、最初に向かったのは、つい先ほど彼らが乗合船でくぐったロンドン橋である。日本では木橋しか見たことがなかった三人も、この石橋を人間ばかりでなく馬車も頻繁に往来していることに驚く。ロンドン塔、セントポール寺院、ウェストミンスター寺院など市内の名所を一通り見て回ったが、工場から流れて来る煤煙《ばいえん》にはさすがに海育ちの三人も息が詰まりそうで閉口した。見物のしめくくりに船長がレストランで食事をふるまってくれ、こうして三人のロンドン一日観光はまたたく間に終わった（『音吉少年漂流記』春名徹）。

ところが船に戻り、見物の興奮も覚めやらぬ三人に船長が伝えたのは「一刻も早く日本へ帰国すべし」というイギリス政府の方針であった。三人の経歴を詳しく調べた結果、当地に長く留め置くほど価値ある人物でないと判断されたのである。ロンドン見物は三人に対するイギリス側のせめてものプレゼントだったのかも知れない。

彼らは再び英国船ゼネラル・パーマー号に乗せられ、一八三五年十二月、マカオ（現中国）に到着した。この時のルートは喜望峰からインド洋を経由しており、三人は早い時期にアフリカと南米の二大陸の最南端を回った日本人ということになる。

マカオに着くと、そこには別の日本人漂流民四人がいた。岩吉らは彼らと合流し、アメリカ商船モリソン号に移され江戸をめざした。しかし当時の幕府は彼らを温かく迎えるどころか、異国船打払令により砲弾をもって船を追い払ったのである。天保八（一八三七）年のいわゆる「モリソン号事件」である。以後岩吉たち漂流民には二度と祖国へ帰るチャンスが巡ってくることなく、彼らは生涯を異国で過ごした。

岩吉らがロンドンを去ってから二一年後、次に現れたのも、やはり自分の意思ではなく、運命のいたずらにより、たまたま立ち寄った日本人である。彼は増田甲斎とも橘耕斎とも名乗ったロシアへの密航者で、ロンドン到着は一八五六（安政三）年四月である。

彼については今なお謎《なぞ》の部分も多いが、早い時期に日ロ間の橋渡しをする役割を果たすとともに、わが国最初の日露辞典である『和魯通言比考』を編纂《へんさん》したことから日露交流の先駆者などともいわれる。

甲斎は文政三（一八二〇）年、遠州掛川藩（現静岡県）の藩士の家に生まれた。甲斎と名乗るのは後年のことで、本名は増田粂左衛門《くめざえもん》といった。

彼は掛川藩主の太田資始《すけもと》の近くに仕え、時に特命を帯びて密《ひそ》かに行動する「お部屋番」の一人であった。しかしその後、人を殺《あや》めたり、放蕩三昧《ほうとうざんまい》を繰り返したことにより、藩を追われたといわれるが定かでない。

その甲斎が僧侶《そうりょ》に身をやつし、「順知」と名乗って下田（静岡県）に現れる。安政元（一八五四）年秋のことである。この時、下田にはプチャーチンを全権とするロシア使節団が軍艦ディアナ号で訪れていた。通商開始と大坂、箱館の開港を幕府に要求するためである。

ところが滞在中の一一月四日（陽暦一二月二三日）、伊豆地方に大地震、世に言う安政の大地震が発生する。下田港内に停泊していたディアナ号も激浪に翻弄《ほんろう》された末、竜骨や舵を破壊され、浸水が始まった。幕府は自力航行が不能となったディアナ号を伊豆半島西岸の戸田村《へだむら》で修理させることにしたが、下田から回航する途中、さらに損傷が進み、水没してしまう。このためやむを得ず、日本人の船大工の手で新たな帆船を建造することになり、やがて完成した船には建造地にちなんで戸田号と名付けられた。

こうした混乱期に順知はロシア使節団に接触を図ったのである。使節団の中にゴシケビッチという中国語の通訳がおり、彼は日本語習得の機会を求め、日本人の協力者を探していた。二人はたちまち意気投合し、戸田村へ移ってからゴシケビッチはロシア語を、順知は日本語をそれぞれ教え合った。

しばらくすると、順知はゴシケビッチに「ロシアへ行きたい」という希望を漏らすようになり、ロシア側も受け入れることにした。将来の両国関係を考えると、互いの言語を理解することが不可欠と、ゴシケビッチが順知の本国同伴を上層部に強く訴え、認められる。彼は順知というパートナーを得て進めていた日露辞典の編纂を何としてでも完成させたかったのである。

やがて戸田村に滞在していたロシア人将兵の本国送還が始まり、第一陣は翌年アメリカ船で、さらに第二陣も新たにこの地で建造された戸田号で日本を離れていった。しかしゴシケビッチはなおもとどまった。幕府の役人による順知の探索が厳しさを増す中で、かくまっている日本人をいかに脱国させるか、機会をうかがっていたのである。日本側の役人たちも順知がゴシケビッチ周辺に間違いなく潜《ひそ》んでいるものと狙《ねら》いをつけていた。

ついに順知こと甲斎に脱出の日が来る。戸田に残留していたロシア側の海軍大尉《たいい》が下田に入港していたドイツ船籍の商船グレタ号と交渉し、最後まで残った者の本国移送が決定したからである。戸田の沖合に到着したグレタ号へ浜辺からボートでロシア側の最後の荷物が運び込まれた。幕府役人たちは積み荷の中味やボートに乗り込む人物に厳しい監視の目を注いだ。

ゴシケビッチは思案の末、甲斎を大樽《おおだる》（トランクとも）に隠して運ぶことにした。また別説によれば、ロシア正教で司祭が宗教儀式に使う大きな用具箱の中に隠して移送したともいわれる。宗教の関連用具なら、日本の役人たちも容易に手を出さないだろうという読みがあったからである。

移送手段はともあれ、日本側官憲の目をごまかして甲斎の身柄は無事グレタ号上に移され、船は一八五五（安政二）年六月、カムチャッカ半島のペトロパブロフスクへ向けて日本を離れた。

だが彼らを乗せた船がすんなりとロシアへ向かうことにはならなかった。

戸田を出て一八日目、オホーツク海を北上中のグレタ号はイギリス艦船の臨検を受ける。曳航《えいこう》された近くの港には別の二隻《せき》のイギリス艦が待機しており、甲斎を含めロシア人二八〇人は全員乗り移るよう命じられた。当時クリミア戦争の余波は極東のオホーツク海一帯にまでおよんでおり、イギリスは交戦国ロシアの動向をじっと監視していたのである。黒船来航によって太平の眠りを破られた日本だが、幕府が危機感を抱く以上に周辺海域は既に列強各国の角逐《かくちく》の場と化していたのである。

甲斎らはイギリス艦バラクータ号で箱館を経て長崎へ向かい、さらに香港《ホンコン》で別のスティクス号に移された。この時甲斎らに対し、行き先はイギリスであると初めて告げられた。しかしこの間も甲斎とゴシケビッチの二人は休むことなく日露辞典づくりに励んでいた。

ロンドン到着は戸田を出て約一年後の一八五六（安政三）年四月のことである。

一行はクリミア戦争の終結に伴い、ようやく全員がロンドンで釈放され、甲斎らもただちにペテルブルク（現サンクトペテルブルク）へ向かった。彼のロンドン滞在は短かったが、大英帝国の繁栄ぶりを垣間見《かいまみ》たはずである。

岩吉、久吉、音吉ら片田舎の水夫たちと武士として教育を受けた甲斎、歩んだ道は、それぞれ異なるが、図らずも訪れたロンドンは彼らの目を世界に向かって大きく開かせるに十分な町であったに違いない。

このあとイギリスを訪れるのは幕府がヨーロッパに初めて派遣した竹内下野守《しもつけのかみ》を正使（団長・特命全権公使）とする公式使節団である。一行は最初の訪問国フランスのパリから汽車でカレーへ、一泊したのち船で対岸のドーバーへ渡り、再び汽車でロンドンに入った。一八六二（文久二）年四月のことで、以後四〇日間滞在する。訪問の主目的である開港延期交渉は条件付きながら早々に解決したため、滞在中は開幕したばかりのロンドン万国博覧会をはじめ、専《もっぱ》ら進んだ制度や文物の視察に時間を割いた。

彼らはフランスで既にヨーロッパの先進文明の洗礼を受けていたとは言え、中にはロンドンの町についてこんな印象を漏らす者もいた。

「町方の様子、家作もパレイス（パリ）には不及《およばず》。繁栄は尚更《なおさら》の事、江戸よりは余程劣り可申」（『幕末遣欧使節航海日録』野沢郁太）

ロンドンより花のお江戸の繁華が勝るとは、野沢も大きく出たものである。それでも一行にとってさすが大英帝国の都には見るべきものは多かった。植物園、動物園、博物館、天文台、製鉄工場、武器製造所、造船所などに加え、とりわけ一行の目を奪ったのはテームズ川の河底トンネルである。三〇年前、この町に現れた尾張の漂流民たちはテームズ川に架かる堅固な石橋に目を丸くしたが、使節団員らは川の下を横切るトンネルに驚いた。

「鬼鑿神工《きさくしんこう》、真に驚くべし。燦然《さんぜん》昼の如《ごと》く万燈《まんどう》明かなり、往来の人は長江の底に入り、衣裳《いしょう》を湿さずして自在に行く」（『環海詩誌』杉徳助）

鬼鑿神工とは、まるで神技のような土木技術という意味だろう。また市川清流は「川底に隧道《ずいどう》を穿《うが》ち、橋を架けずして往来す。また一奇道なり」（『尾蝿欧行漫録』）、高島祐啓は「水面ハ舟行ヲ通シ河底ハ人馬ノ往来ヲナス（中略）、往来頗《すこぶ》ル盛ナリ」（『欧西紀行』）とそれぞれ書いた。

ところでイギリスに長く暮らした最初の日本人とは誰であろうか。

それはのちに長州ファイブと呼ばれる長州藩の五人の密航留学生である。幕末の混乱期、長州、薩摩《さつま》など西国の雄藩は表向きは攘夷《じょうい》を唱えつつも、その裏では幕府や他藩に先駆け、有為な若者を文明国へ送り出し、先進知識や技術を学ばせていた。

長州藩では時の藩主毛利敬親《たかちか》が次代を担《にな》う伊藤博文や井上聞多（馨《かおる》）ら五人の若者に対し、「五年間の暇を与えるから、しっかり学んで帰国後は海軍一筋をもって奉公するように」という親書と資金を与え、イギリスへの密航留学を黙許した。これに対して井上は「まず外国の進んだ学問を吸収し、黒船の操縦法に習熟しなければ、真の攘夷は難しい。攘夷を実行しようとすれば、海軍力を盛んにしなければならない」と、その決意を語っている。

一行は文久三（一八六三）年五月一二日に横浜を出発し、上海《シャンハイ》で二隻の船に分かれ、喜望峰回りでロンドンをめざした。五人のうち伊藤と井上が乗り込んだのはペガサス号（三〇〇トン）というイギリス帆船だったが、二人の待遇は船客ではなく、見習い水夫だった。それは、ふとした英語の使い方が原因だった。イギリス人船長から「何を学びに行くのか」と尋ねられた井上はネイビー（海軍）と言うべきところを、ナビゲーション（航海術）と答えたため、それなら実際に体験させてやろうと、見習い水夫扱いにされたのである。

二人は来る日も来る日も甲板掃除などにこき使われ、食事も毎回判で押したようにビスケットと塩漬けの牛肉、それに薄い紅茶と決まっており、苛立《いらだ》ちを募らせていく。ペガサス号は入港税を節約しようと無寄港航海を続けたため、水や食料の補給がなかった。

そんな彼らのもやもやが一挙に吹き飛んだのは、船がドーバー海峡に入った時である。夥《おびただ》しい数の帆船や蒸気船が、色とりどりの国旗を掲げて航行しているさまに度肝を抜かれる。やがて船がテームズ河口から遡行《そこう》するにつれ、両岸に造船所や工場が次々と現れた。その風景は途中に立ち寄った上海などの比ではなく、二人にとって想像を絶する文明国の繁栄ぶりだった。

ペガサス号はゆっくりとロンドンドックに入り、埠頭《ふとう》に着岸したのは九月二三日（陽暦一一月四日）朝である。日本を出てから四カ月あまりが経《た》っていた。二人の驚きはロンドン市内に入って頂点に達する。三層五層の堅牢《けんろう》な建物が軒を並べ、蒸気車に引かれた列車は各方面に通じている。工場の煙突からは絶えまなく黒煙が上り、人々の往来も激しい。その活気に溢《あふ》れた町の様子には、ただただ茫然《ぼうぜん》とするほかなかった。

当時のイギリスは工業、貿易、金融、軍事、教育、どれ一つとっても、まぎれもなく世界の超一等国であり、その首都ロンドンは極東の島国の青年の目にとてつもなく豊かでまばゆいものに映ったに違いない。自分たちが夷狄《いてき》と思っていた国はこれほどまでに進んだ国だったのか、彼らは上陸後、攘夷という考えを一瞬のうちに捨て去った。

長州藩に続き、一八六五（慶応元）年夏には薩摩藩の密航留学生一九人、翌年冬には幕府派遣の留学生一四人が、それぞれスエズ地峡経由で相次ぎロンドン入りしている。彼らは市内にホームステイしながら語学力を磨き、そして多くはロンドン大学ユニバーシティカレッジへ通った。

こうして一時期のロンドンには三〇人からの日本人の若者が暮らし、国内での対立をよそに呉越同舟で学んでいた。

幕府留学生の一人、川路太郎はロンドン入りしてまもないある日、滞在中のホテルに沢井鉄馬と名乗る薩摩藩士の訪問を受ける。沢井とは変名で、本名は森金之丞《きんのじょう》、のちの森有礼《ありのり》のことである。川路はこの日のことについて「万里外に於《お》いて邦人に会遇する其《そ》の歓《よろこ》びは格別のものにて、其の情妙なり」と日記に書いている（『英航日録』川路太郎）。この時、川路二三歳、沢井一九歳、遠い異国で学ぶ若い同胞との出会いは互いに嬉《うれ》しかったようだ。二人は語り合うほどに立場を越え、鎖国や攘夷の無益さと富国強兵に向けた新たな国家体制の必要性を痛感するのであった。そしてこれら若き俊英たちが、やがて到来する新時代の牽引車《けんいんしゃ》となっていくのである。

第一四話　フランス／パリ（その一）

幕末のパリに現れた日本人青年「ケン」

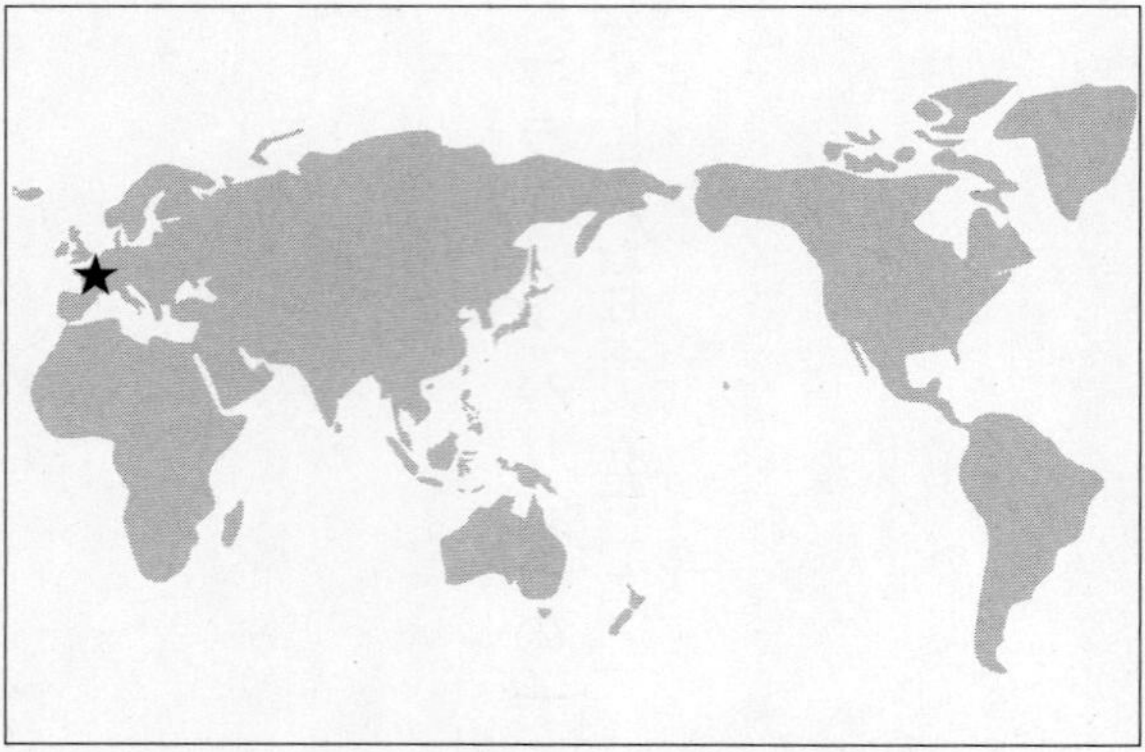

現在：日本からパリまで、空路直行便で約12時間。

「ようこそパリへいらっしゃいました。わたしは日本人でサイトウ・ケンジロウと申します。これからはわたしのことを遠慮なくケンとお呼びください」

幕末のパリの町に忽然《こつぜん》と現れた一人の日本人青年がいる。背広を着込み、きちんとした日本語を話し、流暢《りゅうちょう》なフランス語を操った。彼は幕府や各藩が派遣した役人でも留学生でもない。

彼と出会ったのは元治元（一八六四）年春、幕府が池田筑後守長発《ちくごのかみながおき》を正使（団長・特命全権公使）としてフランスへ派遣した使節団の一行である。随員の一人、外国奉行支配の田辺太一の従者三宅復一《またいち》が、男を最初に見たのはパリに着いて三日目であった。

その日、復一は主人の田辺よりフランス側が使節団全員の記念写真を撮りたいと伝えてきたので、支度をして出掛けるようにとの指示を受けた。ホテル前から仲間と馬車に乗り、向かった先は市内の、とある公園近くの立派な建物、医学研究所であった。サイトウと名乗る男はそこで一行の到着を待っていたのである。

「あれ、あそこにいるのは、もしや日本人ではないか」

復一たちは前方にいる小柄な東洋人らしい男を指さした。すると男は自分から復一らの方へ歩み寄り、声をかけてきた。

「いきなり驚かれたでしょうが、わたしも日本人です。文久二（一八六二）年からこちらに住んでおります」

「なにっ、おととしからパリに住んでいるって」

復一らは見知らぬ男から、いきなり日本語で話しかけられて戸惑った。サイトウも復一らの驚きをもっともと思いながら、改めて自己紹介した。

「自分は武州熊谷《くまがや》（現埼玉県）在の医者の家に生まれ、ある時漂流していたところ、フランス船に救助されてパリへやって来ました。この地でモンブランという伯爵《はくしゃく》と知り合い、家僕として仕えています。この度、日本の高官の方々がいらっしゃると聞き、ずっとお待ちしておりました。滞在中はお世話をいたしますので、遠慮なく申し付けていただきたい」

男はよどみない日本語で語り、滞在中は自分のことを「ケン」と気軽に呼んでくれ、分からないことがあれば何でも尋ねてほしいと言った。

簡単な自己紹介を聞いたものの、復一らの目には何とも奇妙な日本人と映った。仲間の尺振八《せきしんぱち》が男に「貴公は何の目的があって当地に暮らしているのか」と尋ねた。すると、彼は「外国の事情を勉強して、いずれ日本のために役に立ちたいと思っています」と、きっぱり答えるのだった。

彼らは異国で出会った聡明《そうめい》で、礼儀正しいこの青年に好印象を抱き、彼への興味もあって積極的に交わるようになっていく。復一らが男のことをケンと呼ぶようになるまでさほど時間を要しなかった。

ケンなる人物について使節団員の書き残したものがいくつか残っている。使節の副使（副団長・全権公使）を務めた河津伊豆守の従者岩松太郎の『航海日記』もその一つである。岩松は彼と初めて会った元治元年三月二二日のことを次のように記している。現代語に訳すと、こんな内容だ。

「日本人が一人、フランス人になっていた。彼は三日ほど前に、使節団がこのホテルへやって来ることを耳にして訪ねて来た。彼とはいろいろな話をした。江戸の深川箱崎あたりに住んでいたらしい。兄は医者で、自分も少しは医術の心得があると言っている。今から四年前にフランスの高官と一緒に当地へ来たとのことで、今もその人物の所にいるという。ホテルへは毎日のように顔を出す。現在住んでいるのは、ここから七、八町ほどの所にあり、主《あるじ》から小遣い銭程度を貰《もら》いながら働いている」

フランスの高官とはコント・モンブランという伯爵で、その邸宅はホテルから歩いて十分ほどの市内チボリ通りにあった。

　岩松は続けて次のように記す。

「彼の生家は中仙道熊谷宿。兄は医師で斎藤隆貞という名前であり、自分は健二郎と名乗った」

　池田筑後守の従者として同行した池田の学問の師、金上佐輔《かながみさすけ》の『航海日録』の三月二三日の記述。これも現代語訳する。

「二、三日前から武州熊谷の医者斎藤竜貞の弟で謙治という者がホテルへ顔を出している。四年前にフランスの軍艦に乗って海を渡り、ヨーロッパ各地を回った後、フランスに来た。当地では身分の高い家に居住しながら働いており、衣服、言葉などは西洋人と変わらない」

　また『明治事物起原』を著した石井研堂は昭和五（一九三〇）年、晩年の三宅秀《ひいず》博士（帰国後に復一改め、秀・のちに医学博士）本人から直接ケンの話を聞いている。復一は彼について、こう語った。

「私どもが、仏国巴里《パリ》に往《い》ったのは、文久四年（此《こ》の年改元して元治元年）の三、四月ごろ二ケ月間で、春さめの降る頃であったと記憶している。この時、武州川越《（ママ）》の人なそうで、齋藤健、洋名を、ジラールド・ケンと呼ぶ日本人が居《お》った。ジラールドは宗教上の名前で、健を其ままあちらの名前にしたのだ。時の伯爵コント・モンブランのお抱えであった」

復一らはパリ滞在中、ケンを訪ねてモンブランの屋敷にも行き、伯爵をはじめ、その家族とも顔を合わせている。

復一はケンの生まれを武州川越（現埼玉県）の在としているが、別の講演会では熊谷と語っており、彼以外も皆、武州熊谷としていることから、熊谷が正しいようだ。埼玉県北部出身者を網羅した『熊谷人物事典』（日下部朝一郎編）にも彼の名が見える。この中に、ケンは斎藤健二郎として、わずか三行の短い紹介がある。

「外人秘書。江戸末期文久元年頃の人。熊谷宿の医家斎藤某の二男に生まれ、フランス人モンブラン伯爵の秘書をつとめたが、のち鹿児島にて殺害された」

殺害場所は別として「熊谷生まれ」「医者の息子」「フランス人モンブラン伯爵の家僕」という点は、岩松らが本人から聞いた内容と符合する。

健二郎のことを健次郎、賢次郎、謙次郎、あるいは健、謙治、健二などと記す書もあるが、ここでは健二郎に統一しておく。

それにしてもケンはどんな事情でパリへたどり着き、その後どんな人生を送ったのだろうか。それにはモンブラン伯爵との関係をたどらなくてはならないが、彼については総じて好意的に記されたものは少ない。

使節団のナンバー3、目付（監察使）を務めた河田相模守煕《さがみのかみひろむ》のモンブラン評を紹介しよう。現代語訳する。

「モンブランは日本の使節団がフランスへやって来ると聞いて、ひと商売しようと考え、団長の池田筑後守のご機嫌を取ろうと躍起になっている。訪ねて来るたびに何か贈答品を持参する。そういう人間なので、池田が夕食でも共にすれば大いに喜び、周囲に日本の使節と食事をしたことを吹聴《ふいちょう》する。芝居見物にも同行する。町の中でも大使、大使と言いながら、先に立って案内する。だがモンブランは自分の方から勝手に近づいて来たもので、こちらから頼んだわけではない」（『幕末遣外使節物語』尾佐竹猛）

作家綱淵《つなぶち》謙錠の作品に「仏人〈白山伯〉」と題した歴史エッセイがある。モンブランはフランス語で「白い山」を意味するから、文字通り白山伯になる。ケンもこれにならって「白川健二郎」と名乗ったこともあるらしい。モンブランはもともとベルギーがフランス領であった頃の領主の一人だった。しばらくして彼はパリの社交界へ顔を出すようになり、そこで日本が開国したことを耳にする。綱淵は「おそらくひと儲《もう》けを夢みたのであろう」とみている。

日本へ初めて来たのは安政五（一八五八）年夏である。長崎に到着して日本語の勉強を始め、鹿児島へも足を延ばしている。その後、文久元（一八六一）年にも再来日し、横浜や箱館で商売をしていたといわれ、日本語もほんの少しばかり理解できたようである。

河田だけでなく、使節団の中にもモンブランに対しては警戒の念を示す者がいなかったわけではない。モンブランがパリの社交界で、とかく噂《うわさ》の多い人物であることを耳にしていたからである。同様にケンについても、なぜこれほど親切に世話を焼いてくれるのか、モンブランから何か特別なミッションを託されているのではないかと疑念を抱く者もいた。

だがケンはそんなことを知ってか知らずか、献身的に尽くした。

綱淵はケンとモンブランの出会いを次のように説明している。

「滞日中、横浜で一人の日本青年を拾って通訳がわりにし、これを従僕としてフランスへ帰った。この日本人青年がジェラルド・ケンである」

この説に従えば、ケン自身が最初の自己紹介で語った「漂流しているところをフランス船に助けられた」のではなく、日本にいる時、既にモンブランと知り合い、合意のうえフランスへ渡ったことになる。「漂流中に……」と言ったのは、幕府の公式使節に対し、国禁を破って海を渡ったことについての苦しい弁明だったのかも知れない。

しかし前出の石井研堂の見方は綱淵と微妙に異なる。

「文久元年ころに脱国し、香港《ホンコン》にて、仏国軍艦に乗り、仏国巴里在住モンブラン伯爵邸に寄寓《きぐう》せる……」（『明治事物起原』）

さらに日仏関係史に詳しい高橋邦太郎は「（モンブラン）は鹿児島滞在中、斉藤謙次郎なる男と知り合い、この青年をフランスに連れて戻った」としている（『日仏の交流』）。

このようにケンがモンブランと初めて出会った場所や時期、出国からフランス到着までの経緯などについて、いまひとつはっきりしないところがある。

一行の一人が、二年前の幕府最初のヨーロッパ使節団、いわゆる竹内下野守《しもつけのかみ》を正使とする遣欧使節団がパリへ来た頃、何をしていたのかとケンに尋ねると、「日本を発《た》ってまもない頃で、使節団が香港でイギリス船に乗っていたのを見ている。自分はフランス軍艦に乗っていたので声を掛けることもできなかった」と答えている。同時に「自分はイタリアやイギリスを経てパリに来た」とも語っている。ともあれケンが幕末の早い時期にヨーロッパへ入った日本人であることは疑いなく、おそらくフランスに住み着いた最初の日本人であろう。

ちなみに日本人として最初にフランスの地を踏んだのは、これより約二五〇年前の元和《げんな》元（一六一五）年秋、伊達政宗《だてまさむね》がローマへ派遣した支倉《はせくら》常長一行で、スペインのバルセロナからイタリアのジェノバへ向かう途中、悪天候を避けるため、地中海岸のサン・トロぺという漁村に二日間、滞在している。

二カ月におよぶ使節団のフランス滞在中、ケンと最も親しく言葉を交わし、本音をぶつけ合ったのは三宅復一、尺振八、名倉予何人《あなと》らだったが、ケンはとりわけ一六歳の復一を弟のように可愛《かわい》がった。パリへ入ってから、使節団の上層部はフランス政府との交渉に忙殺されていたため、復一らには比較的自由な時間が与えられ、ケンと言葉を交わし、行動する機会も多かった。ケンは面倒がらず、もっている知識や情報を彼らに惜しみなく伝えた。

例えばフランスはロシアの南下政策を阻止するため、アジアの中で日本が強大な国になることを望んでいること、現在エジプトで運河が掘られており、完成すれば、日本とはもっと近く往来出来ること、フランスでは日本と異なり、いくら身分の高い者であっても妻以外に女性を抱えることはしないこと、人間は皆平等であることなど、世界情勢から各国の軍事力、フランスの政治、経済、社会の仕組みにいたるまで、折りにふれて説明した。復一らにとってケンの話は目から鱗《うろこ》が落ちるほど興味深く、国内で攘夷《じょうい》だ、開国だなどとコップの中の争いを続けている時代でないことを痛感するのであった。

ケンは暇をみては、彼らを市内のリュクサンブール公園、ブローニュの森、凱旋門《がいせんもん》などのほか、カフェやサーカス見物にも連れ出した。またある時、蘭方《らんぽう》医の父親三宅艮斎《ごんさい》から最新の医療器具を買って持ち帰るよう命じられながら、言葉が不自由なため困り果てていた復一のために、ケンは親身になって市内各所へ案内し、買い物を手伝ってくれたりもした。この時、復一が日本へ持ち帰った一つに咽喉鏡《いんこうきょう》がある。

またたく間に月日は過ぎ、使節団に帰国の時がやって来た。ケンはパリ・リヨン駅から日本行きの船が出るマルセイユへ向かう一行をホームで見送った。彼の目は涙で潤《うる》んでいた。名残惜しさと望郷の念に駆られたのだろう。復一らもケンが示してくれた数々の心遣いを思うと、別れがつらかった。

幕府は池田筑後守一行が帰国した翌年にも、柴田日向守《ひゅうがのかみ》を正使とする使節団をフランスへ派遣している。この時もケンはパリからわざわざリヨン市まで出向き、駅で一行を出迎えている。柴田の従者の岡田攝蔵《せつぞう》は「蒸気車に乗し、午後八時リヨン府に到着、此処《ここ》の蒸気車会所まで、斎藤健二出迎へり」（『航西小記』）と記している。モンブランは柴田使節団に対しても、あの手この手を使って取り入ろうとした。ケンがパリ市内ならともかく、はるばるリヨンまで出かけ、一行を出迎えたのもモンブランの指示によるものだ。モンブランはパリを訪れる日本人使節団のうち、上層部への工作は自らが行い、下級の者たちにはケンを使って恩を売らせ、自分の商売に利するよう立ち回ったのである。

だが柴田らはフランス国内でのモンブランの風評が芳《かんば》しくないことを前年の使節から聞いており、また実際に接してみてその思いを強くした。随員の一人福地源一郎も「巴里にモンブラン伯爵といへる貴族あり、この人功名心の深き性にて、しきりに日本に関係して栄誉を博さんとおもひ……」（『懐往事談』）と記している。誰もがモンブランに対し、相当に胡散《うさん》臭いものを感じていたのである。さらに周囲からも使節団に対し、彼との接触は控えたほうがよいとの忠告もあり、距離を置くことにした。

努力すれど報われぬモンブランは使節団、つまり幕府に苛立《いらだ》ちを募らせていく。そこで彼は一八六七（慶応三）年にパリで開催される万国博覧会に幕府や肥前藩とともに出展を決めていた薩摩《さつま》藩へ急接近する。薩摩藩も万博を機にその存在を各国にアピールしようと目論《もくろ》んでおり、幕府に先駆けて藩士をフランスに潜入させ、準備を進めていた。そこでモンブランの反幕府感情を利用し、万博では幕府とは別に独立国としての展開が出来るよう、彼にフランス側への工作を依頼したのである。

モンブランは自分を冷遇した幕府を見返してやろうと、薩摩側の要請を受け入れ、薩摩藩の万博特別委員長に就任する。とは言え、利にさといモンブランのことゆえ、薩摩や琉球《りゅうきゅう》の物産の独占販売を視野に入れてのことである。それほどまでしても彼は開国まもない日本関係の利権を手中に収めようと躍起になっていたのである。

幕末維新史研究の泰斗、石井孝がモンブランのことを「国際的山師」と呼んだのも、こうした動きによるものだろう。


ところで筆者はここまでケンについて、主として幕府使節団側から見た人物像を紹介してきたが、彼については全く正反対の評価も存在する。

復一らが帰国した翌年、薩摩藩は藩主黙認の上で、一五人の留学生と付添いの目付役など四人の合わせて一九人をイギリスへ密航させる。そのうち一部の者がフランスへ渡り、モンブランと接触したことは先にふれた通りである。

しかしロンドン在留の薩摩留学生たちの間では、ケンの評判はすこぶる悪かった。

ある日突然、モンブランの意を受けてロンドンに現れたケンは主人の威を借りて尊大な言動を繰り返し、薩摩藩への仕官を求める素振りを見せたり、現在自分はフランスで軍事学を勉強しているなど、嘘《うそ》を平気で口にしたため、信用のおけない奴《やつ》、大ボラ吹きと見られていた。中にはケンを幕府の間諜《かんちょう》ではないかと疑う者さえいた。

また幕府使節団からは流暢《りゅうちょう》とされたケンのフランス語についても、留学生たちから見れば、少し複雑な内容になると理解できず、片言程度だったと酷評されている。

いやはや三宅復一たちが接したケンとは別人のようである。

こうした中、モンブランは薩摩藩の利益代表として奔走する。フランスはもとより、ヨーロッパの国々に向け、新聞を使って大々的な薩摩ＰＲと幕府中傷を展開する一方、薩摩琉球国大守の名入りの勲章を製作して主催国フランスの各方面へばら撒《ま》くなど対幕府包囲網の手を着々と打った。こうした動きは各国に幕府も所詮《しょせん》、薩摩藩と同等の一地方政府に過ぎないということを印象づけ、幕府の権威を著しく失墜させることになった。まさに薩摩藩にとって彼は大恩人となったのである。

万博終了後の慶応三年一一月、ケンはモンブランとともに、薩摩藩士に交じって帰国した。出国した時の経緯からして、帰国も密入国ということになるが、彼はおそらく薩摩藩士とでも名乗ったのだろう。

その後のケンについて、長崎で襲われ、死亡したという説もあるが、実際は鹿児島で非業《ひごう》の死を遂げたようである。彼は薩摩藩の機密を幕府の役人に漏らしたという理由により、藩吏の手で海中に投げ込まれ、殺害されたと、後年、旧薩摩藩士の松村淳蔵が述べている。

ケンが二一歳の時、パリで撮ったとされる写真が残っている。現在東京大学に所蔵されているもので、今から一四〇年ほど前、一般にも公開された。角ばった顔で目つきは鋭く、きっと正面を見据えている。頭髪を中央で分け、和服に身を包んだ姿は、さながら明治の書生を思わせる。

パリの駅で涙ながらにケンと別れた三宅復一は、その後のケンの消息については知らなかったようである。

「ケンは、其後《そのご》どうしたか知らないが、とうとう日本に帰らないで仕舞ったらしい。若《も》し、維新後に帰朝したならば、明治の文化に貢献することも出来、相当の地位に据えられたことと思うが、それきりケンの消息は聞かずに仕舞った」（『明治事物起原』）

しかしその後、しばらくして復一もケンが非業な死を遂げたことを聞かされ、大いに残念がったという。

幕末のパリに暮らした日本人、ジラールド・ケンこと、斎藤健二郎。

彼は最期《さいご》の刻《とき》をどんな心境で迎えたのだろうか。世話になった主のモンブランの恩義には十分に応《こた》えたと思いつつも、あまりにも彼の手の中で踊らされ過ぎたという悔恨だったかも知れない。あるいはパリで復一らとフランスに負けない新国家を建設しようと誓い合い、再会の約束を交わしたのに果たせぬまま、幕府と薩摩の政争に巻き込まれてしまったことへの無念さや空《むな》しさもあったろう。

モンブランという人物と知り合ったがゆえに、ケンの人生は思わぬ転変を重ねることになった。彼もまた激動の時代の犠牲者であったことは間違いない。

第一五話　カーボヴェルデ／ポルトグランデ

「スケベイ」と口にしたアフリカ小島の黒人

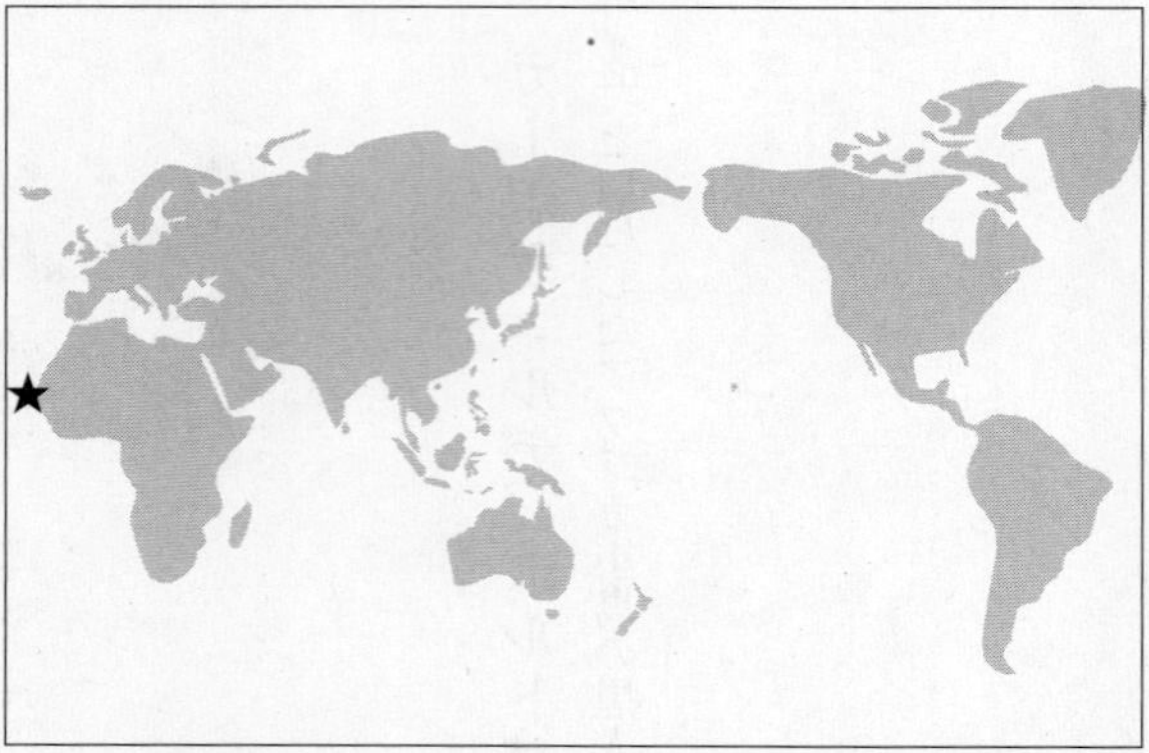

現在：日本からの空路直行便はない。西アフリカへは旧宗主国の都市から定期便がある。カーボヴェルデへはポルトガルのリスボン、カナリア諸島へはスペイン本土の主要都市からアクセス可能だが、日本から２〜３日を要する。

アフリカの西岸一帯は、日本人にとって世界で最も馴染《なじ》みの薄い地域ではないかと思われる。

この地域にどんな国があるかを知る日本人はそう多くないはずで、わずかに思いつくのは先年サッカーの日韓ワールドカップの際、カメルーンのチームが大分県の山村に合宿したことや、野口英世が黄熱病の研究のためガーナへ渡ったことくらいであろうか。ここでは西アフリカ各地に足跡を印した最初の日本人たちを追ってみる。

■セント・ヘレナ島（ポルトガル領／イギリス領）——一五八四年／一八六三年

記録の上で、アフリカの地に最初に足跡を残した日本人は天正遣欧少年使節団とされる。彼らは一五八四（天正一二）年六月、インド西岸のゴアからポルトガルのリスボンへ向かう途中、アフリカ西岸沖の当時ポルトガル領セント・ヘレナ島に立ち寄り、三年後の帰路には東海岸のモザンビークに半年あまり、モガディッシュ（ソマリア）

に一〇日ほど滞在している。

だが記録にはないものの、少年使節より三〇年前、インドから同じルートでポルトガルをめざした鹿児島のベルナルドというキリシタン青年がおり、彼を乗せた船も補給のため、セント・ヘレナ島やアセンション島など大西洋上の島に立ち寄った可能性はある。

一五〇二（文亀《ぶんき》二）年、ポルトガル人航海士ジョアン・デ・ノバがインドからの帰路に発見したセント・ヘレナ島は、のちにフランス皇帝ナポレオンが流刑《るけい》されたことで一躍脚光を浴びる絶海の孤島である。

アンゴラ沖の西はるか約二〇〇〇キロの洋上に浮かび、周囲を断崖《だんがい》に囲まれ、面積は一二二平方キロ。現在住民七〇〇〇人余の島に飛行場はなく、わずかに郵便船が通うだけである。観光客が足を運ぼうとすれば、イギリス本土か、南アフリカのケープタウンから出るクルーズ船を利用するしかない。

少年使節を乗せた帆船サンティアゴ号が寄港したのは島で唯一《ゆいいつ》の港ジェームスタウンで、水や食料を補給する。島はもともと無人島で、食料となる野菜、果物、家畜などはポルトガル人が本国から運んで育てたものである。

彼らはこの島に一〇日間滞在し、魚釣りなどしながら楽しい日々を送ったという。

少年使節の来島から二八〇年後、次にこの島へ現れるのは徳川幕府がヨーロッパに派遣した留学生たちである。幕府初の海外留学生の派遣先となったオランダへは榎本《えのもと》武揚《たけあき》ら一五人が選ばれた。一行は長崎からオランダ船カリップス号で出発、途中船が暗礁《あんしょう》に乗り上げ、沈没するというハプニングに遭遇したが、何とかバタビア（現ジャカルタ）までたどり着き、別の客船テルナーテ号に乗り換えて一八六三（文久三）年二月八日（陽暦三月二六日）、ジェームスタウンの港に入った。出港地のバタビアから無寄港航海を続け、ほぼ四カ月ぶりの投錨《とうびょう》であった。港内にはイギリスやスイスなど各国の商船が入っており、テルナーテ号もここに四日間停泊する。この時島はポルトガルからオランダの領有を経てイギリスの支配下に移っていた。

留学生らも、ここが稀代《きたい》の英雄ナポレオン（奈波烈翁）ゆかりの島ということは既に知っており、榎本などは入港前夜、気分が高揚して寝付けず、七言絶句を作ったほどである。

上陸すると、彼らは船長に誘われて、奈翁が一八一五年から五年半あまり暮らした住居跡や墓の見物へ馬車三台を連ねて向かった。島民たちは、草履をはき、チョンマゲ頭に羽織、袴《はかま》姿、腰に大小の刀をさした珍客をひと目見ようと、家々から飛び出し、好奇心あらわにして出迎えた。子供たちはぞろぞろと一行のあとを追ってきた。島内は花が咲き乱れ、サボテンが群生していた。熱帯という割にはそれほどの暑さでもない。やがて案内人が奈翁の墓に到着したことを告げた。

「奈翁の墓はゼームスタウンから約三里山道の谷間にある閑静な処《ところ》で、幅四尺余長さ七尺もある一枚石を敷いて墓碑とし、鉄柵《てつさく》を囲《めぐ》らしてあった」（『赤松則良半生談』赤松則良）

奈翁の遺骸《いがい》は一八四〇年に、フランス本国に改葬されており、ここロングウッドの地にはなかった。彼らもそのことは当然、案内人から聞かされていただろう。それでも実際に墓碑の前に立つと、その波乱に富んだ人生が思い出され、しみじみ感慨に耽《ふけ》るのであった。

榎本はここでもまた詩作している。

長林烟雨鎖孤栖　長林の烟雨《えんう》、孤栖《こせい》を鎖《とざ》す
末路英雄意転迷　末路の英雄、意《こころ》転《うた》た迷う
今日弔来人不見　今日、弔来の人を見ず
覇王樹畔鳥空啼　覇王樹《はおうじゅ》の畔《ほとり》、鳥空《むな》しく啼《な》く長林はロングウッドという地名の和訳、覇王樹とはサボテンのことである。
また林研海は島を離れる前夜、次のような一首を残している。

ますらおが　沖の小島に跡とめし　むかしを照らす　春の夜の月

オランダ留学生から約三年後の一八六六（慶応二）年一月下旬、今度はロシアへ向かう留学生六人がロシア船ポカテール号で島に立ち寄った。
彼らは三日ほど滞在し、その間上陸して榎本らと同じように、ナポレオンの旧居や墓碑などを訪れている。山桃、カボチャ、山梨《やまなし》など新鮮な野菜や果物を口にできたのも彼らには嬉《うれ》しいことだった。

■テネリフェ島（スペイン領カナリア諸島）——一八〇三年

アフリカ西北端のモロッコ沖に浮かぶカナリア諸島には、一八〇三（享和《きょうわ》三）年一〇月、仙台石巻の漂流民津太夫《つだゆう》たち四人が立ち寄っている。彼らはレザノフ率いる通商使節団に伴なわれ、ロシア船ナジェジダ号で日本へ向かう途中で、寄港したのはテネリフェ島のサンタ・クルス、同年一〇月一八日のことであった。カナリア諸島は一五世紀末、大西洋横断の中継地を必要としていたスペインが領有したもので、主要七島と多くの小島からなっている。

帰国した津太夫らの話を聞き書きしてまとめた『環海異聞』はテネリフェ島を次のように記しており、現代語訳する。

「この島はスペインの領地である。周辺に小島が多く、島の広さはわが国の九州ほどである。島の中に高い山が見える。この地は極めて温暖で、現地の住民は裸で半股引《ももひ》きをはいている。彼らは黒人に似ているが、肌の黒さは薄く、ザンギリ頭をしている。乗員は島へ上陸したり、船に戻ったりしている。われわれ四人のうちでは太十郎だけが上陸したように記憶している」

ここで島の広さをわが九州ほどもあるというのは誤りで、実際は二〇分の一程度である。サンタ・クルスの町はきれいだったが、物乞《ものご》いをする貧しい島民の姿が目についた。停泊中、日本人としてただ一人上陸した太十郎だが、この島に暮らす黒人を見て、さほど驚いた風もない。四人は既にロシア滞在中、ペテルブルクで黒人を見かけており、世界にはさまざまな皮膚の色をした人種がいることを知っていたのである。

前出の『環海異聞』にも「ペテルブルカ《（ママ）》にて見たるクロボウ《（ママ）》は真黒なりしか、又夫《それ》よりは少し薄黒し」とあり、黒人たちがアフリカ人と呼ばれていることも認識していた。島に高い山が見えたとあるのは活火山のテイデ山（標高三七一八メートル）で、今もスペインの最高峰である。ナジェジダ号へは島の住民が、名物のワインをはじめ、野菜や果物、豚や鶏などを売りに来た。船はここで必要な食料を調達し、薪《まき》や水を補給するなど六日間停泊したあと、大西洋を横断してブラジルへ向かった。

■サン・ヴィセンテ島（ポルトガル領カーボヴェルデ）——一八六〇年

一八六〇（万延元）年五月、徳川幕府派遣のアメリカ使節団の一行が帰国の途中に立ち寄ったのは、当時ポルトガル領カーボヴェルデ諸島の一つ、サン・ヴィセンテ島のポルトグランデであった。

カーボヴェルデと言っても、ピンとくる日本人は少ないと思うが、パリ・ダカールラリーの終着点として知られるアフリカ大陸最西端の国、セネガルの沖合六〇〇キロに点在する大小一五の島からなる群島国家で、一九七五（昭和五〇）年にポルトガルから独立した。国名のカーボはポルトガル語で岬、ヴェルデは緑、つまり緑の岬を意味する。

昭和天皇の崩御の際、この国からもシルビーノ・ダ・ルス外務大臣兼陸海空軍司令官が弔問に来日しているが、多数の賓客にまぎれて話題にのぼることもなかった。一方日本からは平成一八（二〇〇六）年夏、時の杉浦法務大臣が政府要人として初めてこの国を訪れている。

使節団が立ち寄ったサン・ヴィセンテ島は群島の中心でなく、首都のプライアはサン・ティアゴ島にある。現在ここに日本の在外公館はなく、駐セネガル大使館が兼轄《けんかつ》している。

一行はアメリカのフリゲート艦ナイアガラ号（蒸気船）で、ニューヨークを五月一三日（旧暦）に発《た》ち、一六日間の航海を経て同月二九日、ポルトグランデの港に入った。食料、飲料水、石炭を補給するためである。

この使節団では総勢七七人のうち、ほぼ三分の一にあたる二十数人が自筆の日記をそれぞれ書き残しており、長旅の模様を今に伝えている。ナイアガラ号に同乗していたニューヨークタイムズの特派員も日本人の筆まめぶりには、いたく感心している。

「日本人たちはいつでも筆を動かしている。彼らは常に熱心に艦内の事物を観察しているが、なかでも毎日の船の進行状態については、緯度と経度、進行距離、そのコー

スなどを書き留めるのである」（『77人の侍アメリカへ行く』レイモンド服部）

天正遣欧少年使節や津太夫たちの記録は当事者が書いたものではないが、遣米使節団員のものは見るもの、聞くものをそのまま文字にしており、日本人による初の本格的な海外見聞記と言ってよい。

彼らのうちから四編のアフリカレポートを選んで現代語訳すると、次の通りである。まずは使節団の副使（副団長・全権公使）を務めた村垣淡路守範正《あわじのかみのりまさ》（四八歳）の『遣米使日記』、

「夕刻七時、島の港に入って碇泊《ていはく》。暑さはそれほどでもなく単衣《ひとえ》で十分である。夜なので港の様子は見えないが、人家の灯火も多く、花火が上がってにぎやかな土地のようだ」

しかし村垣が翌日、上陸してみると、島の印象は全く異なった。

「島の名が緑の岬と言う割りに、島全体が焼け焦《こ》げた山のようで、水ばかりでなく、青草木立もなく魚類青物更になし」と、新鮮な食料さえも手に入らないことに気付く。

そしてこの苛立《いらだ》ちをナイアガラ号の船長にぶつけている。

「この島に寄ったのは水を確保するためだったが、現地人ですら水に苦労しているのだから、こんな大きな船に必要な水を十分確保できるわけがない。そもそもこういう

島に寄港したのは船長の判断ミス以外何物でもない」

その一方で風流人の村垣は二首の歌を詠《よ》んでおり、これがなかなか味わい深い。

舟よせし　かひやなからん　岩清水　けふ水無月《みなづき》の　名におふもうし
あふりかの　沖の小島に船よせて　見れはここにも　人は住けり

前者は寄港する価値もない水の乏しい島に水無月（六月）を掛けており、後者はこんな環境劣悪な小島によくぞ人間が住んでいるものだという驚きとも憐《あわ》れみとも取れる気持ちを吐露している。

次に定役格通詞の名村元度（三四歳）の『亜行日記』、

「土地は焼け焦げた砂漠のようで、青い草などは生えていない。ポルトガルの現地政庁、税関、イギリスの領事館のほか、現地人の茅葺《かやぶ》きの住宅が約三〇〇戸ある。現地人は真っ黒な体をしている。人家のそばに井戸が二カ所あるが、水は濁っており、水量もきわめて少ない。町の草花はポルトガルから持ち込んで植えたものであり、船に積み込む石炭もアメリカのボストンから運び、島に貯蔵しているとのことである」

勘定組頭支配普請役《ふしんやく》の益頭尚俊（三二歳）の『亜行航海日記』、

「島に上陸したところ、山が多く平地が少ない。樹木はなく土地は荒れている。これでは収穫する物もない。ここは炎熱の地で水が乏しく、町に井戸が二カ所あるが、現地人は水が溜《た》まるのを待って汲《く》み上げている。土地の者は黒人で賤《いや》しい。島にわれわれ日本人が上陸しても、彼らはどこの国の人間かも分からない。われわれが説明して初めて日本人であることを知った。教えなくては何も知らず獣に近い」

自分たちのことを棚に上げ、日本人を知らないからと言って、獣とは乱暴な話である。

そして正使（団長・特命全権公使）新見豊前守正興《しんみぶぜんのかみまさおき》の従者として加わった仙台藩士、玉虫左太夫（三七歳）の『航米日録』。これには四人の中でもっとも詳細かつ客観的に島の様子が記されており、地勢から風俗、気候、動植物、貨幣に至るまで書き綴《つづ》っている。その玉虫を驚かせたのは、なんと島民の中に日本語を口にする者がいたことである。

「午後陸上から、現地人がパイナップルという果物を売りに来た。この男はよく日本語を知っており、『分からない』とか『すけべい』（助平）という言葉を発した。この者はかつて外国船に水夫として雇われ、わが国に来たことがあるという」

今でこそ日本語を達者に話すアフリカ人も珍しくないが、江戸末期にアフリカの小島の物売りが日本語を口にしたということは、当時アフリカ人がはるばる日本へやって来て、片言の日本語を覚えるほど滞在したという何よりの証拠であろう。

アフリカ研究者の藤田みどりは、その著『アフリカ「発見」』の中で、島民の発した日本語について、長崎奉行所の判決集である『長崎犯科帳』の遊女屋に出かけた「黒坊《（ママ）》」のエピソードが思い出されると述べている。これは江戸時代に唯一《ゆいいつ》海外との窓口だった長崎出島に黒人が、しばしば現れたという記録が『長崎犯科帳』に残っており、その中に日本人の手引きで遊女屋に出かける黒人がいた事実をさしているのである。おそらく島民が口にした下品な日本語とは、そのような場所で覚えたのかも知れないと、藤田は言うのであろう。


時を経て昭和の終わりにサン・ヴィセンテ島を一人の日本人が観光で訪れている。当時ポルトガルに滞在していた民間人の大河内秀敏で、その彼を驚かせたのも一三〇年前の玉虫と同じく、島民の中におかしな日本語を操る者がいたことである。

大河内の私家版旅行記『カーボ・ヴェルデ　色のない島』によると、ポルトガルから独立するまで、この島には日本の漁業基地があり、多くの日本人漁船員が滞在していた。このため島民の中には、片言の日本語を話す者もおり、現地女性との間に生まれた混血児もいた。また日本人が持ち込んだ「ブルー・ライト・ヨコハマ」や「網走《あばしり》番外地」などの流行歌のテープも島の酒場に残されていた。日本人と全く無縁な島でもなかったのである。

使節団員の報告は四人四色とでも言うべき、見方もさまざまであるが、水の確保についての懸念《けねん》は共通しており、数日後に的中する。もっともこの時期、島は乾季の真《ま》っ只中《ただなか》にあり、水不足もやむを得ないことではあった。結局ナイアガラ号は水もさりながら、燃料の石炭までも港内に停泊していた船から分けてもらい、ようやく出港にこぎつけるのであった。

■ルアンダ（ポルトガル領アンゴラ）――一八六〇年

遣米使節団が次に寄港したのは、アフリカ西岸ギニア湾に面するアンゴラの首都ルアンダである。ここも当時はポルトガル領であった。船はポルトグランデから予想外に時間を要した。乏しい燃料の石炭を節約しようと、風力による帆走に切り替えたため、船の速度が極端に落ちたのである。このため一行の食料は日に日に減っていった。

「食物は乏しくなり、日本から持参した味噌《みそ》も醬油《しょうゆ》もとっくに尽きて、少しばかりの酒さえもなくなった。連日鰹節《かつおぶし》を削り、監察の小栗豊後守忠順《おぐりぶんごのかみただまさ》（三三歳）が用意していた切干大根に、わずかに残しておいた醤油を垂らして食べるほどである」

これは六月一三日の村垣日記である。食料、酒ばかりでなく、前寄港地のポルトグランデで水を十分に補給できなかったため、茶さえ満足に飲めぬことになった。皆が集まると、話はついつい食べ物のことばかりで、早く日本へ帰り、味噌汁と香の物で飯を腹いっぱい食べたいものだと語り合った。アフリカ沖を行く船上で、チョンマゲ姿のサムライたちが額を突き合わせて食べ物の話を交わしている光景を想像するだけでも可笑《おか》しい。

かねて赤道直下は猛暑で耐え難いと一行も聞いており、覚悟はしていたが、それほどのこともなく、単衣を着ても汗が出ることはなかった。

しかし船内の水不足は日ごとに深刻さを増し、アメリカ人水夫などは一日コップ一杯しか与えられない日々が続いた。

結局ルアンダまで二〇日間を要し、六月二一日夕刻に到着した。一行はここで水も食料も十分確保できると聞いて安堵《あんど》し、ようやく苦しみから解放されるのであった。港にはイギリス、アメリカ、フランスなど各国の軍艦や商船が二五、六隻《せき》も停泊していたが、石炭はそれぞれ遠い自国からはるばる運び込み、港に貯蔵しているのだという。

現地人が小船を操ってナイアガラ号へ魚や果物などを売りに来たが、いずれも極めて安価であった。彼らは色が黒く、まるで炭のようだ。男女とも裸で、風呂敷《ふろしき》のようなもので下半身をわずかにおおっているだけである。

港の高台にポルトガル総督の邸宅や役人の家々が建ち並んでおり、贅《ぜい》を尽くした造りである。一方、現地人の家は山裾《やますそ》に集中しており、壁は板、屋根は茅葺《かやぶ》きという粗末なもので、中の土間に干し草を敷いている。

この地で一行が心を痛めたのは、ポルトガル人に酷使される黒人の惨《みじ》めな姿であった。

「彼らの首や足へ鉄の鎖を繋《つな》ぎ、四、五人あるいは六、七人を連ねて役使する。これは遁走《とんそう》を防ぐためである。ただし食物に飢えれば人のために働き、飽きると、逃げ去るために、このようなことをする」（『航米日録』）

ポルトガル政府は一八三六年に奴隷《どれい》貿易禁止令を発布したが、現地人に対する非人道的な扱いは依然として続いていたのである。

一行は一〇日間、この地に滞在したあと喜望峰を回ってインド洋へ出た。

■ヤウンデ（ドイツ領カメルーン）――一九〇七年頃

遣米使節団以降、西アフリカを訪れた日本人の記録はしばらくない。日本から遠隔の地にあり、積極的に出向く理由もなかったからで、あの「からゆきさん」ですら、さすがにここまでは足を伸ばしていない。

その後の記録で最も古いと思われるのは明治四〇（一九〇七）年、ギニア湾に面したカメルーンの首都ヤウンデで死亡したとされる日本人である。これは昭和三七（一九六二）年、ユネスコからカメルーン教育大学へ派遣された数学教師、花岡松枝がヤウンデ市内の墓地で、一人の日本人の墓石を発見したことから明らかになった。彼女は着任早々、観光パンフレットの中から、ヤウンデ市役所裏手のドイツ人墓地に日本人が眠っているとの記述を見つけ、足を運んだ。

木の柵《さく》に囲まれた約七〇坪ほどの墓地に、その日本人の墓標はあった。

その人物の名は「TSUNODA　ICHIZO」（ツノダイチゾウ）とあり、「HAKONE」という文字も判読できた。HAKONEが彼の出身地を示しているとすれば、神奈川県の箱根町のことだろうか。

カメルーンは一八八四年から四〇年ほどドイツの植民地下にあった。墓標にはドイツ語で「1907年9月25日、ツノダはペキン原人研究のため、ドイツのハーベラー教授とともに、ここヤウンデに来たが、黒水病で死去した」と刻まれてあった。

このツノダなる人物について、明治時代の海外渡航者名簿で、留学先とみられるドイツ、研究分野の人類学や医学、出身地である箱根町などのキーワードから検索してみたが、いずれもその名を見出《みいだ》すことは出来なかった。

最後に西アフリカにまつわるエピソードをもう一つ紹介する。明治四三（一九一〇）年、アルゼンチン独立一〇〇年祭へ向かう軍艦生駒《いこま》がスペイン領カナリア諸島の一つ、グラン・カナリア島のラス・パルマスに寄港した。ここには現在日本の遠洋漁業基地が置かれている。この船に乗っていた地理学者志賀重昂《しげたか》は、上陸すると早速、島民をつかまえ「自分たちより以前にこの地を訪れた日本人はいるか」と尋ねたところ、「六、七年前に一隻の日本船が現れ、一日間停泊した」と答えた。

志賀は即座に「その船こそ日露戦争の初期、重要なる物件を積み込んで、日本へ向かう途中の日本郵船の神奈川丸だろう」と推測した。志賀の指摘通り、船は神奈川丸で、積み荷の重要物件とは、まさに日本がアメリカから買い入れた潜水艇五隻であった。同船は明治三七（一九〇四）年、潜水艇を分解、梱包《こんぽう》して輸送中、地中海でロシア軍艦が待ち伏せしているとの情報をキャッチしたため、急きょアフリカの小島に緊急避難したのである。

マダガスカルでバルチック艦隊の動向をチェックした赤崎伝三郎と言い、トルコでボスポラス海峡を通過するロシア船を監視した山田寅次郎と言い、そしてこの神奈川丸と言い、日露戦争は単に極東だけの局地戦ではなかったのである。

第一六話　スイス／ローザンヌ

アルプスの国から日本を見ていた留学生

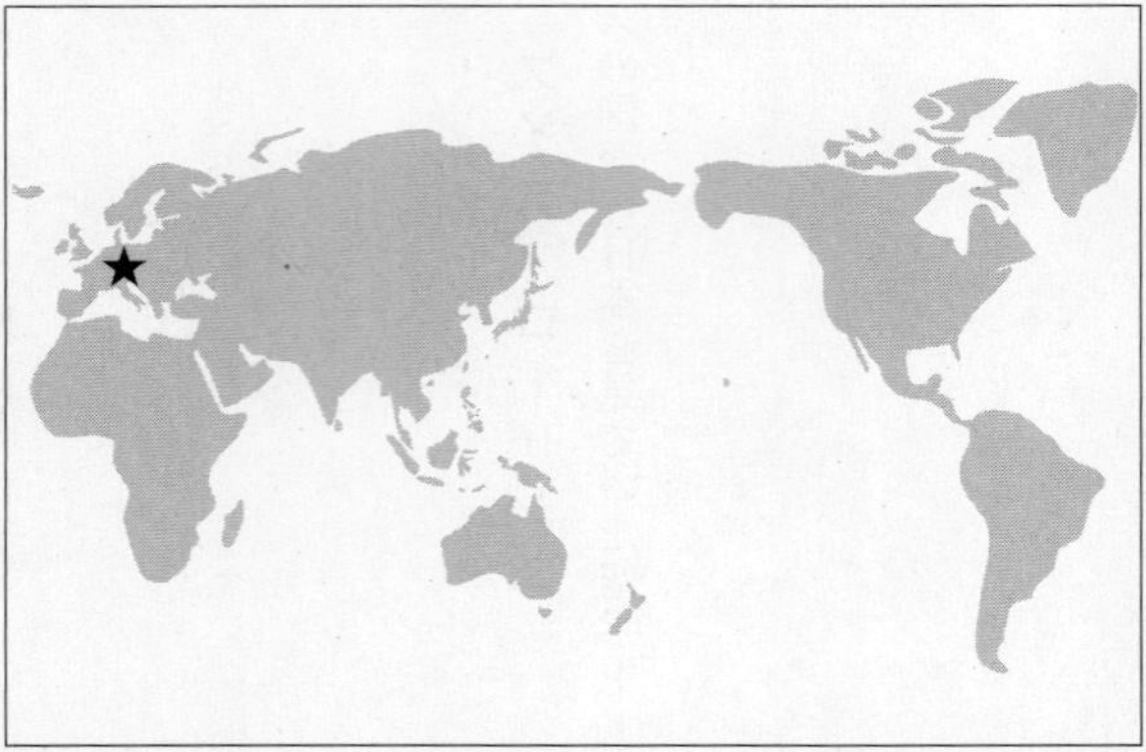

現在：日本からスイス（チューリヒ）へは空路直行便で約12時間。そこからローザンヌまでは鉄道で約２時間弱。ヨーロッパ各地と鉄道で接続。

万年雪に覆《おお》われた高峰と点在する湖、ヨーロッパアルプスの懐《ふところ》に抱かれた山国スイスは日本人に最も人気のある国の一つで、訪れる観光客も多い。山紫水明の国はまた永世中立国イコール平和を希求する国でもあり、スイスのイメージをよくしている要素の一つである。海から遠い内陸の国ながら、時計に代表される精密機器など技術水準は高く、観光や金融とともにこの国の経済を支えている。現在日本からはチューリヒまで直行便が約一二時間で結んでいる。

スイスでの日本紹介は一五八六（天正一四）年に出版された『新発見の日本列島・王国、及び今日まで知られざる他のインド諸島に関する真実の報告』という長いタイトルの書物が最初とされる。これ以後も他のヨーロッパ諸国を経由して入手した日本情報が数多く発表されてきた。

それに比べると、わが国におけるスイスの紹介はずっと遅く、この国についての本格的な書物が現れるのは幕末から明治以降と言ってよい。福沢諭吉の『世界國盡《せかいくにづくし》』はスイスに瑞西という字をあて、次のように紹介している。

「山阪高かき『瑞西《すいつる》』、国の政事は共和政、小国なれど一様に、文字の教の繁昌《はんじょう》し、百工技芸手を尽し、他の侮を被《こうむ》らず」

小さな山国だが、民主国家で教育技術水準は高く、他国から軽視されたり、介入されたりすることはないと、短い紹介ながらスイスの特徴を端的に盛り込んでいる。

日本人がスイス人と初めて接触したのは安政六（一八五九）年である。

アメリカ人ペリーの来航によって日本が開港するという報に接すると、スイスはただちに反応し、使節団を日本へ派遣する。幕府にとってスイスという海軍力を持たぬヨーロッパの内陸国がわざわざ日本へ使節団を派遣し、通商を求めに来たことは驚きであった。しかし鎖国の間もスイスは他の国と同様に極東の島国の動きをじっと注視し続けていたのである。

その後紆余《うよ》曲折はありながら、日本がスイスと修好通商条約を締結するのは五年後の元治元（一八六四）年二月のことである。日本にとってスイスは八番目の条約締結国となった。欧米列強に交じって条約締結にこぎつけた小国スイスの外交感覚はみごとである。

日本人としてこの国を最初に訪れたのは慶応三（一八六七）年にパリで開催された

万国博覧会へ派遣された徳川昭武を団長とする使節団である。スイスへ向かったのは使節団のうち昭武以下総勢一八人、万博の公式行事を終えた八月六日（陽暦九月三日）の朝、パリ・リヨン駅を六時半発の汽車で出発した。ヨーロッパでは既に国境を越えて鉄道網が張りめぐらされており、フランスとスイスの間は一八四四年に開通していた。

初秋とは言え、汗ばむほどの陽気で、一行は疲れを覚えた。列車はパリから東南へ進み、約四時間後トロワという町に着いた。ここはシャンパンの産地として知られるオーブ県の県庁所在地である。一行は列車を降りて町のレストランで名物の酒を飲み、食事をとった。その後再び列車に揺られ、バーゼルの町に着いたのは午後八時頃だった。ここはライン川を挟んでドイツ、フランスと接する国境の町で、水運によって栄えていた。宿舎のトロワロウホテルは川を見下ろす高台に建っており、夜景が美しかった。町の有力者が遠来の賓客へ挨拶《あいさつ》のためホテルを訪ねて来た。

昭武たちはこの日を含め一〇日間スイスに滞在する。翌日は絹織物工場を見学したあと、汽車で首都のベルンへ移動した。この日、ホテルから眺める山々の景色は格別に美しく、昭武も終始ご機嫌で、「此《こ》の旅店より遠山を見れば、雪降りたる山数多《あまた》あり、景色誠に善し」と日記に書く。

遠い極東の国から現れたサムライ一行を見ようと、行く先々でスイスの人々は好奇の目で迎えた。九月五日付のバーゼル新報は次のように報じている。

「大君の弟である十四、五才の少年とそれに付き添う二人の大名は、陸軍大臣と外務大臣ということであるが、いずれも民族衣装を身に着けている。その大勢の従者たちは、頭にまげを結った以外は洋装である」（『初期日本＝スイス関係史』中井晶夫）

まさに子供に付き添う保護者の一団と、現地人の目に映ったとしても不思議はない。時の将軍の弟とは言え、この時昭武はわずか一四歳のあどけない少年であった。

八月九日、この日はスイス滞在中のメインイベントである大統領の接見式があり、礼服に身を包んだ昭武は迎えの四頭立て馬車で連邦議事堂へ向かった。大統領に兄の将軍慶喜《よしのぶ》からの言葉を伝え、随員がそれをフランス語に通訳した。式典は友好裏のうちに終わり、一同ほっと肩の荷を下ろす。

公式行事を終えた一行は翌日からスイス各地を訪ねた。軍事演習を視察したり、武器貯蔵庫、時計工場、宝石工場、天文台、射撃場、それに電信機器工場などを見学した。このうち特に電信の仕組みに一同驚嘆し、その場で電信器械の購入を即決した。随員のうち二人はその技術習得のため現地にとどまるよう命じられ、一カ月の研修を経てパリへ戻った。

もう一つ彼らをうならせたことがある。それは軍事演習を視察した際に、案内役の士官が説明したスイスの民兵組織についてである。それによると、兵士はすべて農民だが、ひと月ほどの短期訓練を施せば、実戦でも十分対応出来るようになる。国家に万一の時があれば二〇万人まで動員可能だという。小国ながら平時より国の守りに万全を期しているという説明に一同感銘を受けたのである。

時を経て現在のスイスの民兵は予備役を含めて約四〇万人といわれ、職業軍人はわずか三〇〇〇人ほどしかいない。かつてスイス大使を務めた國松《くにまつ》孝次によると、国民皆兵を国是とするこの国では、連邦政府の閣僚、医師、警察官、消防職員など有事の際に軍と共に働かなければならぬ一定の職業にある者は、在職中の兵役は免除されるが、その職種は極めて限定され、連邦議会の議員ですら、兵役免除は会期中に限られるのだという（『スイス探訪』）。この国では有事の際に民兵頼みであることは今も変わりない。

わが九州ほどの広さながら、この国は見どころに事欠かなかった。それはユングフラウ、モンブランの秀峰やレマン湖など自然の美しさばかりでなく、古城、教会、市庁舎、大学、橋、噴水などの建造物も歴史の重みを感じさせ、一行も興味をそそられたことだろう。後年、兄慶喜同様、写真撮影に没頭した昭武が、もしこの時カメラでも携帯しておれば、おそらく夢中でシャッターを切り続けていたに違いない。

だが、そうしている間にも一行を悩ませる事態が進行していた。先にパリの章でふれたように、万博で薩摩《さつま》藩に肩入れしていたフランス人モンブランが昭武らのパリ不在中に反幕府宣伝を強化しているとの情報が頻繁に届いていたからである。このため昭武は対外折衝の任にある者をパリへ帰し、次の訪問国オランダへと向かった。


昭武ら一行が、この地を去ってからほぼ二カ月後、ひとりの日本人青年がスイスに到着している。福岡藩より派遣された松下直美《なおよし》という二〇歳の留学生であった。彼こそ日本人で最初にスイスで学んだ留学生であり、この国最初の長期居住者である。

彼の留学目的は窮理、つまり物理学で、当初フランスで学ぶ予定であったが、たまたまサンフランシスコへ向かう船に乗り合わせていた前駐日スイス領事ブレンウォールドから自分の国への留学を強く勧められる。

「パリは世界一賑《にぎ》やかな大都会であり、勉強するにもその費用は半端《はんぱ》ではない。むしろ勉学を続けるにはスイスのほうがよい。わが国はヨーロッパの中央にある小国だが、物価は安く生活がしやすい。学問としては海軍術や測量術こそ内陸国のため、それほどのレベルではないが、その他の学術分野はヨーロッパの国々に遜色《そんしょく》はないから、是非来なさい」

そして彼は松下にスイスで学ぶ意思があるのなら、いろいろと便宜も図ってあげようとも述べ、ここに松下はスイス留学を決断するのであった。松下はサンフランシスコからパナマへ向かい、列車で地峡を抜け、ニューヨークへ入った。しばらくニューヨークに滞在したあと、ブレンウォールドに伴われて大西洋を渡り、パリへと向かった。パリでは閉幕直前の万博や市内見物をしている。そして汽車でスイスに到着したのは日本を発《た》ってから三カ月後の慶応三年一〇月一五日、日本ではまさに江戸から明治へ移行の渦中《かちゅう》にあった。

以後一年二カ月におよぶ留学の地となったのは首都ベルンの南西にあるルザン（ローザンヌ）で、当然のことながら日本人は一人もいない。ローザンヌはレマン湖に面した美しい町で、現在ＩＯＣ（国際オリンピック委員会）本部が置かれている。

早速松下はブレンウォールドの紹介により、市内のリユエーという民家に一カ月、二〇〇フランの賄《まかな》い料で下宿しながら、最初は個人教授について、翌年からは現地の私塾に入って物理や歴史の勉学を続けた。その一方で乗馬を楽しんだり、時には下宿の主人に連れられ、アルプスの山々に登り、英気を養った。

この間、松下は日本国内で起こっている出来事についてほぼ正確に承知していた。

将軍が退位して大政奉還したこと、鳥羽伏見《とばふしみ》の戦いで幕府側が敗れたこと、戊辰《ぼしん》戦争が始まったことなどが当地の新聞でも詳しく報じられたからである。これらのニュースはすべてロンドンから電信で届いたもので、松下は遠い異国の地にあって祖国の事情を知ることができるのを嬉《うれ》しく思いつつも、気がかりでならなかった。

当初松下の留学は三年間という約束だったが、派遣元の藩の財政事情が厳しくなり、急きょ藩派遣の欧米留学生六人全員に帰国命令が出された。明治元（一八六八）年一二月五日、松下も志半ばにしてスイスの地を離れる。のちに松下は大審院判事や福岡市長を務めた。

松下の帰国から四年後、次にこの国へ現れるのは、のちに元帥《げんすい》まで上りつめる軍人大山巖《いわお》、三〇歳である。大山の場合も松下と同じように、国からフランス留学を命じられたが、実際はスイスで学んだ。それはこの国が当時、兵器製造の技術に秀《ひい》でていたためで、見学上の便宜からしてスイス留学に切り替えたのである。

大山は明治五（一八七二）年三月、スエズ運河経由でフランスのマルセイユに着き、そこから列車を乗り継いでスイスに入った。以後帰国するまでの約二年間、ジュネーブに居を定め、フランス語とロシア語のほか兵学を学んだ。当時この町に居住する日本人はもちろん大山ただ一人であった。

大山が下宿していたのは市内アルプス通り七番地のマルタンという家である。夫を亡《な》くした老寡婦《かふ》が子供二人と暮らす家の一室を借り、食事も家族と一緒にとった。食事はなかなかの御馳走《ごちそう》が出て、大山も満足していた。

彼にとって何より幸運だったのは周囲に日本語を話す者がいないことで、いやがおうにもフランス語を使わざるを得なかった。これがパリなどにいたら、日本人の留学生も多く、それはそれで便利なこともあろうが、言葉を早く覚えるということにはならなかったと述懐している。語学留学の極意は日本人のいない町を選べとは、現代にも通じる教訓であろう。

とは言え、大山は薩摩出身の留学生の多く住むパリとジュネーブの間を頻繁に行き来している。またヨーロッパへやって来る者もしばしばジュネーブの大山のもとを訪ねている。大山は彼らの運んで来る日本の話に耳を傾け、日本の新聞を懐《なつ》かしそうに読み耽《ふけ》った。まるっきり日本語から遠ざかっていたわけでもないのである。

学業もさりながら、大山はスイス生活を大いに満喫した。時には下宿先の家族らと近くの山へピクニックに出掛けた。めいめいが弁当を持って行くのだが、たまには大山も何か差し入れなくてはと思い、近くの店から牛舌《ぎゅうタン》の燻製《くんせい》を買い、みんなに振る舞った。その燻製はかなり値の張るものだったので、大山はみんなから「ムッシュ大山はお金持ちなのねえ」と、冷やかされた。大柄で朴訥《ぼくとつ》な大山のその時の照れようが目に浮かぶ。そして気候のよい季節には谷川に入って沢蟹《さわがに》を捕まえ、それをスープにして飲むのも楽しいことだった。

大山がスイスにいた同時期、実はもう一人、日本の若い軍人が大砲の研究で滞在していた。その名を太田徳三郎と言い、ジュネーブから汽車で一〇時間ほど離れた町の士官学校で学んでいた。彼はのちに大阪砲兵工廠《こうしょう》のトップに就くなど、砲術や兵器製造分野ではわが国の第一人者とされた人物である。太田は明治元年、広島藩からフランスへ派遣され、兵器の研究にあたり、この時期はスイスに移って勉強中だった。特に大砲の研究について太田は実に熱心で、学校の休みの間は町の工場で一職工として働きながら、体で製法を覚えたという。

明治新政府が初めて海外へ送り出した岩倉使節団も欧米の列強諸国を歴訪したのち、オーストリアやスイスなど内陸の小国にも立ち寄っている。オーストリアのウィーンで開かれていた万国博覧会の視察を終えた岩倉らは明治六（一八七三）年六月、スイスに入った。日本を出てから一年半、一行の旅は最終段階を迎えていた。

列車でオーストリアの山岳地帯を西へ向かい、翌朝、国境の湖を越えてスイス領内に入ったあと、再び汽車に乗り、チューリヒをめざした。当時この町はスイス最大の都会であったが、一泊しただけで首都ベルンへと移動する。

使節団の行動を記録に残した久米邦武はスイスという国をどのように見ていたのか、現代語に直してみる。

「スイスは山に囲まれた小さな国で、遠洋航海するという必要性はそれほど差し迫っていないが、世界の情報を実に細かく集めて研究している。またこの国の兵士はきわめて勇猛果敢である。外からの侵入に対しては、一兵たりとも入れまいと国を挙げ死力を尽くして戦う。まるで火を払い除《の》けるかのようである」（『特命全権大使米欧回覧実記』）

久米は小国ながら強兵、それがゆえに断固として独立を堅持できるという骨太で、したたかなスイスの生き方を見抜いている。

一行はほぼひと月間、この国に滞在し、視察と観光に費やしている。長い旅の中で最も心安らぐ期間であった。民兵制度のほかにも彼らが学ぶべきものは多かった。資源が豊かでないのに急峻《きゅうしゅん》な地形を生かして水力で機械を動かし、産業を興《おこ》していることに感心するとともに、山岳地帯にもかかわらず、四通八達している鉄道網に驚かされた。

折しも滞在中、一行はルツェルンという町の近くに完成した「山路仰高鉄路」、いわゆる登山鉄道の開通式に招待される。筆者もかつてこの地を訪れたが、町は周囲の山々を鏡のように映す美しいフィアヴァルト湖に面し、石畳の路地の入り組んだ旧市街やロイス川に架かった木造屋根付きのカペル橋など、どこを眺めても絵葉書を見る思いがした。

新たに線路が敷かれたのは湖の対岸にあるフィッツナウという村からリギ・クルムという標高一七九七メートル（久米の記述は一三六五メートル）の山頂までの間である。厳密に言えば、この時すでに八合目までは完成しており、残りの山頂までの部分が開通したため、全通を記念して式典が行われたのである。ヨーロッパ最古のこの山岳鉄道は今なお観光客に絶大な人気を誇る路線で、赤く塗られた客車と小さな蒸気機関車の組み合わせは、まるでおもちゃのように可愛《かわい》らしい。

三〇度の急斜面を蒸気機関車が一行を乗せた客車を後ろからぐいぐいと押し上げて行く。眼下に広がるルツェルンの町や湖がどんどん小さくなっていった。老人でも婦女子でも列車に乗ったまま高山に登れることを可能にした鉄道先進国スイスの技術力に改めて脱帽し、風光明媚《めいび》な自然を観光という事業に結びつけているのも考えさせられることだった。国防意識の徹底、産業の発達に加え、学術教育水準の高さ、貧富格差の少ない社会、久米の目にはスイスはまさに「文武兼秀ツル所」と映った。

民間人で最初にスイスへ渡ったのは時計技術習得をめざす若者で、明治一〇（一八七七）年、大野規好がジュネーブの時計専門学校で学んでいる。大野家は代々、幕府暦局の御用時計師を務める家柄で、規好の父規周《のりちか》も幕末、榎本武揚らとともにオランダへ派遣され、現地で六年間、洋式時計の製造技術を学んでいる。この時代親子二代続けて海外へ出るのだから、よほど優秀な時計一家だったのだろう。また規好の祖父と曾《そう》祖父も日本地図を制作した伊能忠敬《ただたか》の使用した測量器械を開発するなど、まさに一族は精密機器のエンジニア・ファミリーであった。

規好は現地で主に懐中時計の製造技術を学び、帰国後は父親とともに洋式時計技術の普及と熟練工の養成に力を尽くした。文字通りわが国の時計製造の先駆者である。

続いて明治一八（一八八五）年には、当時日本でも指折りの時計商の子息である京屋時計店の水野太一と竹内時計店の竹内治三郎の二人がともにル・ロックル市の時計学校へ入学している。二人は渡航費及び滞在費は自己負担、いわゆる私費留学である。さらに明治三二（一八九九）年、服部時計店（のちのセイコー）の服部金太郎も国産時計の製造技術の向上のため視察旅行に出掛けている。

スイスを締めくくる最後に淡い恋物語を紹介しよう。作家の有島武郎《たけお》は明治三九（一九〇六）年一一月、ヨーロッパ旅行の途中、東北部の町シャフハウゼンを訪れ、一週間ほど滞在する。この時、武郎は宿泊したホテル・シュヴァーネン（白鳥ホテル）の一人娘ティルダ・ヘックにたちまち恋心を抱く。当時彼女は武郎より一歳年上の二九歳、隣国ドイツで歌手、そして女優として活躍していたが、父親亡きあと地元へ帰り、母と二人でホテルの経営に当たっていた。

武郎はこの地を去る最後の晩、思い切って彼女に胸の内を打ち明ける。この時、武郎は激情に駆られ、彼女の手を握ろうとするが、ティルダはそれをやんわりと拒み、自分には婚約者がいることを告げるのであった。スイス娘への想《おも》いは儚《はかな》く消え、傷心のまま武郎はチューリヒ駅からミュンヘン行きの夜汽車に乗り込む。

「此夜、武郎の頭乱るること甚だし。車中に呻吟殆《しんぎんほとん》ど一睡をなさず。まゐりたる気味なり」

有島武郎、二八歳の青春日記である。

第一七話　ニュージーランド／インバカーギル

外国船に置き去りにされ、世界を回った少年

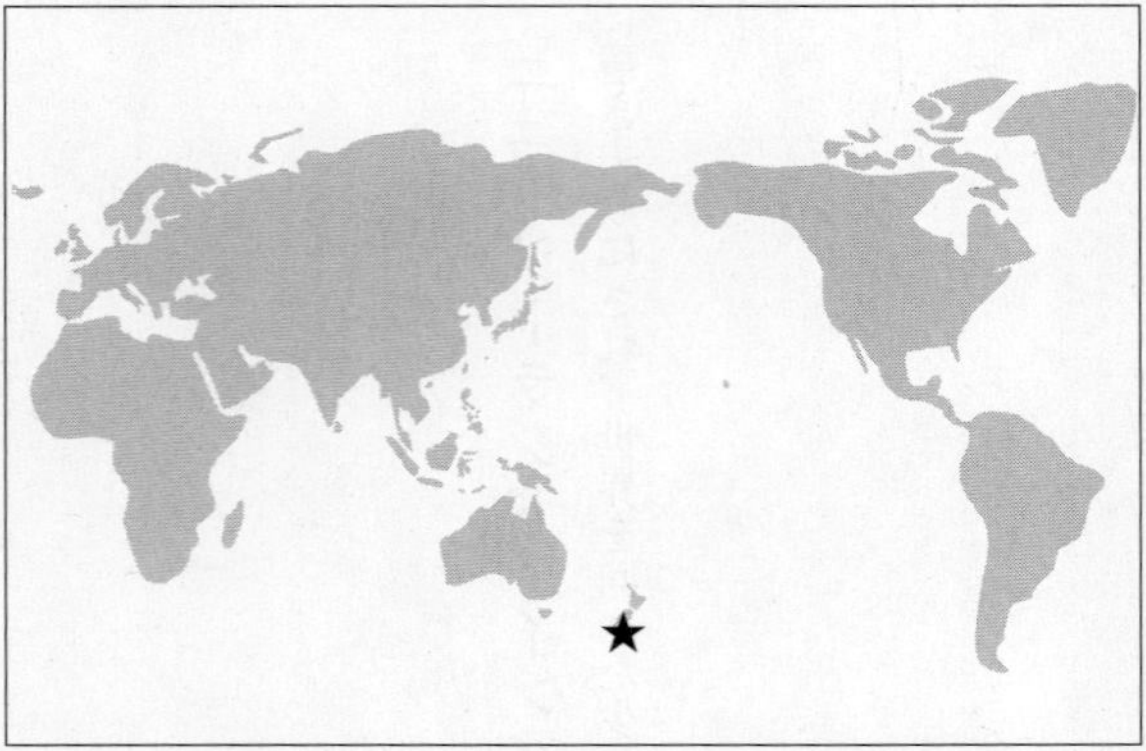

現在：日本からクライストチャーチまでが空路約11時間。そこから乗り継ぎでインバカーギルまで約１時間半。

南北二つの島からなるニュージーランドは美しい国である。いたるところに緑の牧草地が広がり、そこに住む人の数よりはるかに多い羊や牛の群れがのんびりと草を食《は》む。なだらかな丘の上にはカラフルな家々が点在し、その庭先には家族が丹精した季節の草花が咲き乱れる。一方、町には石造りの重厚な建物が並び、長年の雨露で黒ずんだ大聖堂や駅舎、税関、大学などが歴史をしのばせる。

筆者も平成五（一九九三）年春、初めてこの国を訪れたが、豊かな自然とイギリス以上にイギリス的といわれる落ち着いた町のたたずまいに、たちまち魅せられた。あるジャーナリストはこの国の魅力について「英国から受けつがれた人と自然の調和」をあげている。

近年日本からニュージーランドを訪れる観光客は急増し、年間一五万人を数える。スキーや登山、トレッキング、牧場での羊毛刈り体験、ゴルフ、マリンスポーツを楽しむ一方、語学留学や定年後のロングステイ先としてこの国を選ぶ者も多い。物価は安く、治安も安定していることに加え、教育や医療水準が高く、社会資本も充実しているのがその理由だ。二〇〇九（平成二一）年六月時点で在留邦人は一万四〇〇〇人余を数える。現在、日本から北島のオークランドと南島のクライストチャーチへ、それぞれ直行便が一一時間ほどで結んでいる。

ニュージーランドはもともと先住民マオリ人の住む島であった。ところが一七六九年、イギリス人のジェームス・クックが北島東海岸に上陸、探検したことから、イギリスがこの地に関心を抱き、一八四〇年、マオリ人との間にワイタンギ条約を結んで直轄《ちょっかつ》植民地とする。

これを機にイギリスは本土から続々と入植者を送り込むが、土地の所有権をめぐりマオリ人による反乱が絶えず、両者の間で三〇年におよぶ武力抗争が続く。しかし結局イギリスが征圧し、以後長い自治領時代を経て、この国は第二次大戦後に完全独立を果たした。

ニュージーランドは隣国オーストラリアと異なり、伝統的に組織的な外国人移民を受け入れることがなかったため、日本人のこの国に対する関心は低く、渡航する者もほとんどいなかった。

早い時期にこの国を視察し、実情を紹介した日本人の一人に、大阪朝日新聞主筆の土屋元作《もとさく》がいる。ちなみに大分県生まれの土屋は「荒城の月」などで知られる作曲家の滝廉太郎《れんたろう》の叔父にあたる。

大正四（一九一五）年、オーストラリアとニュージーランド両国へ調査旅行を命じられた土屋は、オーストラリアでの取材を終えたあと、北島の中心都市オークランドにその第一歩を印した。土屋がオークランドに着いた時、港には、たまたま日本海軍の戦艦が入っていた。

「元来ニュージーランドには日本人無く、僅《わずか》にウェルリントンに三橋と云《い》ふ男一人が在住するばかりなれば、此《こ》のオークランドの街上に我同胞の面を見んとは掛けても思はざりしことなりぬ」（『濠洲及新西蘭』）

ウェルリントンとはニュージーランド北島最南端にあるウェリントン（Wellington）のことで、一八六五年にそれまでのオークランドに代わって首都となった。土屋は南島へも足を延ばし、その後再びウェリントンに戻った際に、この三橋なる日本人と会っている。

「当国に住居する唯一《ゆいいつ》の日本人三橋氏には名誉領事の事務所にて邂逅《かいこう》せり」

三橋なる人物は外交官だったともいわれる。

土屋は一九一五年時点で、この国の日本人居住者は三橋以外にいないとしているが、実はこの報告に遡《さかのぼ》る二五年前、既に日本人がこの地に渡っており、明治三八（一九〇五）年には日本人として最初に現地国籍を取得していた者がいたのである。

日本とニュージーランドの初期交流史に詳しい園田学園女子大学教授の田辺眞人《まこと》によれば、日本人として最初にこの国に住み着いたのは、明治半ば（一八九〇年頃）、南島最南端の港町に上陸した野田朝次郎という一七、八歳の少年だったという。

田辺はかつてニュージーランド教育省や国立マッセー大学に勤務した経験があり、現地の公文書館などへ通いながら、初期の日本人渡航者についての資料を渉猟し、関係者から聞き取り調査を行った。着任した当時、彼の周囲ではこの国には早い時期に日本からの来住者は皆無との見方が支配的だったが、調べを進めてみると、日本人の過去の入国歴を示す資料が少ないながらも残っており、初期渡航者の子孫も生存していることが判明した。

ニュージーランドへ上陸した最初の日本人とされる野田朝次郎についても、田辺が古い人口調査や国籍取得者の記録などから割り出したもので、彼について判明したのは次の通りである。

朝次郎の父親は長崎の船大工だった。ある日、父親は長崎の港に入った英国船から修理を頼まれる。腕のよい職人だったのだろう。期待にしっかりと応《こた》えた仕事ぶりに満足した英国船の船長は大工を船に招き、慰労と感謝の宴《うたげ》を催した。その際、父親は当時七つか八つの息子朝次郎を連れて乗船した。わが子に珍しい外国船を見せてやりたいという親心だったのか、それとも朝次郎がねだったのだろうか。

その日、父親は心地よく酒を飲んだ。だがここからが息子にとって運命の別れ道だった。宴が終わり、ホロ酔い気分の父親は朝次郎を残したまま船を降り、家路についてしまったのである。あるいは息子が先に自宅へ帰ったと思ったのかも知れない。いつまでも父親が迎えに来ない朝次郎は船内のどこかに潜り込み、そのまま眠ってしまった。乗組員たちも子供が船内に置き去りされているとはゆめゆめ思わず、子供に気づいた時、船は日本を離れ、はるか洋上を航行中であった。もう長崎へは後戻りはできないと告げられた朝次郎少年の悲嘆ぶりは想像して余りある。

船が長崎を離れたのは明治一三（一八八〇）年頃と思われる。

やがて洋上で、これから日本へ向かうというドイツ船とすれ違った。英国船の船員がこの船に対し、少年を日本へ送還してくれるよう依頼したところ、快く引き受けてくれたため、朝次郎はドイツ船に移った。しかしドイツ船は約束に反して日本へ立ち寄ることはなく、以後彼はこの船とともに世界各地を巡ることになる。少年は船のボーイとなって働き、一〇年が過ぎた。朝次郎はドイツ人の船員たちに育てられたと言ってもよい。

ドイツ語は覚えたが、日本語や故郷のことは忘れかけていた一八九〇（明治二三）年頃のことである。船はニュージーランドに立ち寄る。南島最南端のインバカーギルという港町だった。一七、八歳になった朝次郎はここで船を降り、この国で暮らそうと決意する。船乗りの生活に飽きたのか、陸地で暮らせば、いつか祖国へ帰る手立てもあると思ったのか。田辺によると、朝次郎は上陸した時点で、もう故郷に帰ることも両親と再会することもすっかり諦《あきら》めてしまっていたという。

朝次郎の上陸したインバカーギルを土地の人はインバカーゴとも呼ぶ。イギリス・スコットランド地方の入植者によって開かれた町は、石造りのスコティッシュ風の家並みが広がる。特に観光的な見どころはないが、現在、市の南郊に日本企業も出資するこの国最大のアルミニウム精錬会社ＮＺＡＳの工場があり、近年アルミの町としても知られる。

朝次郎はここで数年間生活したあと、北島に移り、マオリ人の女性と結婚し、三男二女の子供に恵まれる。しかし最初の結婚はうまく行かず、別のマオリ人女性と再婚している。

彼は園芸を生業とし、特に苺《いちご》の栽培で成功し、財をなした。そして太平洋戦争最中の昭和一七（一九四二）年初め、半世紀を過ごした南半球のこの国で息を引き取った。享年《きょうねん》七〇前後だったとみられる。

田辺は朝次郎には子孫がいるはずと、ニュージーランド国内の電話帳を子細に調べたところ、北島に朝次郎の姓であるノダという一家を見つけ出す。さらに朝次郎の息子がオークランド市内の病院に入院中であることを知り、病床のマーティン・ノダ（当時九二歳）を訪ね、面談にこぎつける。

マーティンの話の断片から、田辺は朝次郎の出身地を熊本県の天草と推測し、日本に照会したところ、血縁の者が健在であることを突き止めた。そこで日本オセアニア交流協会の協力を得て、平成二（一九九〇）年一一月、海を隔てた親族同士の対面を実現させる。

来日したのは朝次郎の孫で、北島の町ハントリーに住む無職のトーマス・ノダ（六八歳）と、その長女シェリル・トンプソン（四三歳）である。二人は同月一三日、長崎経由で祖父の出身地である天草郡苓北《れいほく》町富岡を訪れ、朝次郎の甥《おい》の野田千次郎（六九歳）ら親族との対面を果たした。

海を越えた二家族の対面は地元でも大きな話題を呼び、翌日の熊本日日新聞は「対面　100年ぶり」という見出しのもと、トーマスと千次郎が見つめ合う写真を掲げ、大きく報じた。

記事は、ニュージーランド移民第一号とされる日本人の孫で、日系三世の老人が祖父の故郷を訪れ、ルーツの親族と一〇〇年ぶりの対面を果たしたとし、「祖父の魂がここに連れてきてくれた」と涙ながらに語るトーマスに対し、千次郎は「よく来てくれました」と応じ、二人は何度も抱き合ったと伝えている。

野田家では異国から来た二人の親族を郷土料理でもてなすなどしながら亡《な》き朝次郎を互いに偲《しの》び、語り合った。トーマス父娘《おやこ》は四日間の天草滞在中、墓参りや町役場の表敬訪問、周辺の観光などで過ごし、南半球の町へ帰って行った。

晩年の朝次郎の写真が残っている。何かのお祝いの時の記念撮影とみられる。小柄な体を礼服に包み、椅子《いす》に腰を下ろし正面を向いている。草花の鉢を置いたテーブルに左肘《ひじ》をつき、右手は膝《ひざ》の上で軽く結んでいる。きちんと撫《な》でつけた髪、鼻の下には髭《ひげ》を蓄えている。とても数奇な人生を歩んできた人物とは思えない穏やかな表情を浮かべている。事実、朝次郎は温厚誠実な人柄からトミーという愛称で親しまれ、農作物の品種改良に優れた才能を発揮したため、周囲の尊敬を集めていたという。

朝次郎が父親と生き別れとなった長崎は昔から天草と強い繫《つな》がりがあった。天草の人たちにとって「長崎奉公」という言葉があるように、長崎は絶好の稼ぎ場で、県都の熊本よりも身近な存在であった。長崎の町は天草人がつくったという自負さえもっていた。朝次郎の父親も早い時期に長崎へ出て、船大工として腕を磨き、一家を構えたのだろう。

朝次郎以降で、この国への渡航が明らかになっている日本人を挙げてみる。入国した時期の順に並べると、まずは朝次郎から五年後の明治二八（一八九五）年に長崎県出身の月川喜代平、同三三（一九〇〇）年に山梨県出身のチノ・コーギン（字は不明）、同四〇（一九〇七）年に広島県出身の国岡白市、さらに大正五（一九一六）年に鹿児島県出身のカミゾノ・モリノスケ（字は不明）と続く。他にも二人ほど早い時期に渡航した日本人がいるが、入国年は不明である。彼らの中で最も早く国籍を取得したのはチノ・コーギンで、渡航してわずか五年後の一九〇五（明治三八）年のことである。

朝次郎を含め、渡航した日本人は南島、北島を問わず、ほとんどが当時開けていた東海岸（南太平洋岸）の町に住み、生計を立てていた。五人のうち、渡航後の足取りがほぼ判明しているのは、二番目の移住者とされる月川喜代平で、彼の上陸地は南島東岸のダニーディンという港町である。

ダニーディンは南島中部オタゴ地方の中心都市で、一八六一年に町の郊外で金鉱が発見されたため、ゴールドラッシュに沸き、全土からヒト、モノ、カネが大量に流れ込んだ。一時はニュージーランド最大の都市にまで発展したが、金鉱は短期間に掘り尽くされたため、その繁栄も長くは続かなかった。喜代平が現れたのはゴールドラッシュが過ぎ去ってしばらくしてからである。

スコットランドからの移民が多いダニーディンはスコットランド以外で最もスコットランドらしいところと評されるほど、本国イギリスの影響が色濃く残っている町である。ゴールドラッシュが過ぎ去ったとは言え、喜代平が現れた頃、町には鉄道の駅、教会など重厚な石造りの建物や貿易で財をなした商人たちの大邸宅が続々と建設中だった。それらは風雪を経て今、歴史的建造物として町の観光スポットとなっている。

朝次郎がボタンの掛け違いから、たまたま海外へ出ることになったのに対し、喜代平の場合は覚悟の祖国脱出であった。小学校を卒業すると、見習い水夫となり、上海《シャンハイ》へ密航する。現地で英語を学び、二〇歳の頃、英国船に雇われ、以後日本船、米国船と移りながら船乗りとして世界各地を巡る。

一八九五（明治二八）年六月、乗り込んでいた船がダニーディンに寄港する。喜代平はこの時、原因は不明だが、船長と口論となり、その挙句、船から脱走し、そのまこの国へ住み着くことになった。若い頃から身につけた英語が使える土地というのも、彼がニュージーランドに腰を落ち着けようとした理由の一つだったろう。

喜代平は上陸するとまもなく、農業畜産立国をめざそうとしていたこの国で、初の大農場を経営する会社に就職、さらに砂金浚渫《しゅんせつ》技師へと転じたが、一九〇二（明治三五）年、強い望郷の念に駆られ、郷里の長崎県五島列島に帰国している。喜代平が二八歳の時である。この国へ来て七年の月日が流れていた。

しかし故郷へ戻ってみたものの、貧しい離島では生涯を託す仕事を見つけることが出来なかった。彼はその年のうちに再びニュージーランドへ戻ろうとしたが、旅費を工面出来ず、何とか掻《か》き集めて香港《ホンコン》までたどり着いたものの、その先の見通しが立たず困り果てていた。ところがある日、たまたま港にオーストラリア、ニュージーランドへ向かう日本海軍の練習艦を見つけ、交渉した結果、乗船が認められた。以後多少の時間は要したが、オーストラリア経由で再びダニーディンの町へ戻ることが出来た。

気を取り直した喜代平の刻苦勉励はここから始まる。再び以前の農業技師、さらに昔の経験を生かして輸送船の技師などとして働き、上陸一二年後の一九〇七（明治四

○）年、念願の国籍を手に入れる。ここで喜代平は今後の進むべき道について大きな決断を迫られる。

この国で必要とされる農業の分野に進めば、成功する可能性もあるが、船長になることも日本人として名誉なことと考えた。やはり船乗りという仕事にこだわりがあったのだろうか。猛勉強の末、船長の国家試験にパスする。

晴れてニュージーランド人となり、公式船長の資格も得た喜代平はオーストラリア人女性と結婚する。やがて三人の子供に恵まれるが、この子らに付けた名前が興味深い。長男と次男には日露戦争の功労者にあやかり、トーゴー（東郷）とノギ（乃木）、そして三男には明治の元勲からイトー（伊藤）と、それぞれ命名したのである。喜代平はまた日本海軍の練習艦隊がオークランドやウェリントンの港に入るたびに、南島からはるばる訪ねて行ったりもした。明治の日本人として強い愛国心と高いプライドをもち続けていたことがわかる。

喜代平は生涯にもう一度、帰国している。昭和一一（一九三六）年のことである。二つの祖国に役立ちたいと、ニュージーランド産品の輸入促進と日本からの輸出拡大に向け、一民間人として仲介の労をとろうとしたのである。時の政府に働きかけるが、アメリカ、イギリスとの関係に暗雲がたちこめていた時期だけに、喜代平の努力も実を結ばず、失意のうちに帰国する。経済交流の促進によってきたるべき衝突を回避させたいという愛国的な思いによるものだったのだろう。やがて日本は連合国軍側のニュージーランドと交戦状態に入り、関係が途絶する。

現地の人々から尊敬を集めていた喜代平は戦争中も拘留されることなく、特例的に通常生活が許されたというが、彼の胸中は複雑だったろう。以後帰国することもないまま、昭和二三（一九四八）年、七四歳で生涯を閉じ、異国の土となった。

朝次郎と喜代平以外の日本人もまたそれぞれ数奇な運命をたどった。

国岡白市は明治二一（一八八八）年生まれで、一九歳の時にニュージーランドへ渡って来たが、動機は不明である。オーストラリア人の妻をもち、一時期、北島東岸の三つの町で、理髪店、ビリヤード場、雑貨店、製パン工場などを手広く営んだ。彼の場合は、第二次大戦中に敵国人として収容所に拘留され、戦後単身で帰国する。これは戦争中に妻を病気で亡《な》くし、二人の娘も日本へ行くことを拒んだためである。

やがて朝鮮戦争が勃発《ぼっぱつ》すると、ニュージーランド軍は連合国軍の一員として広島県呉《くれ》市に駐留するが、白市は基地に出入りし、兵隊たちと親しく交流した。彼はまた、のちにニュージーランド兵の妻となる日本人女性、いわゆる戦争花嫁に対し、語学や現地事情などを教えた。どこまでもニュージーランドとの繋がりが断ち切れなかったようである。

カミゾノ・モリノスケは二一歳の時、北島のオークランドから入国し、東岸地方で理髪店やビリヤード場を経営した。朝次郎と同じくマオリ人を妻としたが、四〇代半ばで早世し、現地の墓に眠る。

チノ・コーギンも二二歳で来島し、北島で理髪店を経営したが、生涯独身だった。戦後宝くじで大金を手にしたが、彼は地元の学校へそっくり寄付し、奨学金として使われた。地元民にも愛され、死後手厚く葬《ほうむ》られた。

こうしてみると、初期にニュージーランドへ渡った日本人はいずれも一〇代後半から二〇代の若者であった。ある研究者は彼らのことを「運命に導かれた孤独な冒険者たち」と表現したが、朝次郎や喜代平のように船乗りとしてたまたま寄港した土地がニュージーランドだったという者もいれば、日本人移民を受け入れていた隣国オーストラリアから、さらなるチャンスを求め、タスマン海を越えて来た者もいただろう。少なくとも彼らが初めからこの国をめざして渡航したのではないことだけは確かである。しかしその後、彼らは勤勉と努力によって現地社会に認められ、生活基盤を築いていった。彼らはまた終生、祖国を忘れぬ日本人でもあったという点でも共通している。

第一八話　アメリカ／ポイントバロー（アラスカ）

極北で夢を追い続けた日本人イヌイット

現在：日本からの直行便はなく、アメリカやカナダ西海岸の都市を経由してアンカレッジに入り、さらにバローへはローカル便を利用する。現地まで日本からほぼ一日かかる。夏場はアンカレッジ発着のバロー日帰りツアーも催行される。成田→アンカレッジは約6時間半。

ロシアがまだソ連だった時代、日本からヨーロッパやアメリカ東海岸へ向かう飛行機は給油のため、アラスカのアンカレッジ空港に立ち寄っていた。筆者も何度かニューヨークやワシントンへ向かう際、この空港にトランジットし、大きな白クマの剝製《はくせい》を眺めながら、売店で名物のうどんを啜《すす》ったことを思い出す。当時のアンカレッジは日本人にとって唯一《ゆいいつ》アラスカと接する町であった。

その後航空機の性能が向上し、アメリカ東岸まではノンストップ・フライトが可能となり、またヨーロッパへはソ連崩壊後、ロシア政府がシベリア上空を民間機に開放したことにより、日本航空の場合、平成三（一九九一）年から北回り路線を停止した。それに伴い、いつしかアラスカは日本人に忘れられていったが、近年、雄大な自然やオーロラに魅せられ、この地を訪れる日本人が徐々に増えつつある。

記録上、日本人が初めてアラスカの地を踏んだのは文化二（一八〇五）年、漁師五人が太平洋を漂流中、オランダ船に救助され、南部の港町シトカに連れて来られたこととされる。当時アラスカはロシア領で、シトカは毛皮交易の本拠地であった。以後も日本の漂流民がこの地に流れ着いているが、いずれも到着したのはアラスカでも比較的気候の温暖な太平洋に面した南東部、いわゆる「内アラスカ」と呼ばれる地域であり、極北地帯の「外アラスカ」ではなかった。シトカ空港のある島はロシア語でヤポンスキー島（日本島）と呼ばれている。

また自らの意思でアラスカへ入った最初の日本人は、幕末に白人の手引きでサンフランシスコへ密航した旗本の子弟（姓名不詳）だったといわれる。

彼は明治七（一八七四）年、サーモン・キャナリー（鮭缶《さけかん》工場）に職を得て現地へ向かった。アラスカ行きは生活のためというより、まだ見たことのない地を見聞しようという好奇心からだったという（『北米百年桜』伊藤一男）。

日本人がこの地へ本格的に現れるのは明治二〇年代後半からで、捕鯨や鮭漁、缶詰製造に従事する出稼ぎ労働者たちであった。彼らのほとんどは北米大陸への移民で、アメリカやカナダの会社に雇われ、シアトルやバンクーバーから北の漁場や加工場へ向かった。彼らは毎年四、五月から海が結氷する九月頃までの季節労働者であり、定住する者はほとんどいなかった。

ところが一八九〇年代半ばから始まるゴールドラッシュによってアラスカの様相は一変する。砂金をめぐる狂騒は一八九六（明治二九）年、カナダとの国境近くのクロンダイクで大鉱脈が発見されたことから火がついた。続いて一八九八（明治三一）年に西部のシュアード半島のノーム、さらに一九〇二（明治三五）年、中央部のタナナ平原で砂金が相次いで発見されるにおよんで、北米はもとより世界各地から一攫千金《いっかくせんきん》を夢見る、いわゆる「黄金亡者《もうじゃ》」たちがどっと押し寄せる。その中に何十人、いや何百人もの日本人が交じっていたのである。

その一人に「ジェームス・ワダ」とか「ワダジュー」と呼ばれた若者がいる。明治八（一八七五）年、現在の愛媛県周桑《しゅうそう》郡小松町に生まれた和田重次郎は一七歳の時、誰にも告げずに郷里を出奔、神戸から貨物船に潜り込んでアメリカへ密航する。彼には幼い頃からアメリカ行きの夢があり、「アメリカへ渡って住友になる」というのが口癖であった。当時アメリカで成功した日本人の話が四国の片田舎にもしきりに伝えられ、これを小耳にはさんで少年は海を渡ろうとしたのである。住友とは郷里の伊予（現愛媛県）で別子銅山を経営していた豪商住友家のことである。

重次郎の父親は伊予小松藩というわずか一万石の小藩の下級武士であったが、重次郎の幼い時に世を去ったため、彼は家計を支えようと一二、三歳の頃から働きに出る。アメリカ行きは一旗揚げ、残された母に楽な暮らしをさせてやりたいと思ったからである。

明治二五（一八九二）年、サンフランシスコに到着すると、重次郎は捕鯨船のキャビンボーイの職を得て北氷洋へ向かった。アラスカ周辺の海を下級水夫として巡っていたところ、クロンダイクやノームで相次ぎ金鉱が発見されたことを知り、自分もかねてからの夢を実現しようと船を降りてゴールドラッシュの人の群れに身を投じたのである。

重次郎はアラスカの大河ユーコン川やその支流を遡《さかのぼ》って内陸部へ深く分け入り、ついに一九〇二（明治三五）年初冬、現在のフェアバンクス市近郊のクリア・クリークで大きな金鉱を探し当てる。当時の山師たちは良質の金鉱を探り当てることをストライクといった。二七歳の日本人青年はまさに大ストライクを達成したのである。

「ジュージロー・ワダ」の名はたちまち金鉱探しの男たちの間に知れ渡り、彼は一躍有名人となった。その快挙は日本へも伝わり、新聞や雑誌にも紹介された。

「和田某氏は砂金採取に成功し……」（雑誌「商工世界　太平洋」明治四〇年七月一日号）

「アラスカの東岸には、和田某氏が砂金鉱を発見し、その風を聞いて北米在留の日本人はアラスカ方面に出掛ける者が多い」（同明治四一年八月一五日号）

この後の彼の人生は波瀾万丈《はらんばんじょう》そのものだった。引き続き金鉱探しをするかと思うと、人跡未踏の山野を探検、冒険旅行したり、各地のマラソン大会や犬ゾリレースに出場しては何度も優勝をさらうなど神出鬼没の行動をとった。特に重次郎は犬ゾリを操る技術に秀《ひい》でており、人は彼をジャパニーズ・マーシャー（犬ゾリ使いの神様）と呼んだ。

生涯妻帯せず、年老いてからはアラスカや北米大陸西岸を放浪しながら、かつての栄光をネタに講演し、収入を得た。彼を知る人間は重次郎が昔から多弁で能弁な男だったと証言している。しかし次第に郷里への送金もままならなくなり、苦しい生活を続けた末、一九三七（昭和一二）年の春、重次郎はサンディエゴの病院で見守る人もないままに息を引き取った。享年《きょうねん》六二、この時、彼のポケットには一ドルにも満たないわずかなコインしか残っていなかったという（『オーロラに駆けるサムライ』谷有二）。

重次郎は十分な教育こそ受けていないが、利発な男だった。言葉にしても本人はアメリカへ渡って三年後には英語に不自由することがなかったと語っており、またアラスカ先住民の言葉も理解出来たという。頼るべき人間もいない土地で生きていくため、必死になってマスターしたのだろう。

表向きは気丈に振る舞っていたが、心の中はいつも母恋しさであふれんばかりだった。母に会いたい、重次郎は故郷を飛び出してから四年後の二一歳の秋、毛皮の取引で旅費を作り、日本へ帰っている。三カ月ほどの滞在中、母親を東京見物や温泉へ連れ出すなど精いっぱい親孝行に努めた。しかし重次郎の帰国は生涯で、これ一度きりであった。雪と氷の大地に暮らした「ワダジュー」の人生は、まさに「極北のジプシー《（ママ）》」（「報知新聞」）と呼ぶにふさわしい。

　医師であり、冒険家でもある関野吉晴は一九九七（平成九）年一一月、アラスカでジョージ・ヤマモトという日本人が住んでいた集落を訪ね、彼の子孫たちと出会っている。その集落とはアラスカ西部のシュアード半島のコッツビュー湾に面したデアリングという村である。

　関野の著『グレートジャーニー』によると、ヤマモトは一八九七（明治三〇）年、横浜からサンフランシスコへ渡ったことははっきりしているが、いつアラスカへやって来たのかは定かでないという。ただし以前は金鉱で働き、鉱山食堂でコックもしていたというから、ゴールドラッシュの最中であることだけは間違いなく、彼がデアリング村に現れたのは、アメリカ本土への渡航時期からみてシュアード半島のノーム海岸で砂金が発見された以降だろう。

しかし関野はジョージがこの村へ来たのは砂金目当てではないとしており、事実、村に住み着いたジョージは犬ゾリで郵便配達をしながら生計を立てた。やがてイヌイットの女性と結婚して五人の子宝に恵まれる。彼は鉱山食堂でも現地人食しか作らなかったといい、村でも日本食は口にせず、日本語らしき言葉も一切使わなかったという。ひたすらイヌイットになりきろうと努めたのである。

以後彼は日米開戦でアメリカ本土の強制収容所へ入った時期を除き、生涯をデアリングで送った。彼の本名、出生地、何の目的でこの村に来たのかは誰も知らないが、子孫たちは父そして祖父が日本人であることは知っている。ジョージ・ヤマモトは今も彼の残した多くの子孫に見守られながら村の墓地に眠っている。

アラスカの日本人と言えば、和田重次郎とほぼ同時期にこの地へ入ったフランク・ヤスダこと安田恭輔《きょうすけ》を忘れてはならない。和田が金鉱を最初に探し当てたことや犬ゾリの名手として、その名をとどろかせたのに対し、安田はイヌイット社会にどっぷり浸《つ》かり、極北の少数民族のために生涯を捧《ささ》げたことで特筆される人物である。

「アラスカの北部ベーリング海峡のケープノーム（マヽ）に、エスキモー（マヽ）族に交じりて捕獲鯨業に従事してゐる安田恭助（マヽ）氏……。安田氏の居住してゐるノーム附近のエスキモー（マヽ）族は、柔軟で、恰《あたか》も北海道のアイヌの其《そ》れのやう、人に熟れ易《やす》く、安田氏が半ば永住の見込みを以《もつ》て居住を定めると、皆安田氏に帰伏し、数年の中に酋《(ママ)》長の如《ごと》き位置に推さる、やうに為《な》つた」（『海外活動之日本人』有磯逸郎）

有磯は安田が生活拠点とした地をケープノームとしているが、誤りで、実際は北極海に面した北米大陸最北端のポイントバローである。

安田恭輔は明治元（一八六八）年、宮城県石巻町（現石巻市）の医師の家に生まれた。彼が一五の時、両親が相次いで世を去り、あとに多額の借金が残される。世が世なら何の苦労もなく上級学校へ進むはずの恭輔は学業を断念せざるを得なくなり、やむなく三菱《みつびし》汽船石巻支店に給仕としての職を得る。

恭輔にはかねてからアメリカへ行ってみたいという夢があり、自分から希望して北米航路の貨物船の船員となった。一九歳の春のことである。

和田が何としてでも一儲《ひともう》けしようと意気込んでアメリカをめざしたのに対し、恭輔の場合は郷里での煩《わずら》わしい人間関係などから逃れ、自由の国で思い切り新しい人生を拓《ひら》きたいという願望が先立ったと言えるかも知れない。

念願が叶《かな》いアメリカへ渡ったものの、船員の仕事をわずか二年で辞め陸に上がる。その後サンフランシスコ郊外の農場や工場勤めをしてみたが、どれも彼には満足できる仕事ではなく、新たなチャンスを探していたところ、たまたまアメリカ沿岸警備艇のキャビンボーイ募集の新聞広告を見て応募し採用される。恭輔は二二歳になっていた。

恭輔の生涯を描いた新田次郎の『アラスカ物語』によると、彼の乗り込んだベアー号はアラスカ沿岸に横行する密猟船の監視や摘発を主たる業務としていた。一八九三（明治二六）年の夏、ベアー号はアラスカ沿岸に住むイヌイットたちへの食糧救援の任務に就いていた。アメリカ政府は少数民族イヌイットを保護する政策を採っており、毎年漁に出られぬ秋から翌春にかけて彼らに食糧を提供していた。その年北極海の結氷は例年より早く始まり、ベアー号は氷の海に閉じ込められる。

ある日、吹雪で視界のきかないドサクサに紛れて、白人水夫が船内から食糧を密《ひそ》かに持ち出し、陸にいる仲間へ横流しするのを恭輔は目撃する。しかし疑惑は逆に日本人の恭輔へ向けられた。人種偏見によるいやがらせだった。このため越冬するベアー号の食糧が不足することになり、彼は自分の疑いを晴らすため、近くのポイントバローという集落まで食糧支援を求めに行く役を買って出る。

ポイントバローは北緯七一度二三分の北極圏に位置する岬で、目の前には一年を通し、凍《い》てつく北極海が広がる。最も近いバローの町まで約二〇キロあり、この町へは現在でもアラスカ各地から飛行機でしかアクセスできない。当時のポイントバローは捕鯨船の基地で、白人の毛皮交易商人がごくわずか駐在するほかは、住民の大半がイヌイットだった。

船からポイントバローまで約二四〇キロ、道なき氷雪原が続いている。彼は星の位置と磁石を頼りに歩き続けたが、ついに力尽き、倒れているところを、運よく通りかかったポイントバローに住むイヌイットに助けられ、一命を取りとめる。ここから安田恭輔こと、フランク・ヤスダのイヌイット社会との関わりが始まる。

フランクは進んで彼らの社会に飛び込み、言葉や習慣を学んだ。銛《もり》を使って鯨やアザラシを捕獲する腕を磨き、陸にあってはカリブーなどの狩猟技術を身につけ、イヌイットたちの間で信頼をかち得ていった。臭気漂う半地下の家へ住み、犬橇《ぞり》を操り、火食の習慣のない彼らと同じように鯨やアザラシの生肉も食べたが、狩りに出る前夜、人妻を一晩、他人に提供する風習だけは頑として受け付けなかった。

やがてフランクは現地人の女性を妻にし、ポイントバローに生活の基盤を築く一方、彼らの先頭に立ってイヌイット社会の改善にも着手する。

当時、密猟による乱獲がたたって、海でも陸でも食糧の確保が困難になり、また外部から持ち込まれた麻疹《はしか》が猛威を振るい、死者が続出した。中には集落ごと住民が絶滅するところも出て、イヌイットたちは危機感を募らせる。

そこでフランクは仲間たちを救う資金を得るため、白人鉱山師の誘いに応じて砂金の鉱脈探しに加わる。海辺の集落からブルックス山脈を越え、内陸部へ深く入り込んで行くうち、フランクは幸運にも砂金脈を発見する。彼はこれで得た資金をもとにしてポイントバローに住むイヌイット一三〇人（一七〇人とも）を内陸部へ集団移住させようと決意する。

移住先として選んだのは沼や川が点在し、ビーバーが多く生息する地域だったため、フランクはここをビレッジ・ビーバー（ビーバー村）と名付けた。村はフェアバンクスの北約一八〇キロほどに位置し、当時は原住民アサバスカン・インディアンの居住地であった。

フランクは金鉱の発見で手にした利益を村の建設のために惜し気もなく投じ、さまざまな苦難に遭遇しながらも村人のために働き続けた。自らを「日本から来たエスキモー《（ママ）》」と称し、一方地元の人たちは彼を「アラスカのサンタクロース」とか「日本人モーゼ」と呼んだ。

こうしてフランクは日本人ながらイヌイットやインディアンたちから尊敬を集め、慕われながら昭和三三（一九五八）年、ビーバー村で九〇年の生涯を閉じる。日米開戦の際、ジョージ・ヤマモトらとともにニューメキシコ州サンタフェの強制収容所へ入れられた時期を除き、一度たりともイヌイットと離れて暮らすことはなかった。故郷の石巻を出て七〇年、祖国の地を踏むことなく、アラスカの土と消えたフランクの人生はまさに極北の少数民族に捧げられたと言ってよい。

『アラスカ物語』にはフランク・ヤスダのほかに二人の日本人が登場する。一人はジョージ・オオシマという男である。オオシマは明治一一（一八七八）年、現在の群馬県太田市で生まれた。本名は大島豪十で、フランクより一〇歳年下である。

アラスカに入った経緯は定かでないが、兄と二人でアメリカへ渡ったのち、一人でゴールドラッシュに沸くアラスカへ転住して来たらしい。英語とともにインディアンの言葉をうまく操ったというから、金鉱を求めて山野を歩き回っているうち、インディアン社会とのパイプを築いたのだろう。

彼はイヌイットの子供たちと無邪気に遊ぶ反面、白人に対しては強い不信感を抱き続け、その思いは終生変わることはなかった。生涯独身を貫き、最後は収容されていた日系人キャンプ内で、昭和二〇（一九四五）年に六七歳で死んだ。

もう一人はジェームス・ミナノというフランクより七歳上の男である。彼もまたゴールドラッシュの始まった頃、ノームに現れた。やがてポイントバローの南東にあるアラクタックというイヌイット居住地に移り、そこでフランク同様、現地女性と結婚する。ところが、その地では食糧不足と麻疹が猛威をふるい、死亡する者が相次いだため日本人イヌイットが住んでいると聞いてポイントバローへ逃れて来たのだった。

ミナノは一九一八（大正七）年当時、自分はアラスカに二五年住んでいると語っており、これが事実とすれば、一八九三（明治二六）年頃からということになり、和田や安田とほぼ同じ頃である。彼もまた一生をアラスカで送ったとみられる。

永住こそしないものの、アラスカの金鉱に魅せられ、この地に足を踏み入れた日本人は最盛期に四、五〇〇人にも達したといわれる。彼らはさまざまな国から雲集した一発屋たちに伍《ご》して、真冬には零下三、四〇度にもなる奥地をめざした。食糧をはじめ、寝袋、ライフル銃、シャベル、金盥《かなだらい》などを積んだソリを引き、野営を重ねながら道なき道を進んだ。これぞという岩石をハンマーで叩《たた》き割り、虫メガネで金の有無を検石したり、砂金を含む川床をすくった。

そんな中で日本人が頼りにしたのは、厳しい環境下で生きる術《すべ》を知り、白人たちの横暴と狡猾《こうかつ》さを憎悪《ぞうお》していたイヌイットやインディアンなどアラスカ先住民たちである。日本人たちは不案内な土地で、仁義に厚く顔付きや体型も酷似している彼らに親近感を覚え、やがて彼らの中から妻を娶る者も現れた。この繋がりこそが彼らの生きる支えだったに違いない。

時を経てこの地では砂金にかわって石油が産出される。現在アラスカに住む日本人も大半は石油やパルプ関連ビジネスに従事する者たちで、イヌイットとして定住する者はいない。ちなみに現在、地球最北に住む日本人はデンマーク領グリーンランドに暮らす大島育雄（六三歳）である。

彼の住むシオラパルク村はフランク・ヤスダが最初に暮らしたアラスカ最北端のポイントバローより、さらに六度以上も高緯度の北緯七七度四七分にあり、北極点まで一三〇〇キロの地に位置する。

大島の著『エスキモーになった日本人』によると、大学時代から山岳部員として活動してきた彼は卒業後、グリーンランド・エルズミア島の最高峰の登頂をめざすが、まずその下準備として昭和四七（一九七二）年、当時この村に滞在していた探検家の植村直己を頼って渡った。植村は次なる寒冷地踏破に向けて特訓中であった。

ところが日が経《た》つにつれ、大島は登山より専《もっぱ》ら氷雪の世界に暮らす人々とその生活に興味を奪われ、やがてイヌイットとして生きる決意を固める。二年後現地人女性と結婚し、以来三〇年以上、狩猟で生計を立てながら妻と五人の子供たちを養ってきた。彼は職業を聞かれれば、躊躇《ちゅうちょ》せずピニヤット（猟師）と答える。海と陸で捕獲した獲物《えもの》の毛皮は売り、生肉は食用とする。今なおイヌイット伝統の生活様式にこだわり、わが子にもそれを伝える大島は、堂々たるポーラー・ジャパニーズ（極北の日本人）である。

第一九話　サウジアラビア／メッカ

日本人初の回教徒になってアラビア縦断

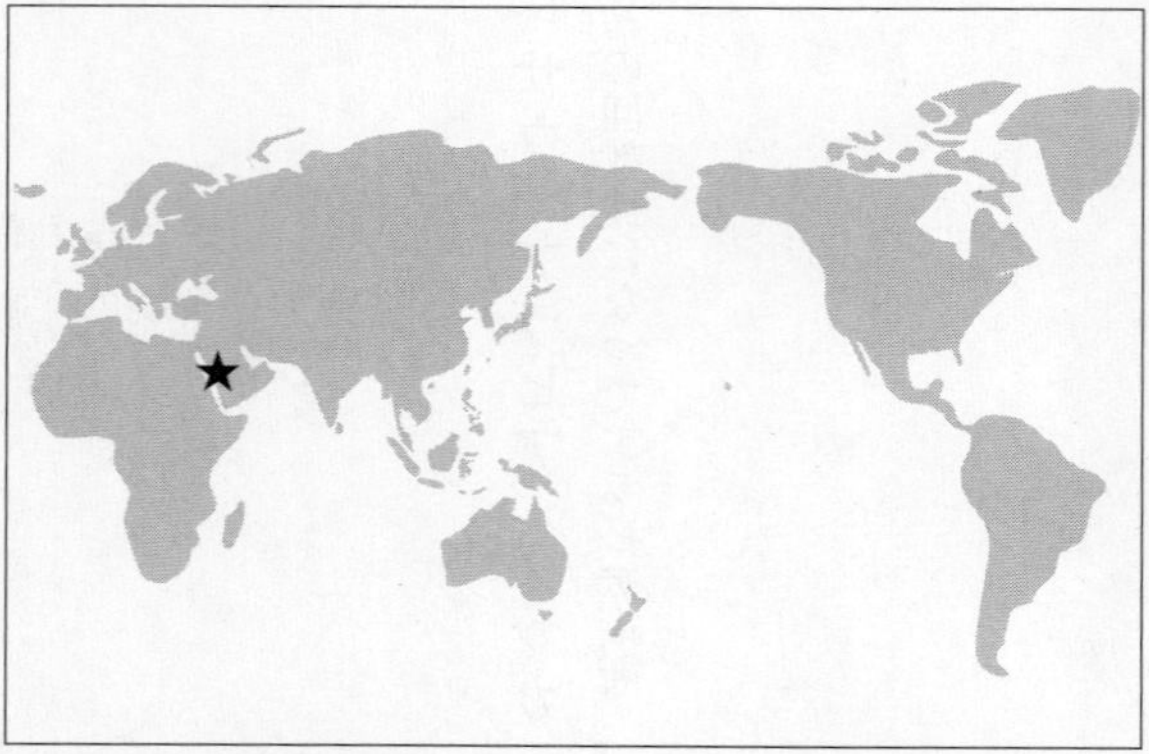

現在：日本からの直行便はない。観光目的の入国はサウジアラビア航空のみ。たとえば関空→ドバイ（アラブ首長国連邦）が空路約11時間。そこからサウジアラビア航空でリヤドまでが約１時間半。シンガポールからのサウジアラビア航空リヤド直行便だと約８時間半（日本→シンガポールが空路約７～８時間）。

日本の六倍近い面積がありながら、その三分の一は不毛の砂漠地帯という国がサウジアラビアである。世界最大の原油埋蔵量を誇るこの国で、本格的な採掘が行われたのは一九三〇年代に入ってからである。当初はなかなか有望な油田を発見できなかったが、一九三八（昭和一三）年、アラビア半島東岸のダハラーンで地下約一四〇〇メートルまで掘削した時、商業量に達する大量の原油が噴出したことから「燃える水」が「金のなる水」へと変わった。この国の近代化は石油開発とともに始まったと言ってよい。

現在日本にとってこの国は原油の輸入を通じて切っても切れない関係にあるが、本格的な交流は外交関係を樹立した昭和三〇（一九五五）年以来、たかだか五〇年に過ぎず、またイスラム世界の中でも最も戒律が厳しいと言われることもあって、この国の内情は案外と知られていない。

日本で早い時期にこの国を紹介した福沢諭吉の『世界國盡《せかいくにづくし》』は、この地に荒火屋《アラビア》という字をあて、次のように述べている。

「荒火屋は大国なれど、砂漠とて辺もなく広き砂原ありて、且《かつ》気候は熱く雨は少く、住まうに宜《よろ》しからざる地なり」と、自然環境の厳しさを指摘したうえで「此《こ》の国は風俗悪《あ》しくして盗賊多きゆえ、国の人々、広き砂漠を越えて旅行するには、大勢駱駝《らくだ》に乗り武器を携えて通行するとなり」と記している。

また日本との関係では「あらびやの馬とては既に日本にも渡り、世界中の名馬なり」と、馬を通じた交流についてわずかにふれている。現に天正少年使節がアラビア馬を一頭持ち帰り、秀吉に献上したとか、徳川幕府の将軍たちが長崎のオランダ商館を通じてペルシャやアラビア産の洋馬を盛んに輸入し、下総《しもうさ》や甲斐《かい》の牧場で飼育させたという記録が残っている。

この国は今なお聖地メッカへの巡礼者を除き、外国人の自由な入国を認めていない。近年この国へ入国を果たした民間人の竹下節子は、訪れた首都リヤドの印象について「近代化され、西洋化された世界中の首都のうちでは最も原理主義的なところだろう」（『不思議の国サウジアラビア』）と述べている。事実外交官は別として技術者や商社員など特別の許可を得た者でないと、異教徒は容易に足を踏み入れることが出来ず、世界で最も入国が困難とされる国の一つである。

入国と言えば、筆者はこの国にかつて駐在した経験をもつゼネコンの役員氏から興味深い話を聞いたことがある。それはこの国を訪れる外国人は誰もが「ゲスト」（賓客）、「エネミー」（敵）、「スレーブ」（奴隷《どれい》）の三種類のいずれかに分類されるという話だった。もちろんパスポートにスタンプが押されるわけではないが、秘密裏に入国者は峻別《しゅんべつ》されるのだと聞き、ひどく驚いた覚えがある。「わたしならどの分類でしょうか」という筆者の問いに「イスラム教徒でなければ、その入国目的にもよりますが、せいぜいエネミーでしょうね」と、役員氏は苦笑しながら答えた。果たしてそのような乱暴な分類が現実になされていたのか、今もなされているのか、知る術《すべ》もないが、こういう話が出るほど、この国は入国者を厳しく監視してきたという何よりの証拠だろう。

しかしこの国も一〇年ほど前からようやく団体ツアーに限って外国人観光客を細々と受け入れるようになり、日本からも平成一三（二〇〇一）年のゴールデンウィーク、関西空港からサウジアラビア航空のチャーター便による入国が初めて実現した。もとよりこの国には観光目的のビザはなく、この時の参加者は全員商業視察ビザによる入国だったという。

またツアーには当然のことながらメッカ訪問の日程はなかったが、メッカ周辺部への接近は厳しく制限された。メッカに通じる道路のはるか手前に「これより異教徒は立ち入り禁止」という警告表示板が立ち、参加者たちはこれをカメラに収めるのが精一杯だったという。

こういう国柄だから、日本人として最初にこの地に足を踏み入れたのも、わが国回教徒第一号とされる山岡光太郎という二九歳の青年であった。今から一〇〇年前の明治末年のことである。

山岡は明治一三（一八八〇）年、現在の広島県福山市に生まれ、東京外国語学校（現東京外語大）ロシア語科に学んだ。卒業後陸軍に入り、折しも勃発《ぼっぱつ》した日露戦争に通訳官として出征する。戦争後、満州や朝鮮各地の軍機関に勤務したり、国事に奔走したともいわれるから、もともと血の気の多い性格だったのだろう。

この頃、山岡はロシアから日本へ亡命したタタール人のアブドラ・シード・イブラヒムというムスリム（回教徒）と知り合い、彼との出会いがアラビアへの関心を芽生えさせ、イスラム教の聖地メッカ巡礼へと駆り立てたのであった。イブラヒムには既にメッカ巡礼の経験があった。

当初彼はイブラヒムを案内役として密《ひそ》かにアラビアの地に潜行しようと考え、まずインドのボンベイ（現ムンバイ）へ向かった。ところが異教徒の日本人がメッカ潜入を企てているとの噂《うわさ》が現地の回教徒の間に広まり、にわかに身辺の監視が厳しくなったため、やむなく回教徒になることにした。つまり本人はもともと回教に帰依《きえ》するつもりなどなく、入信はアラビア入境とメッカ訪問をスムーズに実現するための方便に過ぎなかった。

山岡は帰国後に著した『アラビア縦断記』の中で、「速成教授を受け、速成教徒となりて目的地に向かひ」と記しており、ボンベイで回教の教義、規則、祈禱《きとう》、礼拝など基本的なことを大急ぎで体得したことを認めている。これも「邦人として該地方巡礼を試むる者は予を以《もっ》て嚆矢《こうし》となす」と、何としても日本人としてこの地の最初の訪問者たらんとする大いなる功名心に燃えていたからである。

明治四二（一九〇九）年一〇月、山岡は日本を発《た》つ。東京から下関へ列車で向かい、日本郵船でインドのマドラス（現チェンナイ）へ、ここから鉄道でボンベイに入った。日本を出てからちょうど一カ月が経過していた。ここで先着のイブラヒムと合流し、しばらく滞在する。

だがボンベイから出航に至るまでも容易ではなかった。山岡らは十分な旅費を用意していなかったからである。このため彼は乗船予定の船会社に懇願して無銭乗船券を発行してもらい、イブラヒムもまたインド人富豪の好意で乗船券を分けてもらうなどして、出発にこぎつけるのであった。

二人の乗ったビエナ号はメッカ巡礼者専用船で、回教徒以外の乗客はいなかった。メッカ訪問を生涯最大の願望とする彼らは家族、親戚《しんせき》縁者、同郷者らとグループをつくって乗船しており、移動に必要な食料や寝具などを大量に持ち込んでいた。中には船旅中の食膳《しょくぜん》に供するため生きた羊十数頭を引き連れる者までいた。しかし山岡らは「食器寝具等は一切随所随時弁じ来《きた》りて、互ひに有無融通の天竺《てんじく》浪人なれば」と、ほんのわずかな身の回りの物しか持参しなかった。

一一月二〇日の夕刻、ビエナ号はボンベイを出航、アラビア海を西へ向かう。乗客たちはめいめい船上で自炊し、横になり、一日五回の礼拝を欠かさない。しかし敬虔《けいけん》な回教徒たちも船内では、浴槽に食べ物の残飯を捨てたり、食器を洗うなど、その無秩序と不衛生さには山岡もほとほと呆《あき》れ返る。

一〇日後の三〇日未明、アラビア半島西南端のアデン（イエメン）に寄港し、ほっとしたのもつかの間、ビエナ号はその日の午後、苦熱の水路と呼ばれる灼熱《しゃくねつ》の紅海に入る。両側の大陸に広がる砂漠から吹き込んでくる熱風はしのぎ難く、流れ落ちる汗が止まらない。これが真夏だったら、その苦しさはどれほどであったかと、山岡は思うのである。

紅海の中にカムランという小島があり、ここで船客は一週間ほど留め置かれ、検疫《けんえき》を受けたのち、一二月一〇日午後、ジッダ（ジェッダ）に到着した。ボンベイを出発して二〇日後のことである。

ジッダはアラビア半島西岸の中央部に位置する港町で、メッカへの海の玄関口である。町は各国からの巡礼者でごった返し、それぞれ出身国によって定宿が決まっていた。宿の客引きが大声で巡礼者を呼び込むのを見て、山岡は日本の寺社参詣《さんけい》と何ら変わることはないと思った。

イブラヒムの案内でタタール人の指定旅館に投宿するが、翌朝には早くもメッカへ向けて出発することになった。到着後に手配しておいた騾馬《らば》の用意が整い、馬方に促されて、夜も明けぬうちにジッダの町を離れた。道はあって無きが如《ごと》し、ラクダが踏みつけて出来た幾筋もの川のような砂の上を進んだ。周囲を見渡すと一草一木もなく、広漠たる砂原は人間が暮らし、動物が棲息《せいそく》している気配もない。

動物と言えば、山岡はラクダについて、これほど性格が穏やかで、忍耐力に優れたものはないとし、砂漠における天が与えた宝物であり、貴重な財産であると述べている。ラクダが陸行く舟と呼ばれるゆえんである。山岡がラクダではなく騾馬を選んだのは、積み荷が少なかったうえ、騾馬の方が速かったからである。

メッカまで一五里余り（約六〇キロ）、騾馬の背に揺られ、コーランを唱えながら進んだが、聞きしにまさる暑熱は彼の体力を確実に消耗させた。

「炎威（酷暑）人に逼《せ》（迫）まりて苦熱いふべからず。然《し》かも身を蔽《おお》（覆）ふの樹蔭なく、脱帽の儘《まま》なれば流石《さすが》に予の頑軀《がんく》健身を以てさへ、炎帝に敵すべくもあらず。漸《ようや》く身心不快を感ずるに至り渇《かつ》を覚ゆること甚だし」

イスラムの宗規には、メッカに入ろうとする者は身を清めたうえで、それまでの着衣をすべて脱ぎ、白木綿の布二枚で腰と上半身を巻くとあり、着帽も許されない。強烈な日光が容赦なく頭上を照りつけ、ついに日射病に見舞われるにおよんで、山岡は「アラビアを旅行せんとするもの、決して蝙蝠傘《こうもりがさ》の携行を忘るべからざるなり」と、日よけの傘を持参しなかったことを大いに悔いるのである。

それに比べ、他国の巡礼者の意気軒昂《けんこう》ぶりは一体、何なのだろうか。強烈な日光を頭に直接浴びても平然としており、大声で祈りの言葉を絶やさず、喜々として進むさまを見て山岡は彼らの脳細胞が自分たちとは、どこか構造が違うのではとさえ思うのだった。しかしそれが篤《あつ》い信仰心によるものだとすれば、驚くほかはなかった。

途中、にわか造りの茶店はあるが、日本のそれとは大違いで風情《ふぜい》も何もあったものではない。天幕の中でアラビアコーヒーや紅茶を啜《すす》り、喉《のど》の渇きを癒《いや》すのだが、ウンカの如《ごと》き蝿《はえ》の大群が飛び交い、とてものんびりと休むどころではない。こうして悪戦苦闘しながらも日暮れ前にメッカ郊外へ到着、山岡らはここでメッカ入府のための祈禱を捧《ささ》げ、イブラヒムの知人で当地に住むタタール人のムスリム宅に旅装を解いた。

そしていよいよメッカの中心部へ入る日が来る。山岡の胸は高鳴り、まさに張り裂けんばかりであった。「万物の霊長たる人類発祥の霊地と唱へられ、唯一《ゆいいつ》真神アラーの神府と称せられるアラビアの首都メッカ府」と、山岡は仰々しく記す。そのメッカへ、今まさに足を踏み入れるのである。

山岡も参加するイスラムの大祭は明治四二（一九〇九）年の一二月二一日から二三日までの三日間行われ、これをめざして世界各地から信徒がメッカ詣《もうで》に訪れたのである。ちなみに二〇〇六（平成一八）年の大祭には世界各地から約二〇〇万人のイスラム教徒がこの地を訪れた。

当時のメッカは戸数約三〇〇〇、異教徒の侵入を容易に許さない、擂鉢《すりばち》の底に建設された天険の地にあった。コーランの流れる町の中は絶えず、数十万人の信徒が往来し、ラクダや馬の蹄《ひづめ》の音が響きわたり、「清浄無垢《むく》たる神都」の面影は微塵《みじん》もない。擂鉢の底の中央に大礼拝殿があり、その周囲に大小の商店が軒を連ねるさまは何やら日本の門前町と変わらぬ風情であった。

山岡がメッカに入府したのは一二月一一日。日本では冬だというのに、日中の気温は三〇度を下らない。だがこの時、彼の疲労はピークに達し、発熱していた。一刻も早く宿で横になりたいところだが、珍しい日本人信徒に一目会いたいという客がひっきりなしに訪れ、その応対に追われる。ついに我慢出来ず、山岡は体調不良を口にするが、周囲の人々は当地に着いたなら、まず祈りを捧げなければ「神罰を蒙《こうむ》る恐れあり」と脅して強引に礼拝殿へと連れ出すのであった。

おそらく山岡は内心「回教徒もつらいよ」と思いつつ、頭痛をこらえて参殿したのであろう。彼らの案内で大礼拝殿の中庭に建つカアバと称する石殿の周囲を読経《どきょう》しながら七周し、一周ごとに回教徒の神格とされる黒石に接吻《せっぷん》する。さらにこのあと、神話的遺跡の間を三回半往復してようやくメッカ入府の儀式から解放される。

この日からほぼひと月、山岡はメッカの地に滞在する。

「此《こ》こに旅行の目的地に安着し、爾来《じらい》三旬（以来三〇日）の間、諸国回教徒と伍《ご》しては、日夕礼拝殿に出入りし、戦勝国民として異常の注意と多大の厚遇歓待に浴せり、邦人未曾有《みぞう》の見聞を壟断《ろうだん》し得たる（独占できたこと）は、予が畢生《ひっせい》（生涯）の痛快事にして……」

先の日露戦争で日本がロシアを打ち破ったことは、当地でも話題となっており、日本の巡礼者に対し、回教徒たちが示した尊敬の念と親切なもてなしは想像を絶するものだった。山岡も大いに気分をよくしたものと見える。

巡礼者はメッカ滞在中、一日五回参殿し、祈禱することが義務づけられているほかは行動に制約はない。信徒たちは三々五々集まってはコーヒーや茶を飲みながら談笑したり、町の商店を冷やかすなどして過ごす。山岡もこれに従ったが、この間、戦勝国民の肩書と戦勝国民最初の回教徒として例外的にカアバ神殿の内裏を拝観することが許された。ここでもまた戦勝国日本が大きくモノを言ったわけである。

メッカ巡礼後に行われる大イベント、ウクーフの日がやって来た。しかし山岡の体調は相変わらず優れず、発熱がおさまらない。一二月二二日、メッカ郊外のアラファートで行われた式典では、山岡は発熱とめまいが激しく、ついにテントの中から儀式を眺めることになる。式典は幾十万人もの信徒が集い、一斉に天を仰ぎ、白い布を打ち振り、アラーへ祈りを捧げるもので、谷あいの平原は見渡す限り、天幕で埋め尽くされ、信徒の発する祈りが周囲にこだまする光景は異様かつ壮観であった。「天下かくのごとき壮烈な宗教いづこにかこれを求むるを得んや」と、信徒たちの篤き信仰心に山岡はただただ圧倒されるばかりであった。

周囲の者たちは、ここでも山岡の体調を意に介せず、テントを出て式典見物と祈禱礼拝を促したため、病勢はさらに進んだ。さすがに山岡もこれには閉口し、全くもって贔屓《ひいき》の引き倒しで、ありがた迷惑であったと述べている。

しかし一連の行事が終わり、山岡の健康も回復すると、あちこちから異国の回教徒を歓迎する食事会に招かれ、連日歓待を受けるのであった。そこで口にするアラビア料理は、品数こそ中華料理ほど多くはないものの、手間をかけた調理法と食材の豊富さでは中華料理に勝るとも劣らないと、いたく感心する。

アラビアでは飲酒と豚肉はご法度《はっと》のため、食前酒がわりにコーヒーを飲み、料理も羊肉主体である。最初は羊肉のスープから始まり、子羊の太ももを燻《いぶ》して揚げたもの、鶏の丸揚げ、さらにパン粉を油で揚げて飴《あめ》を加味したもの、アラビア風オムレツ、最後は羊肉と落花生の入った肉飯か、葛《くず》または片栗粉で作った菓子で締めくくる。このほか西瓜《すいか》、ナツメ、ぶどうなどの果物も供される。

大祭後も山岡はしばらくメッカの地にとどまった。市内を視察したり、アラビア国王に拝謁《はいえつ》するなどして時を過ごし、明治四三（一九一〇）年一月九日、メッカ北方約三二〇キロにあるメジナの町をめざしてラクダによる砂漠縦断旅行に出発した。途中、獰猛《どうもう》な遊牧民ベドウィンの襲撃を警戒しながら野営を重ね、砂漠を進むこと約半月、メジナに到着した山岡はただちにメッカと並ぶ大礼拝堂に参殿し、祈りを捧げるのであった。

こうして二カ月におよぶ山岡のアラビア縦断の旅は終わった。インドのボンベイで「にわかムスリム」となった山岡もメッカでの巡礼を経て、回教に対する思いはいよいよ揺るぎないものとなった。当初の功名心もいつしか消え、真の回教徒に生まれ変わっていた。現地の人々も日本人回教徒の山岡を厚くもてなしてくれたから、気分のよい旅であったに違いない。本人も「余が回教徒と為った其事《そのこと》が如何《いか》に世界の回教徒に深甚《しんじん》の感動を与へたか」と、得意げに語っているほどである。

半年後に帰国した山岡は日本にそのまま落ち着くことはなかった。中国へ渡り、さらに大正元（一九一二）年一二月から同九年二月まで、ヨーロッパ、西アジア、アフリカ、さらに中南米諸国へと長旅に出る。目的は回教を中心とする国際政局の現状を実地踏査することにあったが、彼は単に宗教にとどまらず、産業、社会、文化、さらに各国に進出している日本人の実態などにも幅広く目を向け、多くの著作を遺《のこ》している。

生涯、家族をもたず、定職に就かず、財産もなく八〇歳でその命を閉じた山岡の人生を振り返ると、彼は敬虔な回教徒であると同時に、熱烈な愛国者であり、孤高の漂泊者でもあった。言い換えれば、自らの信念に基づき一徹に、そして自由に生きた明治人ということになろうか。

山岡が先鞭《せんべん》をつけた日本人のメッカ巡礼は、その後大正末期から昭和一〇年代にかけ七人が後に続いている。この中には生涯三度の巡礼を果たした鈴木剛という熱心なムスリムもいる。

時は移り、昨今イスラム諸国から日本へ移り住む者が急増し、在日ムスリムも一〇万人近くに上るとみられる。また国内のモスクも大都市圏を中心に大小あわせて四、五〇箇所を数えるという。日本人の中でイスラム教へ改宗する者は珍しくなくなり、イスラム圏の政治、経済、社会、文化の研究者も飛躍的に増えた。とは言え、この地域の情報が頻繁に、大量に日本へ流入するようになったのはつい近年のことである。

山岡の『アラビア縦断記』の刊行に際して当時の代表的な言論人の一人、三宅雪嶺《せつれい》の寄せた序文が今となっては意味深い。

「山岡君の『アラビア縦断記』を読めば、今更の如く回教の注意すべきを感ぜん。回教を計算に入れずして、世界政策の成り立つべきに非《あら》ず。欧州にしても此に注意せざるべからざれど、我に比して既に遥《はる》かに多く注意する所あり。我が回教及び回教圏を知らざること真に甚だし」

雪嶺がこう記したのは明治四五（一九一二）年のことで、もし彼が、今日のようなイスラム諸国の台頭を予見して、これを書いたのだとすれば、けだし慧眼《けいがん》というほかはない。

山岡が苦労を重ねながら踏破したサウジアラビアも今や原油輸出による経済力を背景にアラブ有数の大国にのし上がった。

第二〇話　パナマ／パナマ運河

運河建設に加わったクリスチャン青年技師

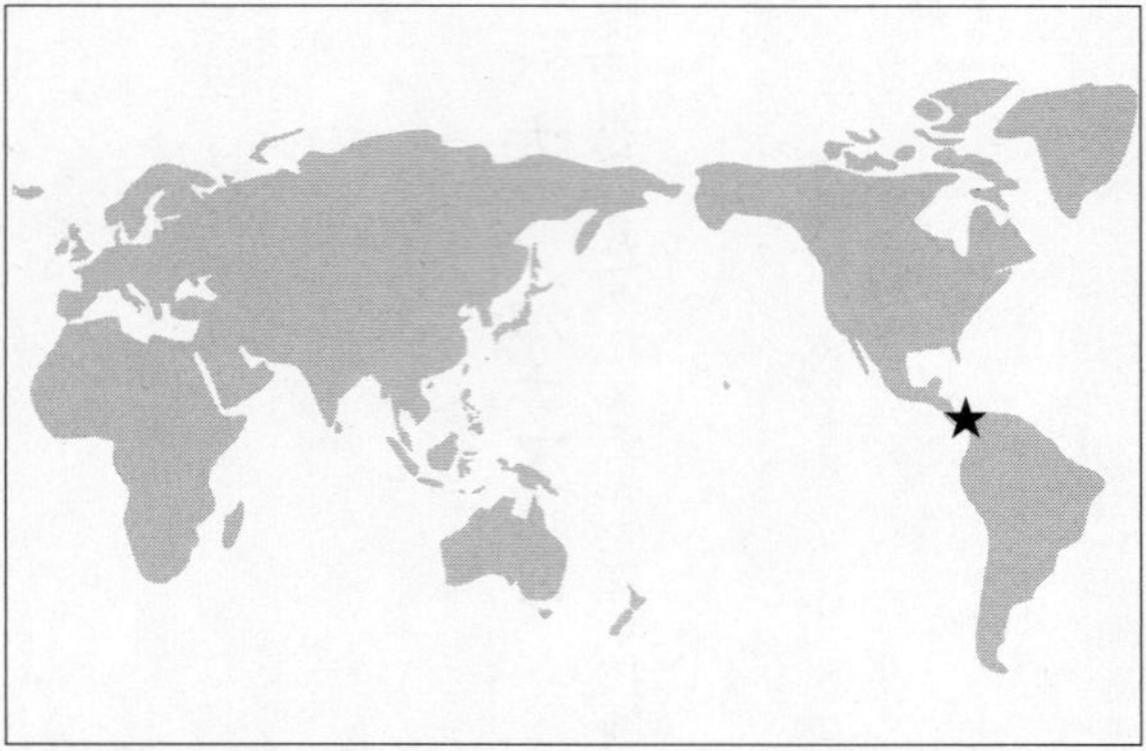

現在：日本からの空路直行便はない。アメリカ諸都市から乗り継ぐのが一般的。たとえばマイアミ→パナマシティは空路約３時間。パナマ運河ビジターセンターはパナマシティの郊外にある。サンフランシスコやサンディエゴを基点とし、パナマ運河を通過する中米クルーズ・ツアーもある。おおむね日本を出発してから２週間〜20日間ほどを要するツアーが多いようだ。

「船は第一の水門に入りかけていた。タグボートが船から離れ、そのかわり左右の岸壁に待ちかまえていた牽引車《けんいんしゃ》がロープで船を固定して、水門の中へひっぱり込む。はじめてパナマ運河へ来た者には珍しい作業であった」

これは平岩弓枝の短編『パナマ運河にて』の一節である。平岩にはもう一編『パナマ運河の殺人』という作品があり、いずれも太平洋側からカリブ海へ向かう運河通航中の大型豪華客船内での殺人事件がテーマである。作品には船が水門を昇り降りするシーンや両岸に広がる濃緑色のジャングル、飛び交う極彩色の鳥などが詳しく描かれており、自身の現地体験に基づくものであろう。

中央アメリカの地図を眺めていて、はたと気づいたことがある。これまでパナマ運河を航行する船は太平洋から真東にカリブ海へ横断するものとばかり思い込んでいたが、実は違うのである。北米と南米大陸の結節点に位置するパナマは東西にゆるやかなSの字を描いて横たわっており、陸地をはさんで北にカリブ海、南に太平洋が広がる。つまり太平洋から運河を抜ける場合、船は南東から北西の方角へ、極端に言えば、南から北に縦断すると言ったほうが正しいのである。

日本人として最初にパナマの地を踏んだのはジョセフ・ヒコとかアメリカ彦蔵と呼ばれる一六歳の漂流民浜田彦蔵である。運河の完成する六〇年ほど前、嘉永《かえい》六(一八五三)年のことである。播磨《はりま》国(現兵庫県)に生まれた彦蔵は嘉永三(一八五〇)年一〇月、少年水夫として江戸へ物資を運んだ帰り、遠州灘《えんしゅうなだ》で暴風雨にあい、太平洋を漂流していたところ、アメリカ船オークランド号に救助される。船は翌年サンフランシスコへ入港するが、アメリカ政府は彦蔵たちの日本送還を開国圧力に使おうと考え、清《しん》(現中国)のマカオまで連れて来る。ところが、いくつかの行き違いが重なり、その目的を果たせぬまま一八五二(嘉永五)年一二月、彦蔵は再びサンフランシスコへ舞い戻った。

ここから彦蔵の数奇な運命が始まる。当時サンフランシスコで銀行家兼税関長をしていたビーバリー・C・サンダースは彦蔵の卓越した語学力や人柄などを見込んで、自分の秘書として採用することにした。そして彼は彦蔵の才能をより開花させるため、自分が手広く事業を営む東海岸のボルティモアへと伴う。

彦蔵がサンフランシスコを発《た》ったのは一八五三年七月半ばで、三週間後の八月五日にニューヨークへ到着している。

「港奉行サンドス氏退役してサンフランシスコ（カルホニー国のみなとの名）といふ湊《みなと》より我を伴ひ出帆して二十一日め、ネウヨルカ湊に着岸す」（彦蔵の口述をもとに書かれた『彦蔵漂流記』）

当時アメリカ大陸横断鉄道はまだ開通しておらず、三週間で西海岸のサンフランシスコから東海岸のニューヨークへ移動したということは、パナマ地峡を通過したのである。彦蔵は初めて訪れたパナマの地について詳しいことを書き残していないが、この頃カリブ海側から鉄道工事が始まっており、線路の敷設《ふせつ》が終わった地点までは汽車が部分運行されていた。

彦蔵たちは太平洋岸のパナマシティをロバで出発し、途中から川船に乗り換えた。さらにそこからは部分開通した汽車に乗り継ぐこともできたはずだが、彼らが汽車を利用したという形跡はない。彦蔵の自伝にも記述がないし、後日、彦蔵がニューヨークで蒸気機関車に乗った時の驚きぶりからも、この時に鉄道を使ったようには思えない。高温多湿のジャングル地帯、徒歩とロバによる彦蔵らの地峡越えは、さぞ難儀を極めたことだろう。彦蔵が初めて鉄道で地峡を越えたのは五年後の一八五八（安政五）年七月、ボルティモアからサンフランシスコへ向かった時である。パナマ地峡鉄道はアメリカの手により三年前に全通していた。

彦蔵が初めてパナマ地峡を越えてから七年後の一八六〇（万延元）年四月、次に現れた日本人は外国奉行兼神奈川奉行の新見《しんみ》豊前守《ぶぜんのかみ》正興《まさおき》を正使（団長・特命全権公使）とし、総勢七七人からなる徳川幕府初の遣外使節、いわゆる万延元年の遣米使節団である。

一行はアメリカ軍艦ポーハタン号でサンフランシスコに到着し、政府や市民から盛大な歓迎を受けたあと、首都ワシントンでの日米修好通商条約の批准書《ひじゅんしょ》交換式に臨むため地峡を通過する。

ポーハタン号はサンフランシスコからパナマシティまで一八日間を要した。一行の到着したパナマシティの港にはイギリスやアメリカの軍艦が七隻《せき》、それに商船が二隻停泊していた。港は遠浅のため、沖合に停泊したポーハタン号から一行は川蒸気船に乗り換えて船着場へ向かい、そこから五、六〇メートルほど離れた鉄道の駅まで歩いた。

沿道には珍しい日本のサムライたちを一目見ようと、この地に駐在するイギリス、フランス、ブラジル、スペインなど各国の領事館員やその家族、地元民らが多数見物に詰めかけ、数百名の兵隊が警備にあたるほどだった。当時各国は交通の要衝としてのパナマの地に注目し、領事館まで開設していたのである。

とは言え、使節団の目に映ったパナマ市街は途中立ち寄ったハワイのホノルルに比べると、はるかに規模が小さく人家も粗末で少なかった。住民の肌は墨のように黒く、髪の毛は縮れている。裸足《はだし》で歩いている者も少なくない。この地でも豊かなのは白人たちで、現地人が使われているという点ではハワイと同じであった。

停車場に着くと、パナマ鉄道会社が一行のために用意した八両からなる特別仕立ての客車が待っており、先頭の蒸気機関車には日米の両国旗が掲げられていた。団長の新見豊前守は団員たちに対し、もしこの蒸気車に乗って目を回すような無様な振る舞いがあっては一国の恥となるから、くれぐれも動揺せぬようにときつく申し渡した。とは言え、誰もが初めて目にする蒸気車である。副使（副団長・全権公使）をつとめた村垣淡路守範正《のりまさ》は次のように記している。

「凄《すさ》まじき車の音して走り出たり。直ちに人家をはなれて次第に速くなれば、車の轟《ごう》音《おん》、雷の鳴はためく如《ごと》く、左右を見れば、三、四尺の間は草木もしまのやうに見えて、見とまらず、七、八間をみれば、さのみ目のまはる程のこともなく、馬の走りを乗るが如し」（『遣米使日記』）

列車は熱帯雨林のジャングルの中を、当時アスピンウォール（現コロン）と呼ばれたカリブ海沿いの港町まで走った。気温は摂氏三五度に達し、湿度も高く、むしむしする日だった。「暑は甚だしく、いかにも湿地にして、雨上がりに日影のてりそう如く、いと心地あしく」と、慣れない陽気に村垣は閉口する。あまりの暑さに誰もが喉《のど》の渇きを激しく覚え、途中の町で昼食の際に飲んだ氷入りのオレンジジュースについて、「あれは格別に旨《うま》かった」と、のちのちまで皆の語り草になるほどだった。

村垣らの不快感も無理はない。赤道よりわずか北に位置するパナマは今でも年間の平均気温が三一度、平均湿度も八〇パーセントに達し、中南米諸国で最も不快指数が高い国の一つといわれているからである。

列車は全長七六キロの距離を三時間かけて走った。平均時速にして二五キロあまりだが、途中で食事休憩もあったから、実際にはもっと速く、所要時間は一時間半ほどであった。終点のアスピンウォールにはアメリカ軍艦ロアノーク号が待機しており、一行はただちに乗船して目的地へと向かった。

慶応二（一八六六）年、幕府は「海外渡航差許布告」を発し、公務以外に留学生や商人らの海外渡航を許可する。これを機に欧米各国へ渡る者が相次ぎ、中でも軽業師や曲芸師など、いわゆる芸人たちは外国人興行主の求めに応じて積極的に飛び出して行った。

アメリカ人興行主リズナー・カーライルに率いられた「帝国日本芸人一座」の曲芸師ら一八人は、その先陣をきったグループである。一行は海外渡航が解禁された年の秋、横浜からイギリス船アーチボルト号でアメリカへ向かった。二八日間の船旅を経てサンフランシスコに着き、当地で三週間の興行を打ったのち、パナマ地峡経由でニューヨークをめざした。

一座の後見人である高野広八の日記によると、サンフランシスコからパナマまでは一四日間を要し、一行は先の遣米使節団と同じく蒸気車に乗ってアスピンウォールへ向かった。広八はこの地の風土について、陽気は一年中、六月土用のようで、暑いことこのうえない。蝶《ちょう》、トンボ、蛇、蛙《かえる》などさまざまな虫や生き物がおり、木、茅《かや》の葉も毒々しい色をしている、と書いている。

この時も珍しい東洋人を一目見ようと、現地人が停車場に群がり、また物売りもやって来た。広八は肌の黒い彼らを「ちくしょうのようだ」と記している。汽車の車窓から目をやると、沿線には常緑樹がうっそうと生い茂り、その間に粗末な草葺《くさぶ》きの小屋が点在していた。

　こうして地峡鉄道はアメリカ大陸横断鉄道が開通する一八六九年までの一四年間、太平洋と大西洋を結ぶ最短ルートとして大いに重宝がられた。乗客のうちカリブ海側から太平洋側へ向かうのは、主としてゴールドラッシュに沸く西海岸で一攫千金《いっかくせんきん》を夢見る男たち、日本人は東海岸へ向かう官吏、軍人、留学生、商人、旅芸人たちが利用した。しかし旅客輸送はともかく、日々増大する物資の輸送という意味では鉄道にも自《おの》ずから限界があり、そこで運河の早期建設が強く求められていくのである。

　パナマ運河も最初はスエズ運河を手掛けたフランス人外交官フェルディナンド・レセップスの主導でスタートする。スエズ運河の完成から一〇年が経《た》った一八七九年、レセップスはこの地域の運河建設についての国際会議を招集した。会議では関係国のさまざまな思惑が交錯する中、レセップスの主張が通り、スエズ運河と同じ水平式工法、つまり地峡を掘削して二つの海を繋《つな》ぐ方式による建設が決定する。翌一八八〇年一月一日の鍬《くわ》入れはレセップス自身の手で行われた。

　ところが工事が進むにつれて、思わぬ誤算が生じた。当初見積もっていた掘削土砂の量が実際には倍以上となり、そのまま工事を進めた場合に費用が莫大《ばくだい》なものになることが判明したのである。レセップスの計画は破綻《はたん》し、さすがのスエズの功労者も非難の集中砲火を浴びる。

その後一八九〇年、工事はいったん中断される。当時コロンビア領だったパナマに独立運動が起きたからである。フランスに替わって運河建設の主導権を握ったアメリカは独立運動派に資金援助する見返りとして、完成後の運河の経営・管理権を手に入れ、一九〇四年五月、工事を再開する。工法も水平式から水門式（ロックゲート式）に改められ、一〇年後の一九一四（大正三）年、ようやく完成をみる。

全長約八〇キロにおよぶ運河の開通まで鍬入れから実に三四年もの歳月が流れ、スエズ同様多くの建設労働者が命を落とした。その数は四〇〇〇〇人ともいわれる。そして総工費も当時の金額で三億八〇〇〇万ドルの巨額にのぼった。

この運河建設に一人の日本人技師が関わっていたことは案外と知られていない。東京帝国大学工学部土木工学科を卒業したばかりの二四歳の青年技師、青山士《あきら》で、一九〇四（明治三七）年六月、単身ニューヨーク経由でパナマへ入った。世紀の巨大プロジェクトに技術者として参加することにより、得た知識や経験を将来の日本の治水工事に生かそうと考えたのである。事実、彼は帰国後、内務省の技官としていくつもの治水事業を手掛けた。中でもパナマ運河での経験を生かし、新潟県の信濃《しなの》川分水路や東京の荒川放水路建設工事において、わが国で初めてのコンクリート工法など各種の最新技術を導入している。

現地へ入った青山技師は酷暑に加え、マラリアや黄熱病などの風土病、さらに人種偏見に耐えつつ運河建設に心血を注いだ。最初はテント暮らしを続けながら測量を担当し、その後設計部門で働いたが、最後は主任技師として運河に設けられる閘門《こうもん》の主要部分の設計を任されるまでになった。

閘門とは、高さの異なる二つの水面を調節して、船を通す水門のことで、屋根のない巨大な水槽と言ってもよい。この水槽に水を注いだり、抜いたりして水面の高さを合わせ、船は段差を昇り降りする。完成した運河は、その中央部に川をせき止めて造ったガツン湖という人造湖があり、その両側に閘門が設けられている。ガツン湖は海面から二六メートルの高さにあるため、太平洋側から入った船は三段階の閘門を経て湖まで引き上げられ、湖を航行し、再び三段階の閘門を通り、カリブ海に下ろされる仕組みになっている。

青山は約七年半パナマに在住し、完成まで三年を残して一九一一（明治四四）年に帰国したため、最後まで見届けることはなかった。帰国の理由は現地での排日運動の高まりといわれる。

「一九一〇年の運河地帯のセンサス（人口調査）に依《よ》りますれば、私は同地に働いて居る只独《ただ》（ただ一人）の日本人土木技師でありました」（『ぱなま運河の話』青山士）

おそらく青山はパナマで長期に暮らした最初の日本人であろう。彼は後年、運河の建設が進むにつれ、現場周辺に日本人が移り住んで来たと語っている。これらの日本人は周辺国から運河景気にあやかろうと流れて来た者たちで、大工、理髪店、菓子屋などを営みながら住み着き、その数は最も多い時で三〇人にのぼった。そのうちの一人に三重県出身の大工がいた。男は移民としてペルーへ渡ったものの、仕事がきついうえに賃金が安いため、逃げてパナマまで来たところ、日本人技師がいることを耳にしたので頼って来たと話し、青山がパナマ鉄道会社の仕事を斡旋《あっせん》したという。

この男のように当時移民としてペルーへ渡ったものの、過酷な労働条件に絶望し、近隣諸国へ逃れる者が後を絶たなかった。中でもパナマ、グアテマラ、メキシコを経由し、最終的に豊かなアメリカをめざす者は多く、そのうち何人かがパナマにとどまった。大正初めには漁師や理髪店など一〇〇人近い日本人が住んでおり、以後も増え続けて昭和九（一九三四）年には三三〇人に達した。

昭和五（一九三〇）年にこの地を訪れた作家の石川達三は在留日本人の中に理髪店の数が異常に多いことに驚く。在留邦人の半数以上が理髪店というのだから無理もない。帰国後石川はその理由について、意味ありげな一文を残している。

「この床屋《ママ》さんたるや、一朝有事の際にはたちまち××××たるべき使命をもっているので、床屋《ママ》はただ表面の装《よそお》いであるに過ぎず、収入も論外であるのだとか」（『最近南米往来記』）

四つの伏せ字は何を意味するのか。石川はまた「『このくらいの水門なら、ぶち壊すのには何の手間暇も要らないな』と思わざるを得ぬ」とも書いており、暗に彼らが軍事的使命を帯びていたことを示唆《しさ》している。

理髪店を営む者たちは近い将来、日米戦争が不可避として軍により配置された諜報《ちょうほう》、破壊要員だったということか。もしそうだとすれば、国家機密であり、伏せ字とされたのも得心できよう。

石川の予測した「一朝有事」の事態はやがて現実のものとなる。昭和一八（一九四三）年、日本海軍は米軍の後方補給路を断つため、潜水艦空母による運河爆破の方針を決定する。この時、軍が作戦立案に際して参考にしようとしたのが、青山士の持ち帰った設計図や写真など膨大な資料である。しかし青山は「自分は運河の建設方法は知っていても、破壊する方法は知らない」と、資料提供の要請をきっぱり断ったとされるが、わずかながら協力したという説もある。

青山はこのことについて生涯、口を割ろうとしなかったというが、どちらにせよ、「公共工事は人類のため、国のため」を信条とした技術者としての誇りと敬虔《けいけん》なクリスチャンとしての良心が、本人に苦渋の決断を迫ったことは想像に難くない。

結果的に、この作戦が実行されることはなかった。終戦二カ月前の昭和二〇（一九四五）年六月、太平洋の制海空権は既にアメリカの掌中にあり、あえて危険を冒してパナマまで出撃する意味も余裕もないとの判断が下されたのである。こうして運河爆破は幻に終わった。

戦禍を免れた運河は第二次大戦後、何度かの改修工事を経て、現在では閘門の幅が三三・五三メートル、長さは三〇五メートル、喫水一二メートルとなっており、さらに大型船の通航を可能にする第二パナマ運河建設が二〇一〇年の完成をめざし、進行中である。

船が閘門に接近すると、平岩弓枝の描写にあったように、両岸で待機する機関車が船をロープで固定して、ゆっくりと引っ張り込んでいくが、大型船の場合、八台もの機関車が前後左右に配置される。ちなみにこの牽引機関車はかつてのアメリカ製からメイド・イン・ジャパンに替わり、三菱《みつびし》重工など国内メーカー三社合作によるものが使われている。価格は一両約二億四〇〇〇万円、運河全体で一〇〇台が配置されている。

ところで日本船がこの運河を最初に通過したのは、開通四カ月後の一九一四（大正三）年一二月一〇日、日本郵船の徳島丸（六〇五五トン）である。新聞も「巴運河通過第一船　日本郵船の徳島丸」と報じた。徳島丸は欧州航路の不定期船で、この時ロンドンからアメリカ・テキサス州ガルベストン港へ回り、約四〇〇〇トンの綿花を積み込み、横浜港へ戻るところだった。この航海で徳島丸は日本最初のパナマ運河通過船とともに日本船初の世界一周達成という栄誉も併せて獲得した。

スエズ運河を最初に越えたのも同じく日本郵船の土佐丸（五四〇二トン）で、世界の二大運河を越えたトップバッターが、奇《く》しくも四国地方の地名を冠した船だったというのも偶然だろう。

運河は開通した翌年、地滑り事故が発生し、半年ほど閉鎖される。このため日本とアメリカ東岸を結ぶ航路開設が遅れ、開通から二年後の大正五（一九一六）年六月、横浜港を出た日本郵船の対島丸《つしま》（六七〇〇トン）が日本発の最初の運河通過船となった。これには乗客と乗組員七〇人が乗り込んだが、その頃、北米東岸へ向かう旅客はサンフランシスコで船を降りて大陸横断鉄道を利用するようになっており、運河利用の主役は専《もっぱ》ら貨物に移っていた。

そして時を経た現在、大型コンテナ船に交じって豪華クルーズ船が時折通る。日本の初代「飛鳥《あすか》」も平成八（一九九六）年五月、早朝カリブ海側から運河に入り、約一二時間かけて夕方、太平洋に抜けている。運河の長さはスエズの半分にもかかわらず、閘門通過に手間取るため所要時間はほぼ同じである。しかし「飛鳥」の通航料金は七万五〇〇〇ドル（約八二五万円）と、スエズの半分以下であった。

ちなみに二〇〇六（平成一八）年二月、初代「飛鳥」の後継船として「飛鳥Ⅱ」（五〇一四二トン）が就航し、世界の海を巡っている。この船が就航直後にパナマ運河を通過した際の通航料は約二〇〇〇万円だったという。

第二一話　フランス／パリ（その二）

出世を捨てパリジェンヌと生きた元軍人留学生

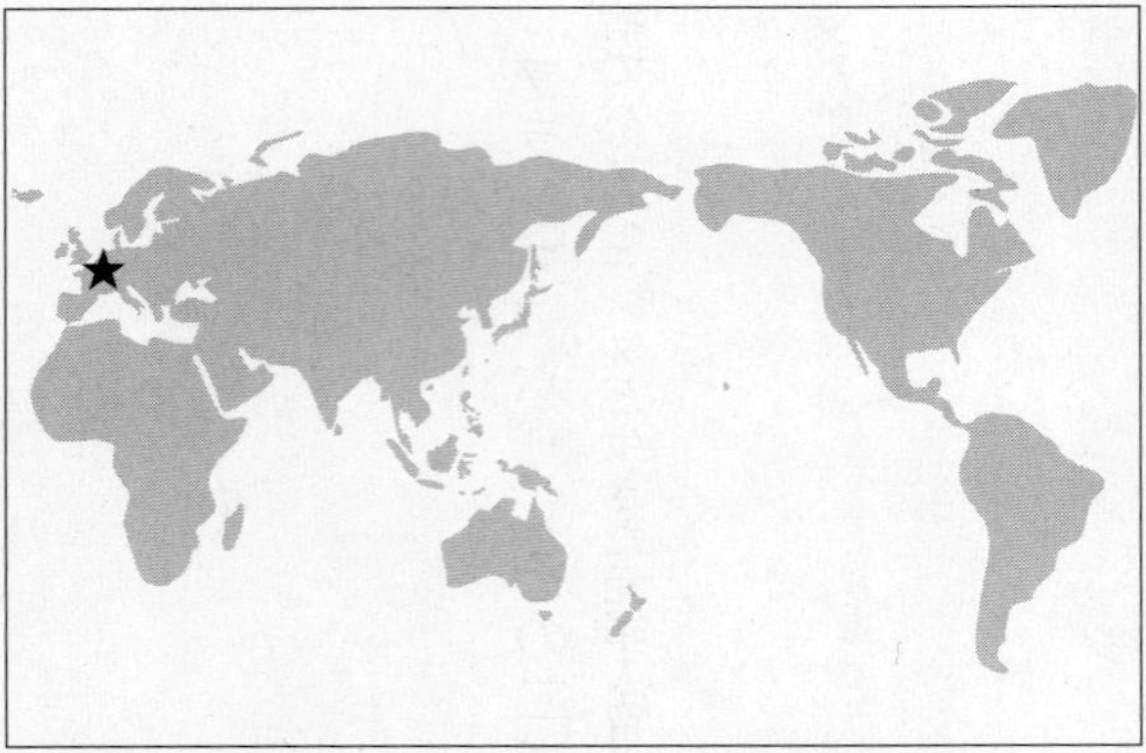

現在：日本からパリまで、空路直行便で約12時間。

明治時代の新聞を繰っていたら、面白い記事を見つけた。明治三三（一九〇〇）年二月二二日の東京日日新聞（現毎日新聞）の記事がそれで、花の都パリで日本旅館を営む者が新館オープンの広告を出したというのである。出したのは諏訪《すわ》秀三郎なる者である。今でこそ日本人が世界各地でホテルやペンションを経営したり、ビルのオーナーになっても珍しくはないが、一〇〇年以上前のパリの旅館というのが目をひいた。

広告の中で、秀三郎は「拙者巴里《パリ》に在ること既に二六年、旅館を営みしこと数年の久しきに渉《わた》れり」と、自分はフランス在住が長く、信用のおける人物であることをまず強調している。

しかし秀三郎が初めから旅館を経営することを目的にフランスへ渡航したとは考えにくく、明治初期の海外渡航者を調べたところ、『幕末明治海外渡航者総覧』（手塚晃ほか編）にその名と渡航目的を見つけた。

【すわしゅうざぶろう】

和歌山県出身・生年および死亡年月は不明・陸軍軍人・渡航先フランス・渡航時期は明治五（一八七二）年・公費留学・渡航目的は軍事。

また外務省外交史料館に保存されている明治初期の海外渡航者をまとめた『渡海人明細鑑』にも諏訪秀三郎の名前があり、壬申《じんしん》の年、すなわち明治五年に渡欧したとの記録があった。明治新政府は明治三（一八七〇）年秋、兵制のモデルをフランスに求めることに決定しており、その流れの中で秀三郎は軍人留学生として派遣されたのである。

新聞記事によると、秀三郎が旧館を廃してオープンした旅館の名はHotel Tartuny、フランス語風に読めば、オテル・タルテュニーとでも発音するのだろうか。パリ市内のマラコフ通り（Avenue Malakoff）五七番地にあり、日本公使館や大博覧会会場、日本博覧会事務局へは「数歩にて達すべし」というほどの地に位置していた。

新旅館は「もっぱら万国大博覧会にご来遊諸賢の便を図らんとす」としており、まもなく開幕するパリ万博の日本人見物客を見込んでのオープンである。なにせパリっ子は大の博覧会好きである。一八五五（安政二）年の第一回以来、一八六七（慶応三）年、一八七八（明治一一）年、一八九九（明治三二）年と、四回も開催している。

そして秀三郎が日本人客を当て込んだ五回目の万博は、なんと四回目のすぐ翌年の一九〇〇年に開かれた。

この年の万博は期間が四月から一一月まで七カ月におよび、総入場者数は四八〇〇万人を数えた。日本人では夏目漱石《そうせき》や資生堂の創業者福原有信らが見物している。漱石は文部省派遣の留学生としてロンドンへ向かう途中に立ち寄ったが、たちまち万博が気に入ったようで、わずか一週間のパリ滞在中に三度も足を運んでいる。漱石は妻の鏡子へ送った手紙の中で、そのスケールの大きさを知らせている。

「今日は博覧会を見物致候《いたしそうろう》が大仕掛にて何が何やら一向方角さへ分り兼候。名高きエフェル塔の上に登りて四方を見渡し申候。これは三百メートルの高さにて人間を箱に入れて綱條にてつるし上げつるし下す仕掛に候。博覧会は十日や十五日見にも大勢を知るが関の山かと存候」

この万博で日本側の事務官長（事務局長）を務めた林忠正の生涯を描いた『林忠正とその時代』（木々康子）には、当時彼のパリにおける日本人との交友関係が紹介されている。忠正は明治一一年にフランスへ渡り、美術商として在仏生活は三〇年におよんだが、その交遊録の中にはなぜか諏訪秀三郎の名前は登場しない。

二人のパリ在住時期は重なるうえ、新規オープンしたホテルが万博の見物客を狙《ねら》い、しかも万博事務局まで「数歩にて達すべし」という至近距離にあったとすれば、二人は何かにつけて顔を合わす機会も多かったと思われるのだが、林の交遊録に出てくるのは西園寺《さいおんじ》公望《きんもち》、伊藤博文、原敬《はらたかし》、黒田清輝ら当時の錚々《そうそう》たる顔ぶればかりである。もっとも林については尊大で大物好みという評も一部にあったから、一介の旅館経営者など知己友人の類《たぐ》いに入らなかったのかも知れない。

さてオテル・タルテュニーは部屋数が一五〇室あまり、電灯、ガスを完備し、庭には桜の木を植え、「常に新鮮の空気をおくるべし」というから、おそらく建物一棟を使ったそれなりの規模であったと思われる。また料理についても「最も精撰《せいせん》し、最も廉価《れんか》に、最も懇親に仕《つかまつ》るべし」とアピールしている。

このほか秀三郎のホテルでは遠来の客に向けて特別サービスも用意していた。当時日本からの定期船はスエズ運河を経て地中海岸のマルセイユの港に入った。ここに秀三郎のホテルと提携している Grand Hotel de Geneve があった。秀三郎は日本人が港に到着したら、このホテルに投宿してもらえれば、何の心配も要らないとしている。パリ行きの汽車が出るマルセイユ高台のサン・シャルル駅までの荷物の運搬、切符の手配、見送りなどはすべて現地のホテル側が行い、パリへ着いたら当旅館のスタッフが出迎え、荷物も受け取りに行くので、手ぶらでお越しいただきたいと、初めての邦人渡航者にも全く煩《わずら》わしさのないことを強調している。

それにしても元軍人の諏訪秀三郎は、なぜパリに住み着き、旅館を経営するようになったのか、そもそも彼はどんな人物だったのだろう。

秀三郎は代々紀州徳川家に仕える諏訪新右衛門《しんえもん》の三男として、安政二（一八五五）年一二月二八日に生まれた。三歳上の兄柳之助は江戸赤坂の藩邸内で産声《うぶごえ》を上げたが、秀三郎の出生地は江戸か、和歌山か不明である。外交史料館に残る死亡届によると、本籍地は和歌山県和歌山市和歌浦八四番地となっている。ちなみに兄の柳之助はのちに朝鮮王家の閔妃《びんひ》暗殺に関与し、主犯格とされた人物である。

秀三郎という人物についてはパリに長く住んだ日本人が、それぞれパリ回想録の中で断片的にふれているが、経歴にまで踏み込んでいるのは柔道家の石黒敬七だけである。石黒と言えば、幕末明治の古写真のコレクターとしても知られ、戦後はＮＨＫのラジオ番組「とんち教室」に出演し、そのおとぼけぶりで人気を博した。

その彼の『巴里雀《すずめ》』は、パリについてのユーモア交じりの随筆集だが、中に記憶違いと思われる部分も散見されるので、ここでは他の文献や史料とすり合わせながら秀三郎の生きざまを追ってみる。

『巴里雀』によると、幼い頃から武士としての教育を受けた秀三郎は維新後、軍人をめざし、創設まもない陸軍兵学寮幼年学舎（のちの陸軍幼年学校）へ進む。明治五（一八七二）年秋、彼はフランス派遣の留学生に抜擢《ばってき》される。渡航時の年齢は一六歳、この若さで留学生に選ばれるのだから、将来を嘱望された極めて優秀な少年軍人だったに違いない。

明治七（一八七四）年、秀三郎は二年間のフランス留学を終えて一度帰国するが、時の政府高官井上馨《かおる》のお供で、すぐにパリへ戻ったとある。秀三郎もホテルの広告の中で、自分はパリに二六年住んでいるとしており、それは逆算すると、明治七年からということになる。だが井上の渡欧は明治九（一八七六）年六月であり、辻褄《つじつま》が合わない。

再渡仏した秀三郎は以後、しばらく勉学に励むが、この間思いもよらぬ人物と知り合っている。あの文豪ビクトル・ユーゴーである。

ある日、秀三郎がアパートの部屋で勉強していたところ、一人の紳士が飛び込んで来て、匿《かくま》ってくれと言うので部屋に招き入れる。しばらくすると紳士は出て行ったが、何日か経《た》って彼から先日のお礼にと晩餐《ばんさん》へ招かれる。その紳士こそビクトル・ユーゴーであった。ユーゴーは亡命先のイギリスからパリへ戻ってきたところ、熱狂した市民に取り囲まれ、ほうほうの体で逃げ込んだのが偶然にも秀三郎の部屋だった。これを機に秀三郎は晩年のユーゴーに可愛《かわい》がられたと石黒は記す。

しかしユーゴーの年譜を見ると、パリで共和制宣言がなされ、外国から帰国した彼がパリ北駅前で、民衆から熱狂的な歓迎を受けるのは一八七〇年九月だから、もしこの時のことだとすれば、秀三郎はまだフランスにいない。

それから三、四年の月日が流れ、日本から秀三郎のもとに帰国せよとの命令が届く。いつかこの日が来ると覚悟はしていたものの、彼は頭を抱える。その頃秀三郎には将来を堅く誓い合ったパリジェンヌがいたからである。

幕末以降、海外へ留学した日本人が現地の女性と、わりない仲になるのは珍しいことではない。秀三郎より早くロンドンに留学した元長州藩士南貞助や三条実美《さねとみ》の側近尾崎三良《さぶろう》らは、いずれも現地でイギリス女性と恋に落ち結婚している。またベルリン留学中の森鷗外《おうがい》がドイツ娘のエリスと相思相愛の関係になり、彼女が帰国した鷗外を追って日本まで来た話は、よく知られているところである。

秀三郎も出来ることなら帰りたくなかったが、さりとて軍命は絶対である。彼は仕方なく日本行きの船に乗り込んだが、離れるほどに彼女への思いは募り、ついに途中で船を降り、パリへ引き返してしまう。石黒はおそらくシンガポールあたりでUターンしたのではと推測する。

ところがこのあたりの事情について、秀三郎と同郷の博物学者南方熊楠《みなかたくまぐす》は全く異なる見方を示している。

「(秀三郎は)パリに官費留学して、帰朝の途次シンガポールで、もとパリで心やすかりしジャネという娼婦《しょうふ》に邂逅《かいこう》し、共に帰朝して放佚《ほういつ》に身を持ち崩し、東京にいたたまらず《(ママ)》、またパリに行き……」(『南方熊楠全集』七)

つまり秀三郎が恋した相手とは清純なパリジェンヌでなく、パリ時代から懇意にしていたジャネなる娼婦であった。彼は帰国の途中に立ち寄ったシンガポールで、たまたま旧知の彼女と出会い、日本へ連れて来るが、二人はだらしない生活を送ったため、周囲の冷ややかな視線や非難を浴び、耐えきれずにパリへ舞い戻ったと、熊楠は言うのであろう。

石黒の描く純愛話と熊楠の指摘とでは、あまりに落差が大きく、真相は藪《やぶ》の中であるが、パリで心やすかりし娼婦とシンガポールでばったり出会い、そのまま日本に連れて行くという熊楠の展開には、やや飛躍があるようにも思える。

ただし二人が帰国したのは事実のようで、秀三郎は明治一三（一八八〇）年、東京府にベルギー人、ジャンヌ・ヴワントヴェルトとの婚姻届を提出し、同年二月二日に受理されている（『国際結婚第一号』小山騰）。熊楠がジャネと記すのはこのジャンヌのことなのだろうか。

秀三郎が、石黒の言うようにシンガポールから恋人のもとへUターンしたのか、はたまた熊楠の言うように日本からジャネなる女性を伴って現れたのかは不明だが、帰国したはずの秀三郎が忽然《こつぜん》とパリに現れたのだから仲間たちは大いに驚き、同時に軍籍の残っている日本への帰国を改めて強く勧めた。しかし本人は頑として受け付けなかった。当然のように軍から除籍の通知が届く。彼はそれを承知で愛する女とパリで生きる道を選んだのである。秀三郎の相手の女性を知る一人は石黒に、彼女の容貌《ようぼう》はたとえようもなく美しかったと語ったという。

「諏訪さんは、陸軍大尉《（ママ）》として、陸軍から留学した人であるが、女のことでしくじったのであろう。陸軍を首になって、それから自活する必要に迫られたらしい」（『巴里の横顔』藤田嗣治《つぐはる》）

日本からの送金もなくなり、秀三郎とジャネの新生活は困窮を極めた。熊楠によると「まもなくジャネは流行病で死に、それより種々難行してとうとうフラマン種の下宿屋老寡婦《かふ》の夫となり、日本人相手に旅館を営み……」という人生をたどる。

ジャネとの生活は短いものだったらしい。石黒も「第一回目の夫人が結婚後幾何《いくばく》もなく亡《な》くなって……」と書いている。そして秀三郎はしばらくしてから再婚するのだが、相手は小さな下宿屋を営む寡婦であった。おそらく下宿先の年上の女主人と結ばれたものと思われる。熊楠の言うフラマン種とは何やら牛馬の品種のようだが、ベルギー北部フランドル地方の出身者という意味だろう。彼女は既にフランス国籍を取得していたはずである。

秀三郎はまず市内モンマルトルに五部屋ほどのアパートを借り、日本旅館を開業することにした。これがオテル・スワ、諏訪旅館の始まりであった。石黒はその時期を明治一三、四年頃としている。秀三郎が二五、六歳の頃である。その後、こつこつと資金を蓄え、やがて庭付きで部屋数一五〇を超すオテル・タルテュニーを開業するに至るのである。

だが秀三郎に順風な時期はそう長く続かなかった。万博が閉幕すると、収容人員の大きい分だけ、客の確保に苦労するようになり、さらにニューヨーク市場の株式大暴落に端を発した世界恐慌《きょうこう》の影響を受け、日増しに経営は厳しさを加えていった。

ヨーロッパ在住の日本人向けに出版された『昭和五年度用　日本人名録』に、当時パリにあった日本人向けの旅館や商店の広告が掲載されている。そこには諏訪旅館の広告もあるが、住所は6 Boulevard de Clichyとなっており、万博当時のホテル所在地とは異なる。Hotel Tartunyという文字もない。

ということは経営が厳しくなり、時期は不明だが、マラコフ通りのホテルを畳んでクリッシイ街へ移り、新たに部屋数も少ない旅館を構えたということだろうか。その旅館はベルリンやロンドンからの列車が発着するパリ北駅やサン・ラザール駅に近く、客から一報があれば、すぐに出迎えに行くとしている。

だがかつてのように館内設備や料理についての紹介は一切なく、日本への土産用に高級フランスワインを安価で斡旋《あっせん》するとか、客が自分の旅館に着いて、より大きなホテルや、逆に下宿屋を希望するなら便宜を図るなど、本業とは直接関係のないサービス内容を載せている。他の旅館やホテルの広告と比べ、実に素っ気ない。万博当時のあの秀三郎の意気軒高ぶりはいずこへと思うほどだ。

それからしばらくしてパリ在住の日本人を震撼《しんかん》させるニュースが隣国ベルギーから飛び込んで来る。一九三三（昭和八）年、「諏訪旅館の主人死す」の報である。パリ日本人社会のシンボルであり、長老格であった秀三郎の突然の悲報は彼らに大きな衝撃を与えた。

当時パリで貧乏生活を続けていた詩人の金子光晴もその一人である。彼は妻森三千代とパリに到着したばかりの頃、金がなく秀三郎の世話になっていた。

「一番ショッキングなことは、半生を日本旅館の経営で苦労してきた諏訪旅館の老夫婦《（ママ）》が、冬迫ってからひっそりとアンベルスにわたり、掘割に投身《（ママ）》自殺したことであった」（『ねむれ巴里』金子光晴）

しかし石黒や金子夫妻が耳にした内容と、大使館への死亡届とはだいぶ異なっていた。秀三郎の死亡届は当時パリ日本人会の書記をしていた椎名《しいな》其二《そのじ》が代理人となり、昭和八年九月五日付で、在フランス日本大使館の澤田《さわだ》廉三《れんぞう》臨時代理大使宛《あ》てに提出されている。そこには秀三郎が一カ月前の八月三日、白耳義国アンヴェル市エスゴー河岸にて自殺したと記されていた。白耳義国とはベルギー、アンヴェル市はアントワープのことである。

死亡届を受けて澤田大使は本国の廣田《ひろた》弘毅《こうき》外務大臣に詳しい報告書を送っている。

「当地に永年在住し、ホテル業を営んでいた諏訪秀三郎は七月下旬にベルギー入りしたが、八月三日、アンヴェル市のエスゴー河岸において、頭を短銃で打ち抜き、死体となって発見された。他殺という疑いもあったが、現地の警察などが検死した結果、自殺と断定した」

同時に澤田大使は秀三郎には永年連れ添ったフランス人の妻がいたが、この年の初めに死亡していること、夫人には前夫との間に子供がいたが、いずれも結婚しており、秀三郎との関係も悪くなかったことから、子供たちの手で滞りなく葬儀が執り行なわれたことも本国へ報告している。

それにしても不可解なのは死亡時期である。大使館への届けには八月三日となっているが、石黒は二月と書き、金子も冬と記している。石黒は秀三郎が自ら額の真ん中をピストルで撃ち抜き、レインコートを着たまま運河の潮が引いた跡に倒れていたとしている。レインコートを着用していたとすれば、なおさら石黒らの言う死亡時期が正しいように思われる。真冬と真夏の違い、一部には他殺説も噂《うわさ》され、かりにその捜査に時間を要したにせよ、いかにも不自然である。

また妻の死亡時期についても石黒は前年の秋と書き、澤田大使はこの年の初めと報告するなど、ここでも半年のズレがあるのは、どういうことだろうか。

秀三郎は恋愛の末、結婚した二人の妻を、いずれも病気で失っている。特に二番目の妻は長患《ながわずら》いをしたため、治療費も馬鹿《ばか》にならなかったようで、死後判明したところでは、銀行口座には預金がほとんど残っていなかったという。彼が自ら命を絶ったのは妻に先立たれ、自分も高齢になり、ホテル経営も思わしくなく、生きる希望を失《な》くしたからであろう。

金子光晴は「パリの根拠をはなすまいとした努力も、やはりむなしかったのだ」（『ねむれ巴里』）と、秀三郎に深い同情を寄せた。

振り返れば、一九〇〇年のパリ万博の頃が秀三郎の生涯の中で絶頂期だった。ありし日の秀三郎について、誰もが「背は高いし、ハイカラで、礼儀正しいジェントルマンだった」と語り、巧みなフランス語を絶賛した。熊楠も「秀三郎氏の仏語を話すを障子一枚隔てて聞くに日本人と聞こえず、まるで仏人なり」と言うほど、秀三郎のフランス語力を高く評価していた。それも当然で、秀三郎は陸軍幼年学校時代からフランス語に馴《な》れ親しんでいたのである。

その一方で藤田嗣治は秀三郎の別の一面も指摘している。

「諏訪さんなども（パリ在住の）日本人には嫌われている。例えば、仕事なども時間でキチンと金をとる。すると日本人の頭から見て、ケシカランというのだ」（『巴里の横顔』）

おそらくフランス暮らしの長い秀三郎には合理的な考えが身に染《し》み付いており、その言動が時として周囲の日本人から反感を買うこともあったのだろう。言葉も発想もフランス人になりきっていたのである。

一〇代半ばで日本を離れて以来、はるかヨーロッパの地で六〇年余も生きた秀三郎、末は大将かと期待されながらも軍人としての栄達を棒に振り、恋を貫いた秀三郎。同時代に他国へ渡った日本人と秀三郎がどことなく違って見えるのは、やはりパリという土地柄のせいだろうか。享年《きょうねん》七七。石黒はムッシュ・スワを「モンマルトルの主」と呼んだ。

第二話　セーシェル／ビクトリア

孤島に住み着いた京都出身の写真屋

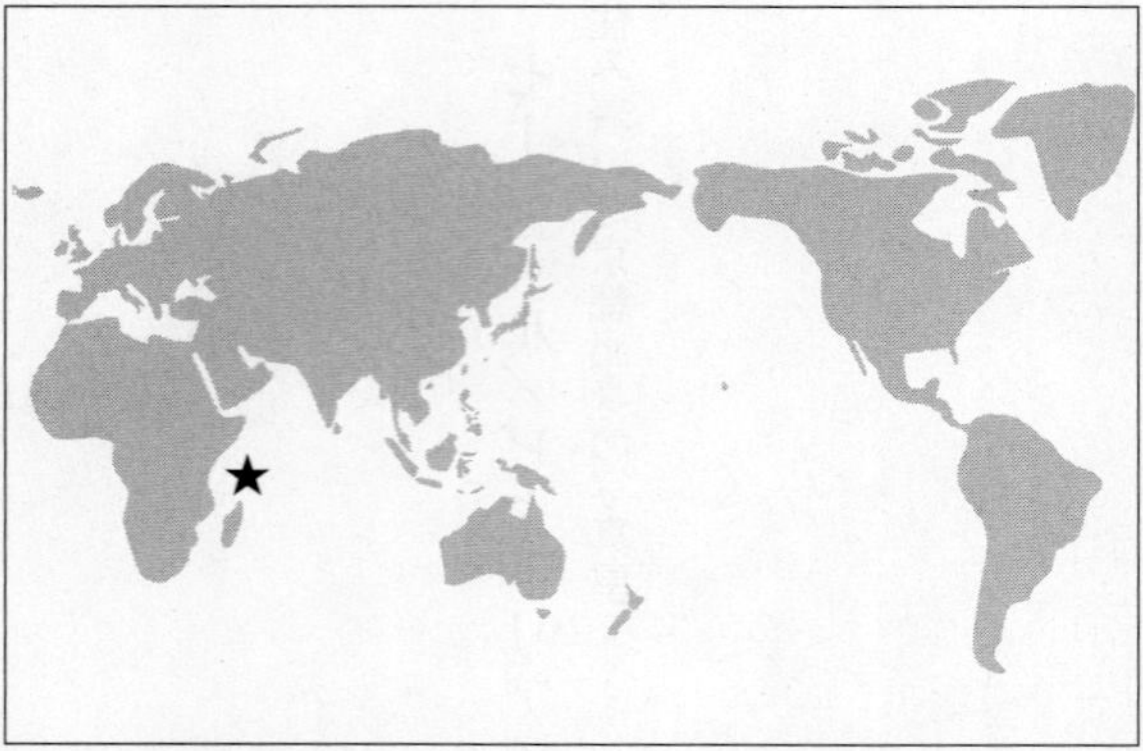

現在：空路直行便はない。シンガポールからセーシェル航空で行くのが一般的。日本→シンガポールが約7～8時間。シンガポール→セーシェルが約7時間。

アフリカ・マダガスカル島の北東に大小一一五の島からなるセーシェルという国がある。地球最後の楽園とか、インド洋に浮かぶエデンの園と呼ばれる島々はアフリカ大陸東岸から一七〇〇キロ離れた洋上に点在し、すべてを合わせても淡路島の半分ほどの面積しかない。

群島の中心はマヘ島で、ここに首都ビクトリアがある。一七五六年にフランス人が上陸して植民地としたが、その後一八一四年にイギリス領となり、一九七六年に独立を果たした。現在この国には日本の在外公館はなく、ケニアの日本大使館が兼轄《けんかつ》しており、二〇〇八年一〇月現在、在留邦人はＪＩＣＡ（国際協力機構）の関係者ら一一人である。

日本からはシンガポールでセーシェル航空に乗り継ぐのが最も早いようで、シンガポールからビクトリアまで空路約七時間である。まだ訪れる日本人観光客の数は少ないものの、ヨーロッパ人にはリゾート地として人気の高い島である。

この群島の小島に明治半ば、一人の日本人が住み着いていた。京都出身で写真屋を営む男であった。彼の存在が明らかになったのはビクトリアの港に立ち寄った松本勝次郎という船員が図らずも本人と出会ったことによる。

明治三九（一九〇六）年、松本は鳥糞《ちょうふん》、つまり肥料を積載するため、ノルウェー船オトラ号でビクトリアに寄港した。帰国後、彼は雑誌「商工世界 太平洋」に「印度洋の一島に燦《きら》めく同胞の孤影」と題し、一文を寄せている。

「今しも小生の停泊する所は、印度洋中、南緯三度四三分強より起つて一〇度七分弱に終り、東経四六度一二分より五五度五六分強までの間に散在する、セ、リ（セーシエル）群島の一に有之候《これありそうろう》」

ビクトリアのあるマヘ島は全島山岳地帯で、平地は少ないものの、きわめて風光明《めい》媚《び》、松本も赤道直下と言えども気候は穏やかで住むには適していると、島の印象を記している。

そして何より松本を驚かせたのは、この地で一人の日本人に出会ったことである。「万里の異域に於《おい》て同胞に会せんなど、は、思ひも寄らぬ事にして……」と、まさかアフリカ大陸から遠く離れたこんな小島に同胞が住んでいようとは思いもしないことだった。

その日本人は大橋申廣《しんこう》と名乗った。大橋は松本の手を強く握りしめ、満面に喜びを表した。それもそのはず、大橋にとって松本は実に七年ぶりに出会う日本人だったからである。大橋が話すところによれば、自分は丹後宮津（現京都府宮津市）の出身で、この時五一歳。「老ひて益々《ますます》壮なること青年の如《ごと》く」と、松本に言わしめるほど潑剌《はつらつ》としていた。この島に渡って既に一三年、当地で写真業を営んでいるが、それ以前は西オーストラリアにいたと語った。逆算すると、大橋がこの島へ渡ったのは三八歳頃ということになる。

松本の訪問から六年後の明治四五（一九一二）年、大橋のもとをフランスのリヨン駐在領事の木島孝蔵が訪れる。木島の本来の目的はフランス領マダガスカル島の経済事情と日本人移民の可能性を探る調査であったが、この機会に周辺のセーシェルへも足を伸ばしたのである。

マダガスカルでの調査を終えた木島は同年八月七日の夕刻、島の北端ディエゴ・スアレスを発《た》ち、三昼夜、船に揺られ、約一一〇〇キロ離れたビクトリアへ一〇日未明に到着した。当時セーシェル群島全体の人口は二万六〇〇〇、ビクトリアにはホテルもレストランもなく、「旅客には不便少なからず」ながら、樹木は多く、心地よい微風が絶えず吹きわたり、「健康に適するをもってインド洋の仙境と称せらるる」と、木島は島の第一印象を記す。

木島はかねてからこの地に日本人が暮らしていることを耳にしており、是非会いたいと思っていた。上陸して現地の者に彼の所在を尋ねると、たしかに日本人の男が一人暮らしているとのことだった。

早速、男の家を訪れると、松本も記したように、かくしゃくとした大橋が姿を現わした。木島は大橋について本国へ次のように報告している。

「丹後の宮津の産にて大橋申廣（六〇歳）と称する独身者、二〇年来、来住し、写真業を営み居《お》れり」（『「マダガスカル」島調査報告書』外務省通商局編）

大橋の話す言葉は英語に時々日本語が交じった。それは仕方ないとしても、木島を感動させたのは腕に黒い喪章をつけていることだった。彼は明治天皇が一〇日前の七月三〇日に崩御したことを既に知っており、その死を悼《いた》み、異境にあって一人、喪に服していたのである。「絶海に漂寓《ひょうぐう》すと雖《いえど》も日本人は日本人たる所あり」と、木島は同胞の愛国者に敬意を表している。

木島の報告内容からすると、大橋のセーシェル在住期間は二〇年というから、来島した時期は明治二五、六（一八九二、三）年頃とみられ、松本の話とも合致する。

大橋はどういう経緯で、当時日本人もほとんど知らないセーシェルへ渡ったのだろうか。それには彼の半生を遡《さかのぼ》らなくてはならない。大橋は島に来る前、西オーストラリアに住んでいたと語っている。西オーストラリアとは文字通りインド洋に面したオーストラリア大陸の西岸一帯をさすが、この地で日本人と関係が深いのはブルームという町である。

筆者も平成一四（二〇〇二）年秋、西オーストラリアを旅行した際、州都パースから二二〇〇キロ離れた大陸北西端のこの町まで足を伸ばしたが、インド洋に面し、白砂の広がる美しい海浜リゾートであった。ここブルームはかつて真珠採取の盛んなところで、明治半ばから日本人潜水夫が多数出稼ぎに渡っている。明治二四（一八九一）年頃、ブルームとその周辺地域には三〇〇人を超える日本人ダイバーが住み着いていた。

オーストラリアにおける日本人の真珠採取は明治一六（一八八三）年、北部のヨーク岬半島の沖合に浮かぶ木曜島から始まり、その後ブルームへと広がっていったのだろう。ダイバーの多くは和歌山県出身者だった。町はずれにある日本人墓地には、潜水病やサイクロンなどで命を落とした九一九人が眠っており、最も古いと思われる墓標に刻まれた没年は一八九六（明治二九）年と読めた。

大橋は松本に「マヘ島の周囲には無数の真珠があるが、未《ま》だ誰も採取する者はいない。もしここまで日本人が来れば、大いに商売発展の可能性があるのだが……」と残念そうに語っており、真珠採取の盛んな西オーストラリアの地にいたことをうかがわせる。

そもそも大橋はどんな事情でオーストラリアへ渡り、何を生業としていたのか。真珠ダイバーとして働いていたのか、それとも写真屋を営んでいたのか。写真屋を開くのであれば、シドニーやメルボルンではなく、なぜブルームだったのか。彼は写真技術をどこで身につけたのか。日本なのか、それともオーストラリアへ渡ってからなのか。いずれの疑問も彼に関する記録の乏しさにより明らかでない。

そしてセーシェル行きの経緯であるが、木島の報告書には次のようにある。

「(大橋は) 濠洲より印度を経 (て)、ナタル (ナタール) に至らんとし、途中ザンジバルにて重患に罹《かか》り、九ケ月病院にて治療し、医師の勧告によりてナタル (ナタール) 行を断念し、気候の好《よ》き本島に来れるものにて……」

つまり大橋は当初、オーストラリアからナタール (現南アフリカ東南部のクワズール・ナタール州) へ向かおうとしてザンジバル (タンザニア) に立ち寄ったところ、重い病気に罹り、医者からの勧めでセーシェルに渡ったとのことである。彼がこの島へ向かったのも積極的な意思ではなく、専《もっぱ》ら健康上の理由によるものだったらしい。

彼が当初めざしたナタールは当時、ヨーロッパからの移住者ボーア人が多く住むイギリスの植民地であった。だが、もし大橋がナタールをめざすのであれば、なぜオーストラリアから直接向かわなかったのか。当時オーストラリアからロンドンへ向かう定期船があり、途中ナタールのダーバンにも寄港している。大橋もこれを利用すれば、容易に直行できたはずである。

現に明治三一（一八九八）年頃、オーストラリア南部メルボルンで洗濯屋を営んでいた岩崎貫三や小川一満らは商売に行き詰まり、ナタールで再起をかけようと、ロンドン行きの船に乗り、二週間かけてダーバンに上陸している。岩崎らのナタール行きは大橋がセーシェルに移った数年後のことだが、当時ナタールはオーストラリアに移住した日本人の間で商売発展の有望な地として話題になっていたのだろうか。岩崎らはその後ダーバンで洗濯屋や雑貨店を開き、苦労しながらも成功している。

大橋がわざわざインドへ遠回りして行った理由ははっきりしないが、インド人も盛んに進出しているというナタールについて、現地でさらに詳しい情報を得ようとしたのか、あるいは単なる便船の都合だったのか。便船と言えば、当時は、ドイツの東アフリカ汽船会社が、インド西岸のボンベイ（現ムンバイ）とアフリカ東岸のザンジバルとの間に定期船を運航しており、大橋もこの便を利用して向かった可能性はある。ザンジバルに上陸したのち、大病した大橋は医師から健康のためセーシェル行きを勧められるが、果たしてその島に写真の需要が十分見込めると判断してのことだったのか。ちなみに松本勝次郎は大橋に出会った一九〇六年頃のビクトリアの町について次のように記している。

「ヴィクトリア港と申すは、人口五〇〇〇。之《これ》にて全群島の人口の四分の一に候。群島の首府にして、島庁、警察署、裁判所、監獄所、郵便電信局、公立学校、及び独、伊、葡の名誉領事館等有之候へども、定期船は月に二回マルセーユとの間に仏郵船が来るのみに候」

大橋の店が島に唯一《ゆいいつ》の写真館だったとしたら、民間人相手というより、これだけの官公庁があれば、官需で商売が成立していたとも考えられる。

大橋は腕のよいカメラマンだったようである。『日本人のアフリカ「発見」』（青木澄夫）によると、大橋が当時撮影した写真の一部は現在、島の観光絵葉書になっており、その一枚は大樹の下で客待ちする人力車の車ひきたち、そしてもう一枚は町の中心部にある大きな時計塔である。

木島領事も大橋の案内で、狭いビクトリアの町を一巡しており、「日本風の人力車少なからず」と書いている。イギリス人が島に持ち込んだのだろうか。また時計塔は木島の訪問より九年前の一九〇三年にロンドンのビッグベンを模して建てられたもので、地元民からクロックタワーという名で親しまれ、今も町のランドマークになっている。

大橋はその後、写真業のかたわら石鹼《せっけん》工場の経営にも手を伸ばしたというが、彼について判明しているのは、これが全《すべ》てで、いつまでセーシェルに暮らし、いつどこで死んだのかは定かでない。彼の出身地とされる京都府宮津市の市立図書館などへ大橋に関する手掛かりを求めて照会してみたが、残されていないとのことだった。

セーシェルを紹介したなら、同じくインド洋に浮かぶ旧イギリス領モーリシャス諸島にもふれておこう。

モーリシャスはセーシェルの南はるか一五〇〇キロ、マダガスカル島の東九〇〇キロに点在する群島国家で、オランダ、フランス、イギリスの植民地を経て一九六八年に独立した。

別名「インド洋の貴婦人」などと呼ばれる島々の総面積は東京都とほぼ同じで、群島の中心は首都ポートルイスのあるモーリシャス島である。

現在日本の在外公館は設置されておらず、隣国マダガスカル大使館が兼轄しているが、二〇〇七年一〇月の外務省データによれば、在留邦人は漁業関係者を中心に二五人、港には常に日本漁船が停泊しているという。周辺にマグロやカツオの世界有数の好漁場が広がっているからである。

また近年、ヨーロッパ人には憧《あこが》れのリゾートアイランドとして人気を集めているが、日本からの観光客はセーシェル同様まだ少ない。やはり飛行機の乗り継ぎ時間を除いても、日本から一五時間以上を要するからだろう。

首都ポートルイスには一九一〇（明治四三）年四月、アルゼンチン独立一〇〇年祭へ向かう軍艦生駒《いこま》が日本船として初めて寄港している。生駒に同乗していた大阪朝日新聞の記者鈴木天眼こと鈴木力は島について次のように記している。

「世界地図上では、目にも留まらぬ粟《あわ》一粒。マダガスカル巨島の近所と云《い》ふを頼りに探して、辛うじて発見さるる絶海の小孤島。モーリシャスが島名で、路易港（ポートルイス）が該島の港市とは解さるれど、島が港か、港が島かと云ふべき程の、単に炭水供給だけの海上飛石なる可《べ》しと大抵は呑《の》み込まれる」（『南阿南米行』）

たかが石炭や水の補給地に過ぎないと思えた粟粒ほどの小島も上陸してみると、なかなか豊かな島であることに鈴木は気づく。見渡す限り一面に青々とした砂糖キビ畑が広がっており、世界でも名だたる砂糖の一大生産地だったのである。島には収穫した砂糖キビを運搬する軽便鉄道が走り、自動車も一八〇台にのぼると聞いて、鈴木は驚く。

「之を東京の華族列紳士列が総計一〇〇台の自動車だも有せざらむに対照すれば、ドッチが世界的田舎者で、ドッチが生活の実際に於《お》て華族的文明的暢達《ちょうたつ》を遂《と》ぐる乎《か》、知れたものに非《あら》ず」

この島の自動車台数の方が、当時東京の華族など富裕階級が保有する総台数より、はるかに多く、どちらが文明社会なのか分からぬと、鈴木は言うのである。いかにもジャーナリストらしい見方である。

同船には鈴木と同業の大阪毎日新聞の大庭《おおば》柯《か》公《こう》も乗っており、二人は早速、取材合戦を始めている。

鈴木はガイドをつかまえ、この島に日本人は住んでいるのかと尋ねた。するとガイドはうなずき、「数ははっきりしないが、二名か四名の娼婦《しょうふ》がいる」と答えた。二人か四人というガイドの大雑把な答え方が面白い。

そこで鈴木は彼女らの実態を見るべく出かけた。

「彼らの巣窟《そうくつ》を馬車上より展望すれば卑猥《ひわい》、馬小屋の如《ごと》き茶館なり。官憲の調査に依《よ》れば、該雑業婦は三名にして内、一名が紀州産、二名が肥前島原と諫早《いさはや》の者。その外に日本哥哥《あにき》一名在りと云ふ。何処《いずこ》の人骨にや不明」

　ここにも雑業婦、あの「からゆきさん」が進出していたのである。鈴木は彼女らがボンベイやコロンボ（スリランカ）あたりから、この島に流れ込んで来たのだろうと推測している。

　馬車の中から観察した鈴木に対し、大庭は彼女らに直接会って話を聞いている。

「英領モーリシャス島の住民三七万余の中、同胞正に五人、男一人を除く外、残る四人は二二、三歳の婦人なり。此等《これら》の婦人に就《つい》ては僕、多くを語らざるべし、世に若《も》し彼等の生活状態を悲惨なりといふ者あらば、そは（それは）見る者の過謬《かびゅう》なり。否《いな》、彼等は他に同胞の競争なく、時々相当の送金を本国に致すを言ひて、極めて自家の運命に甘んず」（『南北四萬哩《まんマイル》』）

　二人の新聞記者の彼女たちを見る目は対照的である。鈴木は彼女らを侮蔑《ぶべつ》し、唾棄《だき》すべき存在のように見下しているのに対し、大庭はむしろ彼女たちなりに懸命に生きているのだと一定の理解を示している。二人の見方の差異について、アフリカ研究家白石顕二の指摘が興味深い。

「鈴木は後に国会議員となり、大庭は評論家になった。鈴木は権力志向派だったかもしれないが、大庭はかなり反権力志向だった」（『ザンジバルの娘子軍《からゆきさん》』）

大庭の会った四人の女性たちは、鈴木の推測のように、香港《ホンコン》、シンガポール、ボンベイなど東南アジア各地からの「転戦組」で、出身地はいずれも熊本県の天草だった。

さらに大庭は彼女たちから「一〇年ほど前に数人の日本人女性をこの島で見かけたが、そのあと姿を消し、今再び自分たち四人の仲間が住んでいる。かつていた数人の女性のうちの二人の墓がポートルイス郊外の菩提樹《ぼだいじゅ》の下にあり、二人は少女だった」という話を聞き出している。

とすれば、明治三〇年代前半、モーリシャスには既に日本人女性が進出し、暮していたことになる。その後、女性たちの中にはこの地で短い生涯を終える者もいれば、また別の地に活路を求め、島を離れて行った者がいたようである。

軍艦生駒が寄港した当時、島の人口の三分の二はインド人で、その大半がイギリス人やフランス人の経営する砂糖キビ農園で働いていたから、彼女らの客も主として、こうした労働者や港に立ち寄る船乗りたちであったろう。

大正から第二次大戦前にかけ、海運会社に勤務し、世界各地の港に立ち寄った住田正一は昭和二七年に出版した『海運盛衰記』の中で、戦前ポートルイスで一人の日本人女性を見かけたと記している。

「ここにも『山田』という日本婦人が古くから住んでいて、日本船が行くと、懐《なつか》しがって船にくる。今も健在であるかどうか」

住田が「山田」を見かけた時期は不明だが、彼女はひょっとして大庭が取材した女性のうちの一人だった可能性もある。かりに住田が目撃したのが昭和一〇年頃だとすれば、山田なる女性は当時四〇代半ばを過ぎていたことになる。何を生業にして暮らしていたのだろうか。

マダガスカル、ザンジバル、モーリシャス……。貧しさゆえにインド洋の波濤《はとう》を越えてアフリカの島々へ渡ったうら若き日本人女性たちのパワーたるや、恐るべしである。

最後に南海の小島に散った日本人女性たちへのレクイエムとして、いささか感傷に耽《ふけ》り過ぎるきらいはあるが、大庭の次の言葉を紹介しておこう。

「嗚呼《ああ》、印度洋上モーリシャス島内四人の同胞姉妹、彼等は烟波漂渺《えんぱひょうびょう》（はるか海の果ての意）の間に幾多の白人、混血族と不断の奮闘を続けて而《しか》も生気あり、僕敢《あえ》て彼等の健豪なる生活の一班を我半死半生の都城幾万の子女に報ぜんと欲す」

大庭はアフリカの孤島で気を吐く、彼女たちの健気《けなげ》な生きざまに理解を示す一方で、祖国の（柔弱な）若き女性たちへも大いなる檄《げき》を飛ばしたのである。

このほかインド洋に浮かぶ島としては、マダガスカルの西にコモロ諸島、モーリシャスの南にフランス領のレユニオン島（海外県）があるが、いずれもここへは早い時期に日本人が渡った形跡はない。

あとがき

文献や史料をもとに世界各地へ飛び出した最初の日本人探しを試みてみたが、正直に言って彼らが真に最初の渡航者や居住者であったとは一〇〇パーセント断じきれない。というのは記録に残っていないだけで、密航や漂流、あるいは人身売買などによって予想もつかぬ国や地域へたどり着いた者たちが存在した可能性を捨て切れないからである。

ともあれ自分の意思で世界各地へ散っていったファースト・ジャパニーズの足跡を大まかに見ると、漂流民や密航者は別として、南北アメリカ大陸およびオーストラリアを含めた南太平洋地域は農漁商業や鉱山移民、東南アジアへは農商業を目指した者たちと「からゆきさん」の一群、アフリカもまたごく少数の商人たちと「からゆきさん」、そしてヨーロッパはキリシタンと先進知識の吸収へ向かった留学生、官吏、公式使節団などに大別出来よう。

本書でも随所にふれたが、「醜業婦」とか「人肉商品」などと汚名を着せられながらも万里の波濤《はとう》を越え、辺境の地にまで出かけて行った日本女性の逞《たくま》しさにはほとほと頭が下がる。作家で民族学研究者の谷川健一の指摘が興味深い。
「かつて新大陸をのぞく世界の売春地図は、日本人の娼婦《しょうふ》とフランス人の娼婦とで二分され、その境界線はウラル山脈からスエズ運河を経て、アフリカ東海岸にいたる線であったといわれる。（中略）女たちが自分の力で開拓していった自然な境界線であった」（「もうひとつの明治」〈『娼婦』宮岡謙二著〉に所収）
この指摘が正鵠《せいこく》を射るのかどうかは別として、たしかに彼女らの存在は近代国家としての恥部ではあったが、それは当時の日本の社会状況そのものを投影していた。そして時の政府は彼女たちの存在を好ましからざるものとしながらも、ある時期まで日本人の海外進出の先兵として、足場として利用したのもまた事実であった。
明治三〇年、英国女王の即位六〇周年を迎え、海外の各植民地でも記念式典が催されることになったが、シンガポールでは日本の駐在領事藤田敏郎が心ならずも当地の女郎屋を巡回して寄付金集めに奔走したことなどは、その好例であろう。現地の中国人社会に負けまいとする新興日本のプライドが日頃海外廃娼を強く訴えていた当の領事さえをも、屈辱的な行動に走らせたのである。

こうした一方で、南アフリカの古谷駒平、マダガスカルの赤崎伝三郎、ビルマの福島弘、チリの千田平助らは邦人未踏ないし、邦人の少ない地で何とか一旗揚げてやろうという野心に燃えて海を渡り、正業を営む日本人としての矜持《きょうじ》をもち続け、成功した。

アラスカの安田恭輔、セーシェルの大橋中廣、ニュージーランドの野田朝次郎らは初めからその国をめざしたわけではないが、異文化の中で適応に努め、現地の人たちから尊敬を受けながら、その生涯を閉じている。

彼らはいずれも明治人であり、他人に頼らず、自らの力で逆境を切り拓《ひら》き、したたかに生き抜いた骨太の日本人であった。鎖国体制が長く続いた分だけ日本人の海外進出は諸外国に比べて遅れたが、解禁後はそのハンディを取り戻すかのように積極的に飛び出して行った。

渡航の動機はさまざまなれど、アフリカの孤島、アラビアの砂漠、東南アジアの密林、あるいは極北の岬へと敢然と歩を進めた人々のその意気たるや壮とすべきであろう。日本人は決して島国根性に凝り固まった惰弱な民ではなく、旺盛《おうせい》な好奇心と開拓精神をもった進取の民だったと思いたい。

近年グローバル時代とかボーダレス時代という言葉をよく耳にする。

偏狭なナショナリズムにとらわれることなく、世界的規模で共有できる価値観の追求は大いに結構だが、そのベースには日本人として健全なアイデンティティーとプライドを抱き続けてほしいと願う。

海外へ出ること自体が目的ではなく、海外に出て何をするか、何が出来るかが、今まさに問われている。それはまさしく志にかかわる問題であり、先人たちの歩んだ軌跡の中から学べるものも多いはずだ。交通や通信の発達が世界を近くした今だからこそ、先人たちの精神に学び、時代を切り拓くパイオニアとして地球規模で貢献できる日本人の海外雄飛を大いに期待したいものである。

筆者の知識と考察力の乏しさゆえ、思い込みや当て推量で記した部分も多々あろうかと思う。ご指摘には謙虚に耳を傾け、正すべき点は修正していきたいと念じている。まだまだ取り上げてみたい国や地域は多く残っており、それらの地へ最初に渡航した日本人探しの旅は当分終わりそうにない。

平成一九年秋

熊田忠雄

文庫版刊行に寄せて

世界各地に足跡を印した最初の日本人を追って、今回文庫版化された『そこに日本人がいた！ 海を渡ったご先祖様たち』と、その続編『すごいぞ日本人！ 続・海を渡ったご先祖様たち』（ともに新潮社刊）を上梓《じょうし》した。二冊で取り上げた四〇近い国々を白地図の上に印を付けてみると、改めて先人たちの豪胆な行動力と強靭《きょうじん》な精神力に頭が下がる。よくもあの時代、あのような遠隔の地まで出掛けたものだと思う。

二〇一〇年三月現在、日本が世界で外交関係を樹立している国は一九二ある。外交関係を有するということは、少なくともわが国の外交官が相手国を訪問したことがあることを意味する。国交のない北朝鮮にしてもこれまで時の総理大臣をはじめ、官民を問わず多くの日本人が訪れている。

また在留邦人についても、外務省の『海外在留邦人数調査統計』（平成二一年速報版）によると、二〇〇八年一〇月一日現在、世界で在留邦人ゼロの国はトーゴ共和国、ソマリア共和国、コモロ連合、サントメ・プリンシペ民主共和国、ナウル共和国の計五カ国あり、それ以外は人数の多少は別としてすべて日本人が暮らしている。もっとも在留邦人数は絶えず変動しているから、現在もこれらの国々に日本人居住者がゼロであるかどうかは不明である。

いずれにしてもわれわれ日本人が足跡を印したことのない国、いわゆる邦人未踏地はもはや地球上には存在しない。いつ、どんな国で日本人に遭遇しても不思議でない時代を迎えたと言っても過言ではない。

日本人の海外進出パターンも大きく変わった。かつて海を越えた日本人は多くが鉱石の採掘、真珠採取、サトウキビの伐採、コーヒー栽培、鉄道建設など単純肉体労働に従事する者たちであった。あるいは本書で紹介したマダガスカルの赤崎伝三郎、南アフリカの古谷駒平、チリの千田平助らのように外地で一旗あげようと野心に燃える男たちであった。

しかし時は移り、経済大国となったわが国は労働力の送出国から受け入れ国となった。国民もより付加価値の高い職業を目ざすようになったため、海外での単純労働を希望する者は激減した。

したがって近年、海外へ進出する日本人は芸能や芸術など個人の才能が評価される分野を除けば、ほとんどが公的機関や企業など組織を通して渡航するケースである。渡航者は公務であれ、ビジネスであれ、いずれもそれなりの知識やスキルをもち、現地情報を十分に収集したうえで飛び立っている。それだけに筆者が興味を抱く邦人未踏地で波乱万丈の人生を送った初期の海外渡航者たちのような日本人が出現する可能性は今後、極めて低いと言わざるを得ない。

あのようなスケールの大きい日本人を輩出したのはやはり、当時の国家の絶対的な貧しさが背景にあり、そこから抜け出すため多くの者たちが海外に活路を見出《みいだ》そうとしたのである。誰の庇護《ひご》もない彼らは交通・通信手段の不便さを物ともせず、見知らぬ土地へ渡り、刻苦勉励した。そこにさまざまなドラマが生まれ、立志伝中の人物を生んだのである。大望を胸に海を渡り、活躍することを意味する「海外雄飛」なる言葉も今ではすっかり聞かれなくなった。

ところで読者の方々から、これまで取り上げた国々のうち、実際どのくらい訪れたのかという質問をしばしば受ける。正直なところ、これまで八割方は行ったが、南米やアフリカなどの遠隔地、それにアジアの一部の国へはまだ足を運んでいない。できるだけ早い時期に残っている未訪問国を巡り、ファースト・ジャパニーズたちの歩んだ人生を偲《しの》んでみたいと思っている。

未訪問国と言えば、つい先頃、カンボジアを訪れる機会を得た。二〇一〇年二月のことである。この国へ渡った日本人については本書の続編である『すごいぞ日本人！続・海を渡ったご先祖様たち』（二〇〇九年六月刊）で、江戸時代の初頭、アンコール・ワット内に落書き（研究者は墨書と呼ぶ）を残した平戸藩士森本右近太夫《うこんだゆう》一房を中心に記した。ところが、その落書きを筆者は写真でしか見ておらず、是非自分の目で確認したいと思っていた。

二月下旬とは言え、現地の気温は既に三〇度を超え、汗を拭《ふ》きながら、広大な寺院内を巡った。目ざす落書きは十字回廊と呼ばれる廊下の柱に残っていた。一二行からなる右近太夫の筆文字は灰色の石柱のかなり高い位置に記されており、身長一七五センチの筆者の頭よりも上に文章の下端があった。おそらく彼は踏み台か、ハシゴを用いて書いたものと思われる。

事前に見た写真でも右近太夫の文章は大部分が黒いペンキのようなものでジグザグ状にかき消され、ほとんど判読することができなかったため、今回は文字がまだはっきり判読できた時に転写された全文を書物からコピーし、現場で見比べてみた。

昭和三五（一九六〇）年に当地を訪れた評論家の大宅《おおや》壮一はこの落書きについて「なかなかの達筆である」と述べているから、当時はまだはっきり視認できたのであろう。しかし現在「日本」、「右近」など明らかに判読できる文字もあるものの、文章として読み解くのは不可能であった。

それでも（今から四〇〇年も前に日本からはるばるこの地にやって来た武士が感激のあまり、矢立てからおもむろに筆を取り出して柱に……）などと、当時の情景を想像するのは楽しいことであった。

平成一五（二〇〇三）年秋、ここを訪れた右近太夫から数えて一五代目にあたる子孫の森本信一さんは「四〇〇年近く前に先祖が命がけで海を渡ってここに来ていたかと思うと感無量で、じーんとしました。この訪問で右近太夫がより身近になった」と語ったという（『朝日新聞』同年一一月二二日付）。筆者の心が騒ぐのもまさに「遠い昔に命がけで海を渡ってきた日本人がいる」という一点にある。

「それにしても何故《なぜ》こんなに汚れてしまったのだろう」

筆者がふと口にした疑問を傍らの日本語ガイドが聞きつけて、ポツリとこうつぶやいた。

「それはポル・ポト派の仕業です。教師だった僕の父親も彼らに殺されました」

いきなり頭をガツーンと殴られたような気がして、たちまち歴史ロマンの世界から現実に引き戻された。

原始共産主義社会を目ざしたポル・ポト一派が都市在住者を農村へ強制移住させたり、技術者や知識人の虐殺《ぎゃくさつ》、伝統的文化や生活慣習の破壊などに狂奔したことは報道によって知っていたが、魔の手がアンコール・ワット内の日本人の落書きにまで及んでいたとは驚きであり、同時に案内役の青年の肉親までもが彼らの凶行の犠牲者であったと聞いて心が痛んだ。

アンコール・ワットからの帰途、ヴェトナムのホーチミンに立ち寄った。右近太夫を乗せた朱印船が通航したメコン川を眺めるためである。ホーチミンからメコンデルタの町へは一〇年前の訪問時にはなかった高速道路が通じ、カンボジアとは段違いのスピードで経済発展を続けるこの国の勢いを感じた。

インドシナの大河はあの日と同じように滔々《とうとう》と流れ、ミルクコーヒー色をした川面《かわも》を大小の船がせわしなく行き交っていた。川岸のベンチに座りながら、かつてカンボジアとの交易のため、南シナ海からこの川に入り、三〇〇キロ上流のプノンペンやピニャールを目ざした朱印船と、それに乗船していた日本人たちのことを思い浮かべた。当時日本からカンボジアまで順調に進んだ場合でも約六〇日を要したという。右近太夫たちも両岸に広がる緑濃い南国の風景を眺めたことであろう。

メコンが時空を超え、人間の営みを支え続けてきたことを思うと、ある種の感動を覚えた。

世界へ飛び出したファースト・ジャパニーズ探しの旅、そして彼らの渡航した土地を訪ねる筆者の旅はいましばらく終わりそうにない。

今回の文庫版化にあたっては、既刊本の内容の一部を補筆、加筆したことをお断りしておく。

平成二二年四月

熊田忠雄

主な参考・引用文献一覧

《全般》
「福沢諭吉全集」慶應義塾編／岩波書店／1958
「邦人海外発展史」入江寅次著／井田書店／1942
「天草海外発展史」（上・下）北野典夫著／葦書房／1985
「海外交流史事典」富田仁編／日外アソシエーツ／1989
「海を越えた日本人名事典」富田仁編／日外アソシエーツ／1985
「幕末明治海外渡航者総覧」（第1・2・3巻）手塚晃ほか編／柏書房／1992
「近代日本海外留学生史」（上・下）渡辺實著／講談社／1977、1978
「近代日本の海外留学史」石附實著／ミネルヴァ書房／1972
「明治維新人名辞典」日本歴史学会編／吉川弘文館／1981
「日本人名大事典」（第1～7巻）平凡社編／平凡社／1979
「日本人名大辞典」三浦朱門・平山郁夫ほか監修／講談社／2001
「日本近現代人物履歴事典」秦郁彦編／東京大学出版会／2002
「大日本人名辞書」大日本人名辞書刊行会編／講談社／1974

「明治事物起原」石井研堂著／春陽堂／１９３４
「海外日本実業者の調査」外務省通商局編（復刻版）／不二出版／２００６、２００７
「明治大正日本医学史」田中祐吉著／東京医事新誌局／１９３１
「特命全権大使米欧回覧実記２」久米邦武編／岩波書店／１９７８
「明治四年のアンバッサドル」泉三郎著／日本経済新聞社／１９８４
「堂々たる日本人」泉三郎著／祥伝社／２００１
「娼婦」宮岡謙二著／三一書房／１９６８
「旅芸人始末書」宮岡謙二著／修道社／１９５９
「世界山水図説」志賀重昂《しげたか》著／冨山房／１９１１
「志賀重昂《しげたか》全集」（第１～８巻）志賀富士男編／日本図書センター／１９９５
「海外在勤四半世紀の回顧」藤田敏郎著・発行／１９３１
「海の文学志」尾崎秀樹《ほつき》著／白水社／１９９２
「海からの世界史」宮崎正勝著／角川書店／２００５
「初めて世界一周した日本人」加藤九祚《きゅうぞう》著／新潮社／１９９３
「仙台漂民とレザノフ」木崎良平著／刀水書房／１９９７
「明治ニュース事典」（第１～８巻）毎日コミュニケーションズ出版部編／１９８３～１９８６
雑誌「歴史と人物」１９７８年１月号他／中央公論社

《アフリカ関連》

「新書アフリカ史」松田素二・宮本正興編／講談社／１９９７
「アフリカ史を学ぶ人のために」岡倉登志編／世界思想社／１９９６
「南アフリカと日本」森川純著／同文館出版／１９８８
「南ア共和国の内幕　最後の白人要塞」伊藤正孝著／中央公論社／１９７１
「南阿南米行」鈴木天眼著／博文館／１９１１
「南北四萬哩《マイル》」大庭《おおば》柯公《かこう》著／政教社／１９１１
「アフリカに渡った日本人」青木澄夫著／時事通信社／１９９３
「日本人のアフリカ『発見』」青木澄夫著／山川出版社／２０００
「アフリカ『発見』」藤田みどり著／岩波書店／２００５
「日本‐アフリカ交流史」岡倉登志・北川勝彦著／同文館出版／１９９３
「南阿弗利加《アフリカ》貿易事情」農商務省商工局編／１９１７
「阿弗利加土産」大山卯次郎《うじろう》著／赤爐閣書房／１９３０
「マダガスカル」山口洋一著／サイマル出版会／１９９１
「『マダガスカル島』視察報告書」外務省通商局編／１９１３
「ザンジバルの娘子軍」白石顕二著／社会思想社／１９９５
「アイアイの眼」西木正明著／「孫文の女」所収／文藝春秋／２００５
「マダガスカルの月明」豊田穣《みのる》著／「海軍特別攻撃隊」所収／集英社／１９８０

「露艦隊来航秘録」ポリトウスキイ著／海軍勲功表彰会本部／１９０７
「木曜島の夜会」司馬遼太郎著／文藝春秋／１９９３
「丹後宮津志」京都府宮津町編／京都府宮津町発行／１９２６
「セイシェル　地上最後の楽園」恒文社出版部編／恒文社／１９８５
「任国情報（セイシェル）」国際協力事業団国際協力総合研修所編／１９９６
「海運盛衰記」住田正一著／創元社／１９５２
「史談　セント・ヘレナの日本人」大池唯雄著／朝日新聞社／１９６７
「アフリカの小さな町から」日野舜也著／筑摩書房／１９８４
「カーボ・ヴェルデ　色のない島」大河内秀敏著／花宴発行所／１９８９
「失われゆく楽園」花岡松枝著／実業之日本社／１９６３
「史譚《したん》天正遣欧使節」松田毅一著／講談社／１９７７
「黄金のゴア盛衰記」松田毅一著／中央公論社／１９７４
「環海異聞」大槻玄澤・志村弘強共著・宮崎栄一編／叢文社／１９７６
「赤松則良半生談」赤松則良著／平凡社（東洋文庫）／１９７７
「遣米使日記」村垣範正著／「遣外使節日記纂輯１」所収／日本史籍協会編　東京大学出版会／１９８７
「亜行航海日記」益頭尚俊著／「万延元年遣米使節史料集成第二巻」所収／風間書房／１９６１
「亜行日記」名村元度著／同右所収／風間書房／１９６１

「航米日録」玉虫左太夫著／「現代日本記録全集　近代日本の目ざめ」所収／筑摩書房／１９６９
「朝日新聞」２００７年10月25日付
雑誌「商工世界　太平洋」１９０６年８月号、１９１０年９月号／博文館
雑誌「現代」１９２４年新年号／講談社
雑誌「海外」１９３０年10月号、１９３２年６月号／海外社

《ヨーロッパ関連》

「ヨーロッパに消えたサムライたち」太田尚樹著／角川書店／１９９９
「幕末欧州見聞録」市川清流著／楠家重敏編訳／新人物往来社／１９９２
「維新前夜」鈴木明著／小学館／１９８８
「文久二年のヨーロッパ報告」宮永孝著／新潮社／１９８９
「大君の使節　幕末日本人の西欧体験」芳賀徹著／中央公論社／１９６８
「幕末遣外使節物語」尾佐竹猛著／講談社／１９８９
「夷《い》狄《てき》の国へ」尾佐竹猛著／万里閣書房／１９２９
「文久航海記」三浦義彰著／冬至書林／１９４２
「桔梗《ききょう》・三宅秀とその周辺」福田雅代編纂・発行／１９８５
「薩摩《さつま》藩英国留学生」犬塚孝明著／中央公論社／１９７４

「慶応年間薩摩人洋航談」史談会編／「史談会速記録」所収／原書房／１９７３
「海を渡った幕末の曲芸団」宮永孝著／中央公論新社／１９９９
「十六世紀日欧交通史の研究」岡本良知著／原書房／１９７４
「日本洋学史」宮永孝著／三修社／２００４
「ペドロ・カスイ・岐部」岩波倭雄著／ドン・ボスコ社／１９７１
「走馬灯・その人たちの人生」遠藤周作著／毎日新聞社／１９７７
「銃と十字架」遠藤周作著／中央公論社／１９７９
「幸田成友著作集」（第３巻）幸田成友著／中央公論社／１９７１
「日佛のあけぼの」富田仁著／高文堂出版社／１９８３
「フランスに魅せられた人びと」富田仁著／カルチャー出版社／１９７６
「幕末に学んだ若き志士達」松邨賀太《まつむらよしもと》著／文芸社／２００３
「幕府オランダ留学生」宮永孝著／東京書籍／１９８２
「幕末オランダ留学生の研究」宮永孝著／日本経済評論社／１９９０
「薩摩スチューデント、西へ」林望著／光文社／２００７
「慶長遣欧使節　徳川家康と南蛮人」松田毅一著／朝文社／２００２
「南蛮遍路」松田毅一著／読売新聞社／１９７５
「廣八日記」飯野町史談会編・発行／１９７７
「日本・ポルトガル交渉小史」松田毅一著／在京ポルトガル大使館文化部／１９９２

「ポルトガルの海　フェルナンド・ペソア詩選」池上岑夫編訳／彩流社／1997
「大航海時代夜話」井沢実著／岩波書店／1977
「幕末日本とフランス外交」鳴岩宗三著／創元社／1997
「熊谷人物事典」日下部朝一郎編／国書刊行会／1982
「懐往事談」福地源一郎著／「幕末維新史料叢書」所収／人物往来社／1968
「幕末外交談」（第1・2）田辺太一著・坂田精一訳／平凡社（東洋文庫）／1966
「日仏の交流」高橋邦太郎著／三修社／1982
「チョンマゲ大使海を行く」高橋邦太郎著／人物往来社／1967
「モンブランの日本見聞記」C・モンブラン著・森本英夫訳／新人物往来社／1987
「航海日記」岩松太郎著／「遣外使節日記纂輯3」所収／日本史籍協会編／東京大学出版会／1987
「航西小記」岡田摂蔵著／「遣外使節日記纂輯3」所収／日本史籍協会編／東京大学出版会／1987
「幕末遣欧使節航海日録」野沢郁太著／「遣外使節日記纂輯2」所収／日本史籍協会編／東京大学出版会／1987
「幕末風塵録」綱淵謙錠著／文藝春秋／1986
「巴里雀《ぱりすずめ》」石黒敬七著／雄風館書房／1936
「ねむれ巴里」金子光晴著／中央公論新社／2005

「巴里の横顔」藤田嗣治著／実業之日本社／1929
「漱石書簡集」三好行雄編／岩波書店／2005
「パリ・日本人の心象地図」和田博文ほか著／藤原書店／2004
「エコール・ド・パリの日本人野郎」玉川信明著／社会評論社／2005
「巴里素描」松尾邦之助著／岡倉書房／1934
「サムライ使節団欧羅巴を食す」松本紘宇著／現代書館／2003
「青い目に映った日本人」山内昶著／人文書院／1998
「異都憧憬　日本人のパリ」今橋映子著／柏書房／1993
「下駄で歩いた巴里」林芙美子著／岩波書店／2003
「パリに死す　評伝・椎名其二」蜷川譲著／藤原書店／1996
「林忠正とその時代」木々康子著／筑摩書房／1987
「スイス探訪」國松孝次著／角川書店／2003
「日本とスイスの交流」森田安一著／山川出版社／2005
「初期日本＝スイス関係史」中井晶夫著／風間書房／1971
「スイスと日本のきずな」在日スイス商工会議所貿易振興委員会編／在日スイス商工会議所／1983
「プリンス昭武の欧州紀行」宮永孝著／山川出版社／2000
「徳川昭武滞欧記録」大塚武松編／日本史籍協会／1942

「徳川昭武幕末滞欧日記」宮地正人監修・松戸市教育委員会編／山川出版社／１９９９
「松下直美概蹟《がいせき》」大熊浅次郎著／「筑紫《ちくし》史談」筑紫史談会編に所収　第44号、第45号（１９２８）、第46号（１９２９）
「元帥《げんすい》公爵大山巌《いわお》」大山元帥伝刊行会編／大山元帥伝刊行会／１９３５
「大山巌」清水幸義著／新人物往来社／１９７５
「大山巌」児島襄《のぼる》著／文藝春秋／１９８５
「日本の産業技術事始め」富田仁著／ダイヤモンド社／１９８０
「事典近代日本の先駆者」富田仁編／日外アソシエーツ／１９９５
「明治前期東京時計産業の功労者たち」平野光雄著／明治前期東京時計産業の功労者たち刊行会／１９５７
「明治の時計」小島健司著／校倉書房／１９８８
「有島武郎全集」（第一〇巻）有島生馬ほか監修／新潮社／１９３０
「ラグーザお玉自叙伝」木村毅編／恒文社／１９８０
「ラグーザ・玉」加地悦子著／日本放送出版協会／１９８４
「続維新の女」楠戸義昭・岩尾光代著／毎日新聞社／１９９３
「先駆者たちの肖像」東京女性財団編著・発行／１９９４
「あの女性がいた東京の街」川口明子著／芙蓉書房出版／１９９７
「ラグーザ玉伝を検証する」早川義郎著／えあ社制作／２００２

「日本人漂流記」川合彦充著／社会思想社／1967
「日本人漂流記」荒川秀俊著／人物往来社／1964
「日本漂流譚」石井研堂著／学齢館／1892
「漂流―鎖国時代の海外発展」鮎沢信太郎著／至文堂／1956
「にっぽん音吉漂流記」春名徹著／晶文社／1979
「音吉少年漂流記」春名徹著／旺文社／1989
「英国政府と日本漂流民」奥平武彦著／「明治文化研究論叢」所収／一元社／1934
「日本とイギリス―日英交流の400年」宮永孝著／山川出版社／2000
「日英交流史近世書誌年表」島田孝右編／ユーリカ・プレス／2005
「密航留学生たちの明治維新」犬塚孝明著／日本放送出版協会／2001
「慶応二年幕府イギリス留学生」宮永孝著／新人物往来社／1994
「英航日録」川路太郎著／「黒船記」川路柳虹著所収／法政大学出版局／1953
「井上伯伝」中原邦平著／マツノ書店／1994
「波瀾萬丈」邦光史郎著／光風社出版／1984
「尾崎三良自叙略伝」（上・中・下）尾崎三良著／中央公論社／1980
「元帥　上原勇作伝」荒木貞夫編／元帥上原勇作伝記刊行会／1937
「明治文明開化の花々」松邨賀太著／文芸社／2004
「増田甲斎」木村勝美著／潮出版社／1993

「南方熊楠《みなかたくまぐす》全集七」南方熊楠著／平凡社／1971
「国際結婚第一号」小山騰《のぼる》著／講談社／1995
「風雲回顧録」（伝記岡本柳之助）平井駒次郎編／大空社／1988
「朝日新聞」1971年7月29日付、2005年1月7日付
「中外商業新報」1933年10月27日付
「読売新聞」2003年12月3日付
「西日本新聞」2003年1月4日・11日付、2月1日・8日・15日・22日付／ボストンの侍・井上良一
雑誌「時計」日本時計学会編／1949年3月号／資料社

《中東関連》
「航西日記」渋沢栄一著／「世界ノンフィクション全集第14」所収／筑摩書房／1961
「地中海世界を見た日本人」牟田口義郎著／白水社／2002
「福地桜痴《おうち》」柳田泉著／吉川弘文館／1989
「漫遊記程」中井弘著／「明治文化全集第十六巻」所収／日本評論社／1928
「王者と道化師」勝部真長著／経済往来社／1978
「幕末漂流」松本逸也著／人間と歴史社／1993
「航西日策」島地黙雷《しまじもくらい》著／「島地黙雷全集第五巻」所収／本願寺出版協会／1978

「回想のイスタンブル」長場紘著／真菜書房／1995
「イスタンブールを愛した人々」松谷浩尚著／中央公論社／1998
「土京雑記」徳冨蘆花著／「世界紀行文学全集・西アジア編」所収／修道社／1960
「西遊六萬哩」伊東忠太著／北光書房／1947
「西亜細亜《アジア》旅行記」家永豊吉著／「明治シルクロード探検紀行文集成第十六巻」所収／ゆまに書房／1988
「沙漠の国」笠間杲雄著／岩波書店／1935
「土耳古《トルコ》画観」山田寅次郎著／博文館／1911
「新月山田寅次郎」山樵亭主人著／発行人岩崎輝彦／1952
「近衛《このえ》篤麿《あつまろ》日記」近衛篤麿日記刊行会編／鹿島研究所出版会／1968
「山田寅次郎とトルコ・タバコ」坂本勉著／「三笠宮殿下米寿記念論集」所収／刀水書房／2004
「日本・トルコ交流の開拓者　山田寅次郎」寺田理恵著／「日本人の足跡2」所収／産経新聞ニュースサービス／2002
「暮らしがわかるアジア読本　トルコ」鈴木董編／河出書房新社／2000
「トルコ軍艦エルトゥールル号の遭難」森修編著／日本トルコ協会／1990
「近代日本とトルコ世界」池井優・坂本勉編／勁草書房／1999
「トルコが見えてくる」山口洋一著／サイマル出版会／1995

「ツアーなら行けるサウジアラビア」六車俊範《むぐるまとしのり》著／成山堂書店／２００３
「サウディアラビア王国」サウディアラビア王国文化・情報省ほか編／２００４
「サウジアラビア王国」太田博著／サイマル出版会／１９９６
「明治以前洋馬の輸入と増殖」財団法人馬事文化財団発行／１９８０
「象の旅」石坂昌三著／新潮社／１９９２
「不思議の国サウジアラビア」竹下節子著／文藝春秋／２００１
「外遊秘話」山岡光太郎著／飛竜閣／１９２２
「アラビア縦断記」山岡光太郎著／東亜堂書房／１９１２
「回々教の神秘的威力」山岡光太郎著／新光社／１９２１
「メッカ」前嶋信次編／芙蓉書房／１９７５
「メッカ」後藤明著／中央公論社／１９９１
「白雲遊記」田中逸平著／歴下書院／１９２５
「回教世界と日本」若林半著／若林半発行／１９３７
「日本回教徒のメッカ巡礼記」鈴木剛・細川将著／大日社／１９３８
「アジア・アフリカ資料通報」国立国会図書館編／国立国会図書館／1972年1月号～1973年4月号
「日本のムスリム社会」桜井啓子著／筑摩書房／２００３
「乃木大将渡欧日誌」乃木神社社務所編／「乃木希典全集下巻」所収／国書刊行会／１９９４

「スエズ運河」酒井傳六著／朝日新聞社／１９９２
「世界海運史」黒田英雄著／成山堂書店／１９７９
「欧西紀行」高島祐啓著／誠求堂／１８６７
「日本人の手紙」（第七巻）紀田順一郎編／リブリオ出版／２００４
「前田正名」祖田修著／吉川弘文館／１９７３
「クルーズ一問一答」池田良穂ほか著・監修／海事プレス社／２００４
「夢航海」東康生著／実業之日本社／１９９７
「日本郵船株式会社五十年史」日本郵船株式会社編・発行／１９３５
「日本郵船百年史資料」財団法人日本経営史研究所編／日本郵船株式会社／１９８８
「東洋紀行１」Ｇ・クライトナー著／平凡社（東洋文庫）／１９９２
「ふらんす物語」永井荷風著／岩波書店／２００２
「春の日記」林芙美子著／「下駄で歩いた巴里」所収／岩波書店／２００３
「報知新聞」１８９８年８月31日付
「国民新聞」１８９６年２月25日付、３月15日付、５月27日付
「朝日新聞」２００７年１月10日付

《オセアニア関連》
「ニュージーランド史」キース・シンクレア著／評論社／１９８２

「現代ニュージーランド」地引嘉博著／サイマル出版会／1984
「ラブリーニュージーランド」井田仁康著／二宮書店／1996
「ニュージーランドの魅力」山田禎介著／サイマル出版会／1993
「もっと知りたいニュージーランド」青柳まちこ編／弘文堂／1997
「ニュージーランド入門」日本ニュージーランド学会編／慶應義塾大学出版会／1998
「月川喜代平自伝とその背景」田辺眞人著／園田学園女子大学論文集第28号／1993
「戦時ニュージーランドに拘留された民間日本人」田辺眞人著／園田学園女子大学論文集第30号／1995
「日本ニュージーランド交流史と最初の日本人移住者」田辺眞人著／関西ニュージーランド研究会編・発行／1996
「濠洲及新西蘭」土屋元作著／朝日新聞社／1916
「熊本日日新聞」1990年11月2日付、11月14日付
「太平洋―開かれた海の歴史」増田義郎著／集英社／2004
「天国にいちばん近い島」森村桂著／角川書店／1969
「いまでも天国にいちばん近い島」森村桂著／PHP研究所／2002
「風に運ばれた道」西江雅之著／以文社／1999
「仏領『ニュー、カレドニア』島視察報告」三穂五郎著／「移民調査報告第八回」所収／外務省通商局編纂／雄松堂出版／1986

「ニュー・カレドニア島の日本人」小林忠雄著／カルチャー出版社／１９７７
「南太平洋物語」石川栄吉著／力富書房／１９８４
「南太平洋ひるね旅」北杜夫著／新潮社／１９６７
「週刊新潮」１９９２年７月９日号

《東南アジア関連》
「暹羅《シャム》老檛《ラオス》安南《アンナン》三国探検実記」岩本千綱《ちづな》著／三宝書院／１９４３
「南進の偉人岩本千綱」住江明著／室戸書房／１９４３
「現代ラオス概説」上東輝夫著／同文館出版／１９９２
「ラオス概説」ラオス文化研究所編／めこん／２００３
「タイ／ラオス歴史紀行」谷克二・鷹野晃著／日経ＢＰ企画／２００４
「もっと知りたいラオス」綾部恒雄・石井米雄編／弘文堂／１９９６
「ラオスの回想記」塚田大願著／光陽出版社／１９９５
「ラオスの旅　仏印随想」中村義男著／山根書房／１９４４
「黄色い革命」大宅壮一著／文藝春秋新社／１９６１
「仏印老檛」水谷乙吉著／丸善／１９４２
「西貢管見抄」高垣謹之助著・発行人／１９３８
「南洋」上田弥兵衛著／上田弥兵衛発行／１９２１

「明治南進史稿」入江寅次著／井田書店／１９４３
「仏領印度支那《インドシナ》」沢井常四郎編／文明堂／１９０３
「仏領印度支那事情」松木幹一郎著／工政会出版部／１９２５
「仏領印度支那事情」博文館編輯局《へんしゅうきょく》編／博文館／１９４０
「仏領印度支那事情」中村修著／「海外移住」日本移民協会編に所収／日本移民協会／１９２３
「仏領印度支那にさ迷う」大橋与成著／鳥影社／２０００
「もっと知りたいミャンマー」綾部恒雄・石井米雄著／弘文堂／１９９４
「ビルマという国」鈴木孝著／国際ＰＨＰ研究所／１９７７
「暮らしがわかるアジア読本　ビルマ」田村克己・根本敬著／河出書房新社／１９９７
「パゴダの国へ」長澤和俊著／ＮＨＫブックス／１９７５
「ビルマの闇《やみ》」荒井利明著／亜紀書房／１９８９
「ビルマに暮らして」佐久間平喜著／勁草書房／１９９４
「ビルマ軍事政権とアウンサンスーチー」田辺寿夫・根本敬著／角川書店／２００３
「アーロン収容所再訪」会田雄次著／文藝春秋／１９７５
「ビルマ縦横談」福島弘著／「南方旅行記」日本放送協会編に所収／日本放送出版協会／１９４２
「椰子《やし》の葉蔭《はかげ》」川上滝弥著／六盟館／１９１５
「史実山田長政」江崎惇著／新人物往来社／１９８６

「王国への道」遠藤周作著／平凡社／１９８１
「日・タイ交流六〇〇年史」石井米雄・吉川利治著／講談社／１９８７
「サンダカン八番娼館」山崎朋子著／筑摩書房／１９７２
「村岡伊平治自伝」村岡伊平治著／南方社／１９６０
「日本経済新聞」１９７４年5月30日付
「朝日新聞」１９７４年8月9日付
「大阪毎日新聞」１９４０年9月16、17、18日付
雑誌「海外」１９３２年7月、8月号、１９３６年2月号／海外社
雑誌「商工世界　太平洋」１９０７年7月15日号／実業之日本社

《ロシア沿海州関連》
「からゆきさん」森崎和江著／朝日新聞社／１９７６
「北のからゆきさん」倉橋正直著／共栄書房／１９８９
「ユーラシアを駆けた男」秋田　魁《さきがけ》新報社編／秋田魁新報社／１９９４
「ウラジオストク物語」原暉之著／三省堂／１９９８
「ウラジオストクの日本人街」堀江満智著／東洋書店／２００５
「遥《はる》かなる浦潮」堀江満智著／新風書房／２００２
「露国及び露人研究」大庭柯公著／中央公論社／１９８４

「浦潮斯徳《ウラジオストク》」川上俊彦著／「明治北方調査探検記集成第二巻」所収／ゆまに書房／1988
「大英游記」杉村楚人冠《そじんかん》著／有楽社／1908
「東露要港浦塩斯徳」松浦充美著／東京堂／1897
「周遊日記」（上・下）永山武四郎著／ゆまに書房／1987
「朝鮮西伯利紀行」矢津昌永著／「明治北方調査探検記集成第五巻」所収／ゆまに書房／1988
「浦塩斯徳紀行」鈴木大亮著／北海道地方史研究会／1960
「曠野《こうや》の花」石光真清著／中央公論社／1978
「ニコライの首飾り」白浜祥子著／彩流社／2002
「嵯峨《さが》寿安《じゅあん》、そしてウラジオストックへ」犬島肇著／桂書房／1993
「間諜《かんちょう》二葉亭四迷」西木正明著／講談社／1994
「二葉亭四迷伝」中村光夫著／講談社／1976
「幕末ロシア留学記」内藤遂《かなう》著／雄山閣／1968
「遺魯傳習生始末」内藤遂著／東洋堂／1943
「幕末おろしや留学生」宮永孝著／筑摩書房／1991
雑誌「亜細亜」1898年7月1日発行
雑誌「中央公論」1938年8月号／中央公論社

《北米・中南米関連》

「アメリカ大陸日系人百科事典」アケミ・キクムラ＝ヤノ編／明石書店／2002
「南米と中米の日本人」山岡光太郎著／南米研究会／1922
「支倉常長《はせくらつねなが》異聞」中丸明著／宝島社／1994
「漂流記の魅力」吉村昭著／新潮社／2003
「望郷のとき」城山三郎著／文藝春秋／1968
「侍」遠藤周作著／新潮社／1980
「メキシコの大地に消えた侍たち」大泉光一著／新人物往来社／2004
「メキシコにおける日本人移住先史の研究」大泉光一著／文眞堂／2002
「慶長遣欧使節の研究」大泉光一著／文眞堂／1994
「支倉常長慶長遣欧使節の真相」大泉光一著／雄山閣／2005
「ローマへの遠い旅」高橋由貴彦著／講談社／1981
「日本・スペイン交渉史」パブロ・パステルス著、松田毅一訳／大修館書店／1994
「アカプルコの交易船ガレオン展」駐日メキシコ合衆国大使館編／駐日メキシコ合衆国大使館発行／1988
「メヒコと日本人」石田雄著／UP選書／東京大学出版会／1973
「アステカ貴族の青年が見た支倉使節」林屋永吉著／岩波書店「図書」所収／1975年8月号
「日本・メキシコ交流史話」真継真編著／万年青書房／1993

「近代メキシコ日本関係史」エンリーケ・コルテス著、古屋英男ほか訳／現代企画室／1988
「イダルゴとサムライ」ファン・ヒル著、平山篤子訳／法政大学出版局／2000
「概説メキシコ史」国本伊代ほか著／有斐閣／1984
「メキシコに生きる日系移民たち」山本厚子著／河出書房新社／1988
「航跡」日本郵船広報グループ編／日本郵船／2004
「海を渡った幕末の曲芸団」宮永孝著／中央公論新社／1999
「万延元年の遣米使節団」宮永孝著／講談社／2005
「77人の侍アメリカへ行く」レイモンド服部著／講談社／1968
「パナマを知るための55章」国本伊代ほか著／明石書店／2004
「評伝　技師・青山士《あきら》の生涯」高崎哲郎著／講談社／1994
「ぱなま運河の話」青山士著／青山士発行／1939
「パナマ地峡秘史」ディヴィッド・ハワース著、塩野崎宏訳／リブロポート／1994
「パナマから消えた日本人」山本厚子著／山手書房新社／1991
「熱い河」三宅雅子著／講談社／1998
「パナマ運河にて」平岩弓枝著／「日本のおんな」所収／新潮社／1979
「パナマ運河の殺人」平岩弓枝著／角川書店／1988
「パナマ運河を破壊せよ」檜山良昭著／光文社／1988
「幻の潜水空母」佐藤次男著／光人社／2001

「最近南米往来記」石川達三著／中央公論社／1981
「アメリカ彦蔵自伝」ジョセフ・ヒコ著、山口修・中川努訳／平凡社／1964
「ジョセフ彦」近盛晴嘉著／日本ブリタニカ／1980
「彦蔵漂流記」／石井研堂編「異国漂流奇譚集」所収／福永書店／1927
「万延元年第一遣米使節日記」日米協会編／1977
「わが囚《とら》われの記」天野芳太郎著／中央公論社／1983
「ラテン・アメリカの日本人」井沢実著／（財）日本国際問題研究所／1972
「日本チリ交流史」日本チリ交流史編集委員会編／日本チリ修好百周年記念事業組織委員会／1997
「太平洋の反対側へ」マリア・テレサ・フェルナンド・ハヌス著／チリ日本人会60周年記念誌／2004
「ラテン・アメリカと海―近世対日関係外史」前田正裕著／近代文芸社／1995
「石橋禹《う》三郎《さぶろう》小傳」塙薫蔵《はなわくんぞう》著／伝記「浦敬一」所収／大空社／1997
「東洋汽船株式会社南米渡航案内」東洋汽船株式会社編・発行／1913
「東洋汽船六十四年の歩み」東洋汽船株式会社編・発行／1964
「南米渡航案内」結城朝八著／実業之日本社／1921
「南米渡航案内」横山源之助著／成功雑誌社／1908
「私のジョン万次郎」中浜博著／小学館／1991

「中濱万次郎、「アメリカ」を初めて伝えた日本人」中浜博著／冨山房インターナショナル／2005
「ジョン万次郎の一生」成田和雄著／中日新聞本社／1976
「中濱万次郎傳」中浜東一郎著／冨山房／1936
「新世界へ」佐野芳和著／法政大学出版局／1989
「初太郎漂流記」河野太郎著／徳島県教育会出版部／1970
「鎖国日本―異国MEXICO　難船栄寿丸の13人」佐野芳和著／アルテス・グラフィカス・パノラマ／1999
「世界を見てしまった男たち」春名徹著／文藝春秋／1981
「海外活動之日本人」有磯逸郎著／松華堂／1906
「北米百年桜」伊藤一男著／PMC出版／1984
「アラスカ物語」新田次郎著／新潮社／1974
「アラスカ　最後のフロンティア」東良三著／山と溪谷社／1973
「アラスカ」小葉田亮著／朝日新聞社／1942
「極限の民族」本多勝一著／朝日新聞社／1967
「金と運」安西政次郎（述）・長井修吉著／東亜堂／1913
「アメリカを知る事典」斎藤眞ほか監修／平凡社／2000
「アメリカの歴史を知るための60章」富田虎男ほか編著／明石書店／2000

「アラスカ」三森定男著／四海書房／１９４２
「グレートジャーニー」アラスカ編／関野吉晴著／毎日新聞社／１９９８
「オーロラに駆けるサムライ」谷有二著／山と渓谷社／１９９５
「氷海の幻日」西木正明著／講談社／１９９６
「エスキモーになった日本人」大島育雄著／文藝春秋／１９８９
「新愛媛」１９７４年1月16日付、27日付
「報知新聞」１９３１年7月2日付
雑誌「海外」１９２7年10月号、１９３０年11月号、12月号、１９３1年8月号／海外社
雑誌「商工世界　太平洋」１９０7〜8年／博文館

解説

北上次郎

『海を渡った日本人』（福武文庫／一九九三年）というアンソロジーを編んだことがある。その序文に、なぜ私が「海を渡った日本人」に興味を引かれるのかを書いているので、少し長くなるがまずそれを引いておきたい。

海を渡った日本人に興味を持ったのは長澤和俊『日本人の冒険と探検』を読んだのがきっかけだった。この本は古代から二〇世紀前半までさまざまな理由で海を渡った日本人の記録を集めたものだが、そのなかにウラジオストックからベルリンまで冬のシベリア大陸を明治期に横断した日本人のことが出てくる。同時期にシベリア大陸を逆方向から横断した福島安正のことはよく知られていても、この民間人の「冒険」はまったく知られていない。この男、玉井喜作に興味を持ったのは冬のシベリア大陸を横断する特別の目的が彼にないことだった。彼にとってはベルリンに渡るのが目的で、シベリア横断は付け足しである。それ自体が目的ではない。ベルリンに向かうならあえて自分に困難を強いてみようという明治男の意気なのである。彼はシベリア横断をはたしたあとベルリンで雑誌を発行し、四一歳の若さで没。冬のシベリア大陸で彼は何を思っていたのだろうか。その興味がすべての始まりだった。

現代と違って情報網の発達していない時代に海を渡るというのは、それだけで気の遠くなるような冒険である。江戸時代や明治期に見知らぬ異国の地に赴くということは、風の匂《にお》いから空の色にいたるまで見るものすべてが驚きと発見の日々であったろう。国を遠く離れて未知の世界に旅立った彼らがそこで何を見て、何を考えたのか。想像を絶する困難を彼らはどう克服したのか。それを考えるだけで私は眩暈《めまい》に似たものを覚えてしまう。

玉井喜作はシベリア二万キロを茶を運ぶ隊商とともに一年半かかって横断するが、その記録「シベリア隊商紀行」が日本で知られていないのは、明治三十一年にベルリンの出版社から独文で刊行されたためだろう。我が国に翻訳されたのは昭和三十八年で、筑摩書房「世界ノンフィクション全集」の第四十七巻に収録。とにかく凄《すさ》まじい記録といっていい。この茶を運ぶ隊商の群れは満足な食事も取らず、わずかの休息だけで零下四十度、時には零下五十度という酷寒のシベリア中央部を走破していく。眠るのもそりに乗りながらなのだ。振り落とされても待ってはくれず、そのたびに何キロも這《は》って次の休息地まで追いかけなければならない。その休息時も油断できない。安心して眠ってしまうと置き去りにされるのである。旅の途中では盗賊に遭い、コサック兵に殴られ、それでもひたすら走り続けるから凄まじい。

『海を渡った日本人』を編んだのは、「世界ノンフィクション全集」の第四十七巻が当時絶版で、この「シベリア隊商紀行」を読むことが出来なかったからだ。つまり、この記録をもっと多くの人に読んでほしいというのがいちばんの動機だったのである。

実はもう一つ、私の場合にはポイントがあり、それは「海を渡って、そのまま帰ってこなかった日本人」の記録を読むのが好きだったことだ。これに深い理由はない。異国における未知との遭遇の困難と驚きは、帰国しようがその地で果てようが違いのあるわけもない。ようするにこれは、私の好みにすぎない。

本書『そこに日本人がいた！』が刊行されたとき、こんなに私好みの本が出て、いいんだろうかと思ったのは、さすがに「海を渡って、そのまま帰ってこなかった日本人」の記録ではないけれど、幕末から明治にかける時期が中心になっていたからだ。

これは私の興味と重なっている。「海を渡ったご先祖様たち」の副題通り、アフリカ、中南米、中東、オセアニアまで、海を渡って最初に現地に足を踏み入れた日本人（ファースト・ジャパニーズ）は誰なのかを、膨大な文献を当たって紹介した書であるから、幕末から明治にかける時期が中心になるのは当然なのかもしれない。

初読のとき、おやっと思ったのは、ウラジオストックからペテルブルクまでシベリアを横断した男として嵯峨寿安《さがじゅあん》という男が紹介されていたことで、旧金沢藩士の寿安は、箱館からロシア船でウラジオストックに渡り、そこから最初は徒歩、途中からは持ち金をはたいて購入した旅馬車に寝泊まりしながら西に向かい、最後は汽車に乗り換えて半年かけてペテルブルクに着いたという。渡航目的は学術修業、日本人による単独横断はこの寿安が最初だと著者は記している。

玉井喜作がシベリアを横断したのは明治二十六年だから、明治四年に横断した寿安のほうがたしかに先だ。そのことによって玉井喜作の価値が減じるものではけっしてないが、この嵯峨寿安ってどういう男なんだと猛烈に好奇心が刺激されたのを覚えている。

本書を読んで興味を引かれた箇所は幾つもある。スペインの南西端の町コリア・デル・リオという小さな町に、スペイン語でハポン、つまり「日本」という珍しい姓を持つ住民が多いこと（一九八九年の国勢調査で、町には八三〇人のハポン姓の住民を確認）。そのルーツは支倉《はせくら》使節団から離脱してこの町の周辺に住み着いた日本人がキリスト教の受洗の際、姓をハポンにしたのが始まりだという。

幕末、多くの若者がロンドンに留学していたが、薩摩《さつま》藩や長州藩だけでなく、幕府留学生も当然ながらいて、国内での対立をよそに現地では親しく交わっていたというくだりも興味深いが、いちばん印象に残るのは野田朝次郎のケースだろう。朝次郎の父親は長崎の船大工で、ある日、長崎の港に入った英国船から修理を頼まれる。その仕事ぶりに満足した船長は大工を船に招き、感謝の宴《うたげ》を催した。その際、大工は七歳か八歳の息子朝次郎を連れて乗船。外国船を見せてやろうという親心だったが、宴が終わり、ほろ酔い機嫌の父親は朝次郎を置いて船を降りてしまった。一方の朝次郎は、いつまでも父親が迎えにこないものだから、船内の何処《どこ》かにもぐり込み、そのまま眠ってしまい、気がついたときははるか洋上を航海中でどうにもならない。やがてこれから日本に向かうというドイツ船とすれ違ったので、英国船の船員が交渉し、日本まで送ってもらうことになった。

しかしこの話はまだ終わらない。まるで嘘《うそ》みたいな話が続いていく。そのドイツ船は結局日本に立ち寄らなかったのである。少年は船のボーイとなって働き、そのまま十年が過ぎる。その船がニュージーランドに立ち寄ったとき（明治二十三年ごろ）、十七、八歳になっていた朝次郎はようやく船を降りる決心をし、そこで現地の女性と結婚。太平洋戦争中に息を引き取ったというのである。

そういう数奇な運命をたどった日本人が、この朝次郎だけでなく次々に出てくるから興味がつきない。そのたびに私は、それらの波瀾《はらん》万丈な人生に圧倒され、ため息をついたりしているのである。

（平成二十二年四月、文芸評論家）

この作品は平成十九年十二月新潮社より刊行された。

青木冨貴子著

７３１

―石井四郎と細菌戦部隊の闇を暴く―

７３１部隊石井隊長の直筆ノートには、ＧＨＱとの驚くべき駆け引きが記されていた。戦後の混乱期に隠蔽された、日米関係の真実！

一志治夫著

魂の森を行け

―３０００万本の木を植えた男―

土を嗅ぎ、触り、なめろ。いのちを支える鎮守の森を再生するため、日夜奮闘する破格の植物生態学者を描く傑作ノンフィクション。

伊東成郎著

幕末維新秘史

桜田門外に散った下駄の行方。西郷を慕った豚姫様。海舟をからかった部下。龍馬を暗殺した男。奇談、珍談、目撃談、四十七話を収録。

梅原　猛　著

隠された十字架

―法隆寺論―

毎日出版文化賞受賞

法隆寺は怨霊鎮魂の寺！　大胆な仮説で学界の通説に挑戦し、法隆寺に秘められた謎を追い、古代国家の正史から隠された真実に迫る。

Ｄ・キーン

角地幸男訳

明治天皇（一～四）

毎日出版文化賞受賞

極東の小国を勃興へ導き、欧米列強に比肩する近代国家に押し上げた果断な指導者の実像を、日本研究の第一人者が描く記念碑的大作。

神坂次郎著

今日われ生きてあり

沖縄の空に散った特攻隊少年飛行兵たちの、この上なく美しくも哀しい魂の軌跡を手紙、日記、遺書から現代に刻印した不朽の記録。

司馬遼太郎著

梟の城

直木賞受賞

信長、秀吉……権力者たちの陰で、凄絶な死闘を展開する二人の忍者の生きざまを通して、かげろうの如き彼らの実像を活写した長編。

司馬遼太郎著

人斬り以蔵

幕末の混乱の中で、劣等感から命ぜられるままに人を斬る男の激情と苦悩を描く表題作ほか変革期に生きた人間像に焦点をあてた7編。

司馬遼太郎著

国盗り物語（一〜四）

貧しい油売りから美濃国主になった斎藤道三、天才的な知略で天下統一を計った織田信長。新時代を拓く先鋒となった英雄たちの生涯。

司馬遼太郎著

燃えよ剣（上・下）

組織作りの異才によって、新選組を最強の集団へ作りあげてゆく〝バラガキのトシ〟——剣に生き剣に死んだ新選組副長土方歳三の生涯。

司馬遼太郎著

新史太閤記（上・下）

日本史上、最もたくみに人の心を捉えた〝人蕩し〟の天才、豊臣秀吉の生涯を、冷徹な史眼と新鮮な感覚で描く最も現代的な太閤記。

司馬遼太郎著

関ケ原（上・中・下）

古今最大の戦闘となった天下分け目の決戦の過程を描いて、家康・三成の権謀の渦中で命運を賭した戦国諸雄の人間像を浮彫りにする。

井上ひさし著
ブンとフン
フン先生が書いた小説の主人公、神出鬼没の大泥棒ブンが小説から飛び出した。奔放な空想奇想が痛烈な諷刺と哄笑を生む処女長編。

井上ひさし著
新釈遠野物語
遠野山中に住まう犬伏老人が語ってきかせた、腹の皮がよじれるほど奇天烈なホラ話……。名著『遠野物語』にいどむ、現代の怪異譚。

井上ひさし著
私家版日本語文法
一家に一冊話題は無限、あの退屈だった文法いまいずこ。日本語の豊かな魅力を爆笑と驚愕のうちに体得できる空前絶後の言葉の教室。

井上ひさし著
吉里吉里人（上・中・下）
日本SF大賞・読売文学賞受賞
東北の一寒村が突如日本から分離独立した。大国日本の問題を鋭く撃つおかしくも感動的な新国家を言葉の魅力を満載して描く大作。

井上ひさし著
自家製文章読本
喋り慣れた日本語も、書くとなれば話が違う。名作から広告文まで、用例を縦横無尽に駆使して説く、井上ひさし式文章作法の極意。

井上ひさしほか著
文学の蔵編
井上ひさしと141人の仲間たちの作文教室
原稿用紙の書き方、題のつけ方、そして中身は自分の一番言いたいことをあくまで具体的に――文章の達人が伝授する作文術の極意。

阿刀田 高著
ギリシア神話を知っていますか
この一冊で、あなたはギリシア神話通になれる！ 多種多様な物語の中から著名なエピソードを解説した、楽しくユニークな教養書。

阿刀田 高著
あなたの知らない ガリバー旅行記
作者J・スウィフトの人物像や当時のイギリス社会を分かりやすく解説し、名作の桁はずれの面白さを紹介した阿刀田流古典鑑賞読本。

阿刀田 高著
旧約聖書を知っていますか
預言書を競馬になぞらえ、全体像をするめにたとえ――「旧約聖書」のエッセンスのみを抽出した阿刀田式古典ダイジェスト決定版。

阿刀田 高著
新約聖書を知っていますか
マリアの処女懐胎、キリストの復活、数々の奇蹟……。永遠のベストセラーの謎にミステリーの名手が迫る、初級者のための聖書入門。

阿刀田 高著
ホメロスを楽しむために
ギリシャに生まれた盲目の吟遊詩人ホメロス――読みたくても手が出なかった古典のエキスが苦もなく手に入る大好評シリーズ第6弾。

阿刀田 高著
シェイクスピアを楽しむために
読まずに分る〈アトーダ式〉古典解説シリーズ第七弾。今回は『ハムレット』『リア王』などシェイクスピアの11作品を取り上げる。

白洲正子著

日本のたくみ

歴史と伝統に培われ、真に美しいものを目指して打ち込む人々。扇、染織、陶器から現代彫刻まで、様々な日本のたくみを紹介する。

白洲正子著

西行

ねがはくは花の下にて春死なん……平安末期の動乱の世を生きた歌聖・西行。ゆかりの地を訪ねつつ、その謎に満ちた生涯の真実に迫る。

白洲正子著

夕顔

草木を慈しみ、愛する骨董を語り、生と死に思いを巡らせる。ホンモノを知る厳しいまなざしにとらえられた日常の感懐57篇を収録。

白洲正子著

遊鬼——わが師　わが友

青山二郎、小林秀雄、梅原龍三郎、洲之内徹、……。韋駄天の正子が全身でぶつかり全霊で感電した人生の名人、危うきに遊んだ鬼たち。

白洲正子著

いまなぜ青山二郎なのか

余りに純粋な眼で本物を見抜き、あいつだけは天才だ、と小林秀雄が嘆じた男……。末弟子が見届けた、美を呑み尽した男の生と死。

白洲正子著

名人は危うきに遊ぶ

本当の美しさを「もの」に見出し、育て、生かす。おのれの魂と向き合い悠久のエネルギィを触知した日々……。人生の豊熟を語る38篇。

塩野七生著

愛の年代記

欲望、権謀のうず巻くイタリアの中世末期からルネサンスにかけて、激しく美しく恋に身をこがした女たちの華麗なる愛の物語9編。

塩野七生著

チェーザレ・ボルジア あるいは優雅なる冷酷

毎日出版文化賞受賞

ルネサンス期、初めてイタリア統一の野望をいだいた一人の若者――〈毒を盛る男〉としてその名を歴史に残した男の栄光と悲劇。

塩野七生著

コンスタンティノープルの陥落

一千年余りもの間独自の文化を誇った古都も、トルコ軍の攻撃の前についに最期の時を迎えた――。甘美でスリリングな歴史絵巻。

塩野七生著

ロードス島攻防記

一五二二年、トルコ帝国は遂に「喉元のトゲ」ロードス島の攻略を開始した。島を守る騎士団との壮烈な攻防戦を描く歴史絵巻第二弾。

塩野七生著

レパントの海戦

一五七一年、無敵トルコは西欧連合艦隊の前に、ついに破れた。文明の交代期に生きた男たちを壮大に描いた三部作、ここに完結！

塩野七生著

マキアヴェッリ語録

浅薄な倫理や道徳を排し、現実の社会のみを直視した中世イタリアの思想家・マキアヴェッリ。その真髄を一冊にまとめた箴言集。

新潮文庫最新刊

河合隼雄著
岡田知子絵
泣き虫ハァちゃん
ほんまに悲しいときは、男の子も、泣いてもええんよ。少年が力強く成長してゆく過程を描く、著者の遺作となった温かな自伝的小説。

中島義道著
エゴイスト入門
大勢順応型の日本的事勿れ主義を糾弾し、個人の快・不快に忠実に生きることこそ倫理的と説く。「戦う哲学者」のエゴイスト指南。

木田　元著
反哲学入門
なぜ日本人は哲学に理解しづらいという印象を持つのだろうか。いわゆる西洋哲学を根本から見直す反哲学。その真髄を説いた名著。

桂　文珍著
落語的ニッポンのすすめ
全国各地へ飛び回り、笑いを届ける文珍師匠。その旅先で出会った人々の、優しさ、おかし味、楽しさを笑顔とともに贈るエッセイ集。

いしいしんじ著
アルプスと猫
―いしいしんじのごはん日記３―
アルプスをのぞむ松本での新しい暮らし。夫婦のもとにやってきた待望の「猫ちゃん」と、突然の別れ。待望の「ごはん日記」第三弾！

入江敦彦著
怖いこわい京都
「そないに怖がらんと、ねき(近く)にお寄りやす」――微笑みに隠された得体のしれぬ怖さ。京の別の顔が見えてくる現代「百物語」。

そこに日本人《にほんじん》がいた！

—海を渡ったご先祖様たち—

新潮文庫　く－36－1

平成二十二年六月一日発行

著者　熊《くま》田《だ》忠《ただ》雄《お》

発行者　佐藤隆信

発行所　株式会社新潮社

郵便番号　一六二—八七一一
東京都新宿区矢来町七一
電話　編集部(〇三)三二六六—五四四〇
　　　読者係(〇三)三二六六—五一一一
http://www.shinchosha.co.jp

価格はカバーに表示してあります。

乱丁・落丁本は、ご面倒ですが小社読者係宛ご送付ください。送料小社負担にてお取替えいたします。

印刷・錦明印刷株式会社　製本・錦明印刷株式会社

ISBN978-4-10-132481-4 C0195